Pobol Porth yr Aur

Pobol PORTH YR AUR

Golwg ar y cymeriadau,
gwerthfawrogiad gan edmygwyr
a naw o'ch hoff straeon gan

Harri Parri

golygydd

Gwyn Lewis

lluniau gan

Ian Griffith

'Mae gallu ysgrifennu comedi go-iawn yn ddawn brin, ac yn un sy'n werth ei phwysau mewn aur . . . Mae cymeriadau byd Harri a'r sefyllfaoedd y mae'n eu creu yn wirioneddol gomig. Ac y mae'r cyfan yn dibynnu ar ddau beth – ei ddyfeisgarwch dychmygus a'i fedr athrylithgar i drin geiriau.'

— *Yr Athro Gwyn Thomas*

Cyhoeddwyd yn 2015 gan Wasg y Bwthyn,
Lôn Ddewi, Caernarfon LL55 1ER.
gwasgybwthyn@btconnect.com

ISBN 978-1-907424-81-6

Cyhoeddwyd gyda chymorth ariannol Cyngor Llyfrau Cymru.

Argraffwyd a rhwymwyd gan Wasg Gomer, Llandysul

Cynnwys

Cyflwynir y llyfr hwn i

....

Lleucu Parri

Croeso i Borth yr Aur
Gwyn Lewis

Dros yr ugain mlynedd diwethaf, mae tref hynod Porth yr Aur a'i phanorama lliwgar o drigolion brith wedi dod yn rhan annatod o'n chwedloniaeth a'n llenyddiaeth ni – diolch i ddychymyg dihysbydd a chrefft storïol Harri Parri a dawn dweud a phortreadu cynnil John Ogwen.

Fel 'meistr y stori ffraeth Gymraeg' (chwedl R. Maldwyn Thomas amdano yn ei froliant i *Bwci a Bedydd*) y mae Harri Parri wedi bod yn portreadu cymeriadau dychmygol yng nghymunedau Carreg Boeth a Phorth yr Aur gyda sicrwydd crefftus ers dros 30 mlynedd, gan argyhoeddi ei ddarllenwyr fod y cymeriadau hyn *wedi* byw go iawn. Er iddo droi'i law at ysgrifennu nofelau megis *O Lun i Lŷn* (nofel ysgafn a gyhoeddwyd yn 1972) ac *Etholedig Arglwyddes* (nofel hanesyddol am dröedigaeth Catherine Edwards, Plas Nanhoron, yn y ddeunawfed ganrif), yn ddi-os fel crëwr y Parch Eilir Thomas a'i braidd amryliw y gwnaeth Harri ei gyfraniad mwyaf i lenyddiaeth Gymraeg gyfoes, a hynny yng nghyd-destun datblygiad y stori fer ffraeth.

Gyda phedair cyfrol ar ddeg o storïau wedi'u cyhoeddi am helyntion y Parch Eilir Thomas, gellir honni'n ddibetrus i Harri Parri ddod i oed fel awdur cwbl feistraidd a sicr iawn ei grefft a'i gyffyrddiad yn myd y stori fer ffraeth Gymraeg gan ddatblygu yn brif ladmerydd y *genre* hon yn ein llenyddiaeth gyfoes.

Oherwydd iddo ymddiddori cymaint yn y bobl y bu'n byw yn eu plith ar hyd ei yrfa, cyfrinach llwyddiant Harri Parri yn ei storïau ydi ei fod o'n adnabod ei gymeriadau a'i gynulleidfa mor dda. Ffrwyth sylwgarwch miniog o *wylio* ac o *wrando* ar bobl yn byw mewn cymdeithas dros ddeugain mlynedd yn y weinidogaeth sy'n gyfrifol am osod Harri Parri yn un o awduron pwysicaf y stori fer ffraeth – yn llinach W. J. Griffith, J. J. Williams, ac Islwyn Williams yn Gymraeg, ac awduron megis W. W. Jacobs a P. G. Wodehouse (un o'i arwyr llenyddol pennaf) yn Saesneg.

Un peth, fodd bynnag, ydi *adnabod* eich cymeriadau; rhaid wrth ddawn y llenor creadigol i fedru *cyfleu'r adnabyddiaeth* honno i'ch cynulleidfa mewn modd sy'n argyhoeddi. Dyna gamp Harri Parri wrth ein tywys ni i fod yn bryfaid ar waliau lleoedd mor wahanol ag ystafell blaenoriaid Capel y Cei, ystafell ffrynt Anglesea View, patio Plas Coch, carafan y Mulliganiaid, bar y Fleece, Siop Siswrn *Cecil's Scissors* yn Stryd Samson, heb sôn am y Lingerie Womenswear a nyth dryw y Nook – gan wneud i ni gredu fod cymeriadau mor frith â Kit Davies, Fred a Freda Phillips, Shamus Mulligan a'r Mulliganiaid, Jac Black, Cecil Humphreys, a Dwynwen Lightfoot a'u tebyg – i enwi ond ychydig – *wedi* byw ac *yn* fyw yn ein cymdeithas ni.

Mae'n bwysig cofio mai storïau a luniwyd ar gyfer eu *perfformio* neu *eu darllen ar goedd* ydi storïau Harri Parri i gyd, ac fel 'cyfrol o straeon radio . . . yn hytrach na chasgliad o straeon byrion' yr oedd o ei hun yn ystyried y straeon cyntaf (cyfres 'Carreg Boeth') a

'Trwsio'r Boeler',
Shamus Mulligan a'r Parot

'Oli Paent a "Pen yr Yrfa"', *Miss Pringle a'r Tatŵ*

ddarllenwyd gan Charles Williams ar y radio yn y 1970au a'r 1980au. Gyda chyfres 'Porth yr Aur', fe aeth yr elfen o 'berfformio' gam ymhellach: gydag Elwyn Jones yn cynhyrchu, recordiwyd y straeon ar gyfer eu darlledu ar Radio Cymru y tro hwn, gyda John Ogwen yn portreadu'r cymeriadau o flaen cynulleidfa fyw. A chyda'r datblygiad hwn fe ddaeth yna elfen gref o theatr i mewn i'r creadigaethau, gyda Harri – yn nhraddodiad y Cyfarwydd yn yr Oesoedd Canol – yn derbyn ymateb a gwerthfawrogiad y gynulleidfa yn y fan a'r lle, rhywbeth sy'n amheuthun i awdur rhyddiaith ei gael heddiw. Ond mae cael yr ymateb hwnnw – y cydadwaith arbennig yna rhwng awdur a'i gynulleidfa – yn sicr o ddylanwadu ar unrhyw awdur ac yn rhwym o lywio'r ffordd y mae'n mynd ati i saernïo'i storïau o safbwynt eu cynnwys a'u harddull. Y mae hynny'n hollol wir yn achos Harri Parri ac mae'r dyfyniad hwn o'i gyflwyniad i *Howarth a Jac Black* yn dangos hynny i'r dim:

> Y mae hi [y stori fer ddigri], yn ogystal, yn fwy o lenyddiaeth croen banana, yn dibynnu'n drymach ar ymateb cyhoeddus. Fel i'r Cyfarwydd yn oes y Pedair Cainc, y gamp ydi 'didanu y llys' ag 'ymdidaneu digrif'.

Un prawf pendant o lwyddiant Harri i 'ddiddanu y llys' ydi'r derbyniad gwresog y mae'i storïau wedi'i gael yn ystod sesiynau 'Stori Awr Ginio' yn y Babell Lên yn yr Eisteddfod Genedlaethol, trwy'r 'nawdd' a estynnwyd yn gyson iddo fo a John Ogwen am sawl blwyddyn er Eisteddfod Genedlaethol Meirion a'r Cyffiniau 1997 yn y Bala. Daeth y bartneriaeth lwyddiannus hon rhwng Harri Parri a John Ogwen yn rhan o draddodiad y Babell

Lên yn y Brifwyl yn y cyfnod diweddar, fel y mae Gwyn Thomas yn sôn yn ei froliant i *Eiramango a'r Tebot Pinc*:

> Bydd Pabell Lên yr Eisteddfod Genedlaethol yn rheolaidd o dan ei sang gan brif chwarddwyr Cymru, Ynys Prydain a'i Gor-ynysoedd pan fydd John Ogwen yn darllen gwaith Harri.

'Teigr, Teigr', *Howarth a Jac Black*

Adeiladwyd ymhellach ar lwyddiant digamsyniol y ddeuawd hon gan gwmni teledu Cwmni Da pan aethon nhw â'r straeon o amgylch Pen Llŷn yng ngwanwyn 2010 i'w ffilmio ar gyfer S4C, a hynny i gyfeiliant bonllefau o chwerthin gan gynulleidfa fyw y naill noson ar ôl y llall.

Y mae'r wyth cyfrol sydd wedi ymddangos yng ngyfres 'Porth yr Aur' yn adlewyrchu gofalaethau trefol ac arfordirol Harri Parri ym Mhorthmadog, Borth-y-gest a Chaernarfon, gyda'r gymdeithas yn fwy soffistigedig ar y naill law ond yn fwy bras ar y llaw arall. Yn gymysg â 'cholofnau'r achos' yng Nghapel y Cei y mae yma gymeriadau lliwgar nad ydyn nhw byth yn tywyllu lle o addoliad, ac yn ymwneud y carfanau hyn â'i gilydd y mae Harri Parri'n gweld ei gyfle i gynnig sylwebaeth ar arferion dosbarth canol ein cymdeithas drefol, faterol ni heddiw.

Yn ei broliant i'r gyfrol *Shamus Mulligan a'r Parot*, fe ddywed Bethan Gwanas nad ydi awduron sy'n ysgrifennu'n ddigri yn cael eu hystyried yn awduron 'go iawn' yn y byd llenyddol Cymraeg. Ac yn ei gyflwyniad yntau i'r gyfrol, mae Harri Parri ei hun, yn gynnil ac yn ostyngedig iawn, yn nodi mai fel 'sgwennwr' yn hytrach nag fel 'llenor' y mae o'n ei ystyried ei hun:

> Mae'r gwir lenor, medda' nhw, yn llenydda o raid . . . a'r 'sgwennwr' yn mynd ati yn ôl y galw. Yn ôl y galw y bûm i wrthi gydol y blynyddoedd.

Allai hynny ddim bod ymhellach oddi wrth y gwir, oherwydd y mae'r modd y mae o'n ymboeni am grefft ei storïau, ynghyd â'r ffordd y mae o'n ymdrin yn ddychanol ag agweddau o'r natur ddynol yn ei holl ogoniant trwy'i bortreadau cofiadwy o gymeriadau a sefyllfaoedd, yn dangos fod stamp y gwir lenor creadigol arno.

A fedra i ddim meddwl am well geiriau i grynhoi dawn Harri Parri fel llenor nag a ddefnyddiodd o ei hun wrth bwyso a mesur cyfraniad llenor arall a sianelodd ei ddawn greadigol i bortreadu agweddau ar y gymdeithas gapelyddol Gymraeg, sef Daniel Owen. Ar glawr rhaglen Cymdeithas y Gronyn Gwenith, wrth gyflwyno ei addasiad llwyfan ei hun o nofel Daniel Owen, *Rhys Lewis,* yn Theatr Seilo, Caernarfon yn 1992, meddai:

> Roedd gan y Daniel hwn ddawn reiol i lunio cymeriadau, i bupro'i waith â hiwmor ac i gynnig sylwadau deifiol, ar dro, ar gonfensiynau ei gyfnod.

Dyna'r union nodweddion a amlygir yng ngwaith Harri Parri yntau.

'Harold',
Shamus Mulligan a'r Parot

Creu byd i mi fy hun
Harri Parri

Flynyddoedd yn ôl, bellach, mi es i ati i greu byd i mi fy hun – byd wedi'i greu efo geiriau oedd o. Ond pam sgwennu o gwbwl? Yn fy ngwaith bob dydd fel Gweinidog, roedd 'na bethau ro'n i'n anghytuno efo nhw neu'n peri dryswch meddwl i mi a chwestiynau nad oedd 'na ateb ar eu cyfer nhw. Eto, 'doeddwn i ddim yn teimlo fel troi cefn ar y byd hwnnw chwaith. Felly, dyma greu byd ysgafala y medrwn i ddianc iddo fo – a'i adael pan oedd pethau pwysicach yn galw. A byd afreal oedd o: "nid oes yno neb yn wylo, nid oes yno neb yn brudd"! Ond fy myd i *oedd* o – a 'myd i *ydi* o – a byd Jac Black a'r Tad Finnigan a Shamus a Kathleen Mulligan . . .

Llun: Robin Griffith

Theatr un dyn

Fel y gwnaeth dros y blynyddoedd yn y Babell Lên ar faes y Steddfod, John Ogwen sydd wedi dod â'r cymeriadau'n fyw yn ei ffordd ddihafal ei hun. Mae gwaith awdur, o'i natur, yn beth unig iawn – eistedd yn crafu fy mhen yn trio dod â'r cymeriadau 'ma'n fyw ar bapur ydw i. Ac felly mae'n beth braf cael gweld ymateb pobol eraill i'r straeon a'r cymeriadau a'u gweld nhw'n cael eu troi yn bobol o gig a gwaed gan rywun mor dalentog â John.

Mae John Ogwen yn theatr un dyn . . . ac i mi, mae o wedi rhoi cig a gwaed i 'nghymeriadau i. Be' oedd yn ddim ond esgyrn gynt, mae 'na gig a gwaed amdanyn nhw rŵan. Mae ganddo fo lais arbennig – ac wynebau hefyd . . . dw i'n gweld wynebau'r cymeriadau weithiau yn wyneb John! Erbyn hyn mae'r berthynas yn un mor hir, fel pan dw i'n sgwennu am gymeriad dw i'n ei glywed o'n siarad yn 'y nghlust i . . . mae John yn siarad drwy'r cymeriad yn 'y nghlust i. Ac mae hynny'n help i sgwennu.

Y bobol

Mae Porth yr Aur yn llawn cymeriadau ac maen nhw i gyd â'u lle yn y byd bach yma. A thros y blynyddoedd dw i wedi dod i feddwl tipyn ohonyn nhw. Dw i'n gobeithio'u bod nhw'n annwyl i bobol – maen nhw'n annwyl iawn i mi, beth bynnag. Mae 'na geinciau ynddyn nhw, wrth gwrs . . . Fedrwch chi ddim trystio Shamus Mulligan efo pob dim, dw i'n gwybod hynny! Ac eto, trwy'r cyfan, mae'r anwyldeb 'ma yn brigo i'r wyneb.

Braf gweld pobol yn gwenu

Mae eisiau i unrhyw awdur fod â'i draed ar lawr, achos yn y pen draw amser sy'n dweud a oes 'na werth neu beidio yng ngwaith rhywun. Mae unrhyw awdur yn licio cael cynulleidfa i'w waith, pwy bynnag ydi o. Ac mae'n braf gweld pobol yn gwenu. Mae hynny'n rhoi hyfrydwch i mi – gweld pobol yn mwynhau eu hunain. Mae rhoi boddhad i bobol yn rhywbeth cyfoethog iawn, iawn i mi, beth bynnag.

Eilir a Ceinwen Thomas

Yn nechrau'r nawdegau mudodd Eilir a Ceinwen Thomas, a'u hunig blentyn, Goronwy Meilir, o Garreg Boeth i Borth yr Aur.

Oherwydd magwraeth wledig y ddau ar Benrhyn Llŷn bu Carreg Boeth – yr ardal unig ar dir uchel – yn feithrinfa dda; y gymdeithas yn un gynnes a'r bobl yn faddeugar. Cylch gofal Eilir ym Mhorth yr Aur ydi Capel y Cei a'r Capal Sinc – yr achos cenhadol. Yno, mynnai'r ddiweddar Kit Davies, Anglesea View, gyfeirio ato, ar bob achlysur, fel 'Yncl Capal'.

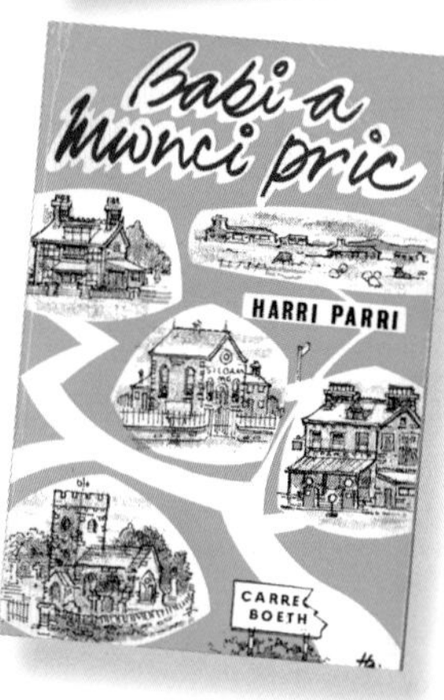

Rhai o helyntion Carreg Boeth, gofalaeth gyntaf Eilir Thomas.

Ei wendid, hwyrach, ydi gwisgo'i galon ar ei lawes ac addo popeth i bawb. Ond o roi'i air 'does dim dargyfeirio wedyn, a phobl yr ymylon sydd agosaf at ei galon.

Ei wraig sy'n gwisgo mantell doethineb; yn cyfri'r gost cyn talu'r pris, er iddi unwaith, yn anffodus – yng nghynhyrchiad Cecil Humphreys o'r ddrama genhadol *O Borth yr Aur i Eiramango* – ymddangos ar lwyfan y festri fel merch o Affrica, yn gwisgo dwyfronneg o groen anifail a gwregys o'r un deunydd – a fawr ddim mwy.

Y Person, Dic Walters, ydi un o gyfeillion agosaf Eilir er bod y ddau'n dehongli'u 'galwad' yn wahanol – ond tebyg ydi'r ymateb.

Yn ddiweddar, bu Ceinwen yn cymell ei gŵr i ystyried ymddeol a chytunodd: 'Ar un amod 'te, Cein? Y ca' i aros yma, ym Mhorth yr Aur . . . hefo fy ffrindiau.'

Cit-Cat
Harri Parri

'*Top of the morning to you,* Mistyr Thomas, *dear*!'
Daliodd y Gweinidog y ffôn ymhellach oddi wrth ei glust a mynd ymlaen â'i sgwennu.

'Bore da, Miss Davies.'

'Albert sy' ddim yn dda, Mistyr Thomas. *Not at all well.*'

'Tewch chithau,' a dal i sgwennu.

'Ddim yn dda *at all.* 'Dydi o ddim wedi yfad dafn o lefrith ers dyddiau. *Not a swig*!'

'Felly.'

'Ac mi rydw i'n poeni yn fawr yn 'i gylch o. *I'm worried sick, dear.*'

'Triwch ymgynnal, Miss Davies.'

'Pardon?'

'Triwch hel ych hun at 'i gilydd. S'na ddim pwynt i'r gath a chithau fod yn sâl yr un pryd.'

'Ma' hynny yn wir.' Ond yr eiliad nesa' roedd ei theimladau hi yn drech na'i rheswm. 'Ac mae o wedi mynd yn *pot-bellied* sobr, Mistyr Thomas bach, fel pêl golff.'

'Ydi o wir?'

'Ydi. Fel 'tasa fo ar y botal. A fynta'n *teetotaller*, wel . . . m . . . fel finnau. A'r cwbl mae o yn 'i 'neud, Mistyr Thomas, ydi cerddad rownd a rownd y tŷ, yn mewian.'

‘Ella bod o isio mynd i’r ardd, Miss Davies.’

‘I’r ardd, Mistyr Thomas? I be’ yr eith y peth bach i’r ardd, a fynta ddim yn dda?’

Collodd y Gweinidog ei limpyn, am foment. ‘Wel i ’neud ’i fusnas ’te. ’Run fath â phob cath iach arall.’

Fe gymerodd hi eiliad neu ddwy i’r geiniog ddisgyn.

‘O! *I see what you mean, dear.*’ Dechreuodd Miss Davies chwerthin, yn dosturiol. ‘Ond Mistyr Thomas bach, ’dydi Albert ni ddim mor *crude* â hyn’na. Ma’ gan Albert ’i *litter tray* bach ’i hun, a fan’no bydd o yn gneud ’i *number two*.’

Penderfynodd y Gweinidog ei bod hi’n hen bryd dwyn y math yma o siarad cathod i ben ond ceisiodd wneud hynny mor garedig â phosibl a heb ragrithio’n ormodol. ‘’Sgin i ond hyderu, Miss Davies, y daw Arthur drwy’i argyfwng.’

‘Albert, Mistyr Thomas.’

‘Pardwn?’

‘Albert ydi enw’r peth bach, nid Arthur. Felly cafodd o’i fedyddio. A fasa’ fo ddim yn lecio bod ’i Weinidog o, o bawb, yn anghofio ’i enw fo. Ddim yn lecio *at all*.’

‘Wel, ’does gin i ond dymuno’r gorau iddo fo, beth bynnag ydi’r enw.’ Gwenodd i’r ffôn. ‘A deudwch wrtho fo y bydda’ i’n meddwl llawer amdano fo.’

‘Diolch i chi, Mistyr Thomas, *dear. So touching of you*. Wedi i mi golli ’mrawd, druan, ’does gin i neb ond y chi i droi ato fo,’ a gwneud sŵn crio mawr.

Dyna’r pryd y daliwyd y Gweinidog yn ei wendid.

‘Wel cofiwch un peth, Miss Davies, unrhyw gymwynas fedra’ i ’neud i chi, unrhyw amsar, dim ond i chi ofyn i mi ’te.’

Cyn bod y geiriau wedi sychu oddi ar ei dafod sylweddolodd iddo, unwaith yn rhagor, ddrysu mewn rhwydau, rhwydau, chwedl yr emynydd, weithiodd ef ei hun.

'*I'll take you up on that, dear.* Mistyr Thomas, 'dw i am i chi alw i 'ngweld i, bore 'ma, tua deg.'

'Be', galw acw bora 'ma? Ond, Miss Davies bach, ma' gin i gryn swm o waith yn aros amdana' i.'

'Mistyr Thomas, mi fydd yn gyfla i chi ga'l gneud cymwynas i mi, fel 'dach chi newydd bwyso arna' i ar i mi ofyn i chi.'

'Wel, dyna ni 'ta. Mi ddo' i heibio i chi, mor agos i'r deg 'ma â phosib.'

'Diolch i chi. Mi fydd Albert yn *thrilled* o feddwl bod 'i Weinidog o, o bawb, yn mynd i alw i' weld o, a fynta gymaint *under the weather.*'

''Dach chi 'rioed yn deud.'

Roedd hi'n amlwg fod yna gryn lawenydd erbyn hyn ym mhen arall y ffôn a'r un a fu'n hel dail gyhyd yn fwy nag awyddus i ddwyn y sgwrs i ben cyn gynted â phosibl.

'Sgiwsiwch fi, Mistyr Thomas, yn rhoi'r ffôn 'ma i lawr ond 'dw i am fynd i dorri'r newydd i Albert yn syth bìn, yn lle bod y peth bach yn hel rhagor o feddyliau.'

'Bora da i chi, Miss Davies.'

'*Good-bye, dear.* A diolch i chi.'

Wedi peth synfyfyrio llusgodd Eilir ei ffordd o'r stydi i'r gegin i chwilio am ei frecwast, yn draed i gyd. Roedd bendith noson iawn o gwsg wedi egru mewn ychydig o funudau a'r cynlluniau i dreulio'r bore wrth ei ddesg wedi mynd i'r gwellt. Y stwmp pennaf ar ei stumog, fodd bynnag, oedd sylweddoli iddo syrthio i drap roedd o ei hun wedi ei osod. Petai o heb actio blwmin gweinidog, yn gwthio'i gymwynasau ar hwn ac arall, efallai y byddai'r stori wedi bod yn un wahanol.

'O! A phwy sy' wedi bod yn dwyn dy gaws di, Eilir Thomas?' holodd ei wraig, yn adnabod ei gŵr fel cefn ei llaw. Roedd hi ar gychwyn i'w gwaith a heb ormod o amser i gynadledda.

'Glywist ti'r ffôn 'na'n canu?'

'Do.'

'Am chwarter i wyth ar fore Llun.'

'Do.'

''Ti'n gwybod pwy oedd 'na?'

''Sgin i'r un syniad, Eilir. A 'dydi hi ddim yn arfar gin i i glustfeinio wrth ddrws y stydi.'

'Wel, Miss Davies oedd 'na.'

'Pa Miss Davies?'

'Kit Davies, Anglesea View.'

'Cit-Cat?' A chwpanodd Ceinwen ei cheg â'i dwylo yn fath o iawn am iddi, wel, ollwng y gath o'r cwd.

'Ia. Cit-Cat.'

Plant y Capal Sinc, fel y gelwid y lle, a'i llysenwodd hi felly. Ail ddiddordeb Miss Davies, wedi'r cathod, oedd yr Achos Cenhadol a sefydlwyd yn ardal yr Harbwr ym Mhorth yr Aur ar ddechrau'r ganrif, ac a gyfarfyddai mewn adeilad syml ac iddo do sinc. Hi fyddai'n canu'r piano yno yn ystod y gwasanaethau ac yn hyfforddi'r plant ar gyfer pasiant a chylchwyl, a 'doedd dim hafal i blant Capel yr Harbwr am ganu.

Pinsiodd Ceinwen flaen ei thrwyn â'i bys a'i bawd a thynnu blewyn o drwyn ei gŵr yr un pryd. 'Eilir, mi fedra' i glywad yr oglau cathod rŵan.'

'Fedri di, wir?' ond heb fedru gwenu.

'Ydi hi ddim yn dda ne' rwbath?'

‘Ma’ *hi* yn iawn, am wn i. Un o’r cathod sy’n giami. Rhyw gwrcath a’i enw fo’n Arthur, os ’dw i’n cofio’n iawn.’

‘Fet oedd hi angen, felly – nid gweinidog.’

‘Ond y *fi* ffoniodd hi, yn anffodus. ’Dw i wedi addo mynd yno, ganol bora.’

Cipiodd Ceinwen ei chôt oddi ar gefn y gadair a chydio’n ei bag llaw yr un pryd. ‘Wel, mi gei soseraid o lefrith yn de ddeg . . . hefo’r cathod.’

Gwylltiodd Eilir. ‘Hawdd iawn ydi i ti siarad, Ceinwen. Y fi sy’n gorfod mynd yno, i ganol y baw cathod.’

‘A phwy ddaru addo mynd yno, ’sgwn i? Nid fi. Fel’na rwyt ti, Eilir, yn rhedeg ac yn rhuthro i bawb a ddim uwch dy barch yn y diwadd.’

‘Diolch i ti.’

Rhuthrodd Ceinwen am y drws, gan ddal ati i draethu. ‘Ac os wyt ti yn mynd i weld Miss Davies, tria wisgo rhwbath golau, ’nei di? Ma’ trowsus du fel sy’ gin ti’r bora ’ma yn hwfro blew cathod.’

‘’Da’ i ddim pellach na step y drws i ti, ma’ hynny’n sicr.’

‘Gawn ni weld am hynny.’

Wedi agor y drws trodd Ceinwen yn ei hôl. ‘Fydda’ i yma cyn pump, os byw ac iach. Os cei di funud i roi’r tatws i godi berw cyn i mi gyrraedd, yna mi fydda’ i’n driw i ti tra bydda’ i.’ Chwythodd gusan i’w gyfeiriad oddi ar gledar ei llaw. ‘Hwyl i ti, Eil!’ a diflannu.

‘Hwyl rŵan.’

Fel roedd Eilir yn cydio yn y paced creision ailagorwyd y drws a gwthiodd Ceinwen ei phen heibio’r cilbost. ‘Ac os byddi di’n hogyn da hefo Miss Davies, yna mi ddo’ i â *Kit-e-Kat* i ti, i de.’

Cydiodd Eilir yn y cap tebot a'i luchio i'w chyfeiriad ond roedd hi wedi diflannu ymhell cyn iddo'i chyrraedd.

Gan ei bod hi'n fore braf o Fehefin penderfynodd y Gweinidog gerdded y chwarter milltir o'i dŷ i ardal yr Harbwr a hel meddyliau yr un pryd. Pam yn y byd mawr roedd Kit Davies am weld Gweinidog yr Efengyl ynglŷn â chwrcath gwael ei iechyd? Ond rhai fel'na oedd y saint, ar adegau beth bynnag, yn rheol ac yn rheswm iddyn nhw eu hunain.

Ar y funud, gofidiai iddo erioed adael cefn gwlad Carreg Boeth a symud i dref fel Porth yr Aur. Roedd pobl y tir uchel yn rhy brysur yn hel bywoliaeth i rwdlan hefo cathod ffansi wedi cael piff o gamdreuliad. O feddwl am gathod, daeth i'w gof y brofedigaeth honno, gryn ugain mlynedd yn ôl bellach, pan syrthiodd cath goch Ann Robaitsh, 'Heidden Sur', â'i thin am ei phen i'r pot llaeth cadw hwnnw a'i gorddi o'n un uwd, a'r hen wraig, wedyn, heb droi blewyn, yn mynnu'i fod o'n cymryd joch o hufen o'r un pot hefo dysglaid o eirin cartref. Ond roedd yr hen wraig, a'r gath goch, mae'n debyg, wedi hen fynd at eu gwobrau erbyn hyn.

Yn annisgwyl y daeth yr alwad iddo o Borth yr Aur. Tri Blaenor o'r dref yn cymell Ceinwen ac yntau i fynd allan gyda hwy ar fin nos am damaid o ginio ac yn crybwyll, wrth fynd heibio fel petai, fel yr oedd Capel y Cei, a chapel bach cenhadol yn ardal yr Harbwr, yn chwilio am Weinidog. Yna, llythyr ymhen deuddydd neu dri yn estyn gwahoddiad swyddogol iddo i ddod yno i'w bugeilio.

Wedi deng mlynedd yng nghefn gwlad roedd hi'n anodd iawn penderfynu, ac wedi penderfynu bu'r dadwreiddio'n ingol o anodd. Wnâi'r tri byth anghofio awr y mudo. Dod i lawr dros y tir uchel i olwg y môr a gweld Porth yr Aur yn swatio'n fygythiol yn y pellter, fel Sodom gynt yn ddinas yn eistedd ar y gwastadedd. Wylodd y tri'n hidl; deuddeg oed oedd Goronwy Meilir ar y pryd. Er mai Lot a drigai yn Sodom roedd profiad Eilir yn debycach i un Abraham; teimlai'i fod yntau'n mynd 'allan heb wybod i ble'r oedd yn mynd'.

Rhyfedd fel y cynefinwyd yn y dref glan y môr a'r gymdeithas estron. Gydag amser bu farw amryw o hen ffrindiau Carreg Boeth ac oerodd y cysylltiad. Wedi hir chwilio, cafodd Siloam, hithau, Weinidog arall – merch, yn syth o goleg – a'r peth olaf mae Gweinidog newydd ei angen ydi'r hen Weinidog â'i draed yn ei bwdin. Yn achlysurol iawn, erbyn hyn, yr âi Ceinwen ac yntau am dro i'r hen fro.

Llai na deugain milltir oedd yna rhwng Porth yr Aur ac ardal fynyddig Carreg Boeth ond anaml iawn y trawai Eilir ar neb o'i hen ddeiliaid. Y peryclaf o bawb iddo'i gyfarfod oedd Edwards y Felin ar ddiwrnod mart. Fe'i cyfarfu'n ddiweddar iawn, yn ei frethyn gwyrdd a'r legins brown, a ffarmwr arall yn gwmni iddo.

'Diar, Mistar Thomas, mi rydan ni wedi bod yn ffodus yn 'n Gw'nidog newydd, er mai un fanw ydi hi. Dynas ddoeth ryfeddol,' pwysleisiodd, gan edrych ar ei gyd-gerddwr, 'dynas ddoeth iawn.'

'Rhaid bod hi'n unig iawn yng Ngharreg Boeth 'ta,' meddai hwnnw, wedi gweld drwy Edwards, a chan roi winc fawr ar Eilir.

Ond welodd Edwards y Felin mo'r ergyd. 'Nag'di yn tad, ma' hi'n budr ganlyn hefo mab Cerrig Pryfaid 'cw, hwnnw sy'n mynd yn fet. 'Dach chithau wedi gwella'ch graen yn arw, Mistar Thomas, wedi symud i le brasach.'

Os oedd Edwards y Felin yn enghraifft o Garreg Boeth ar ei wannaf, roedd Miss Davies, Anglesea View, yn cynrychioli Porth yr Aur ar ei odiaf. Brithast o fath oedd hi, ei mam yn Saesnes na wnaeth unrhyw ymdrech, yn ôl y rhai oedd yn ei chofio, naill ai i ddysgu'r iaith nac i doddi i mewn i'r gymdeithas – a hynny, mae'n ddiamau, oedd yn gyfrifol am y brechiadau o Saesneg a frithai bob sgwrs o eiddo'i merch – ond ei thad yn un o hogiau Porth yr Aur, wedi ei fagu yng ngwynt y bae.

Roedd y fam wedi hen farw cyn i Eilir adael llechweddau Carreg Boeth ond roedd yr hen Iorwerth Davies yn annerch yn ei Gyfarfod Sefydlu, yn rhoi gair cynnes o groeso iddo ar ran trigolion yr Harbwr. Llongwr oedd o wrth grefft ac un a gafodd dröedigaeth grefyddol mewn rhyw harbwr neu'i gilydd yn ystod un o'i fordeithiau. Mewn harbwr, hefyd, Barrow-in-Furness, y cafodd afael ar wraig gan ei thowio o'i ôl i angori yn Anglesea View.

Wedi iddo yntau fwrw angor cysegrodd ei holl amser i weithio dros yr Achos Cenhadol yn y Capel Sinc. Dŵr a thân oedd nodweddion crefydd yr hen Iorwerth, dagrau a sêl yn fwy na goleuni a rheswm; cefnogai bob cenhadu'n lleol â gwres a thanbeidrwydd mawr ond roedd o'n casáu'r Genhadaeth Dramor â chas perffaith.

Yn ôl yr hanes, bu'n rhaid cartio gweddillion y fam bob cam i fynwent Anglicanaidd yn Morecambe ond dymuniad Iorwerth oedd mynd â llwch ei weddillion o dros y bar a'i ollwng o i'r cefnfor. Eilir a wnaeth y gwasgaru hwnnw yn ystod ei ail flwyddyn yn y dref a bu'n rhaid llogi y bad achub lleol at y gwaith. Roedd gan y Gweinidog resymau da dros gofio'r achlysur: y gwynt croes, cryf a fynnodd chwythu yr hyn oedd yn weddill o

Iorwerth, naill ai i lawr ei gorn gwddf neu yn ôl i gyfeiriad Anglesea View a'r moryn garw hwnnw a barodd iddo fod yn sâl môr am ddyddiau wedi'r cynhebrwng.

Ond y bore hwn roedd y môr fel llyn llefrith ac Anglesea View, serch fod ei baent wedi hen blicio, yn sgleinio yn haul y bore. Cerddodd rhwng y ddwy gath goncrit, un ar bob cilbost i'r giât, a rhoi cnoc ysgafn ar y drws. Deifiodd cath frech, ddi-raen yr olwg, allan drwy'r twll cathod yng ngwaelod y drws a'i phlannu hi rhwng coesau'r Gweinidog i gysgod llwyn yng nghongl yr ardd a dechrau crafu twll. Agorwyd y drws.

'Twdls! *Come here at once.* O! Mistyr Thomas, 'dach chi wedi cyrraedd yn barod, a finnau heb newid. Sgiwsiwch y *curlers* a'r *dressing gown* 'ma ond pan ma' gynnoch chi waeledd yn y tŷ mae hi'n anodd iawn ca'l amsar i ddresio i fyny. *Come right in, dear. Naughty boy*!'

'Y?'

'Nid chi, cariad ond Twdls. Yn gneud i *number two* yn yr ardd, yn lle yn y gegin. Ac o flaen 'i Weinidog a phob dim.' Taflodd ddwrn bygythiol i gyfeiriad y gath, druan, a oedd bellach yn ei chwrcwd yn dilyn greddf natur. '*For shame*!'

Cerddodd y ddau i'r ystafell ffrynt, y Gweinidog yn arwain a Miss Davies yn ei ddilyn. Roedd y lle yn dew o arogl cathod ond gwyddai Eilir y byddai hwnnw'n lleihau fel y byddai'n ymgynefino ag o, dim ond i Miss Davies beidio â rhoi'r gwres ymlaen.

''Steddwch, Mistyr Thomas, os gwelwch chi le.'

I ddechrau, 'doedd cael hyd i le ddim yn waith hawdd,

gan fod yna gathod yn gorweddian ym mhobman, ond ar y llawr, ond roedd hi'n anos fyth cael hyd i le heb flew cath.

'Ydach chi'n ddigon cynnas, cariad?'

'Yn fwy na chynnas, diolch i chi,' gan eistedd yn dinfain ar flaen un o'r cadeiriau esmwyth.

'Ne' mi faswn i'n rhoi'r tân 'ma ymlaen i chi, *full on*.'

'Y . . . dim diolch.'

'O leia', ma' yna banad chwilboeth o goffi'n disgwyl amdanoch chi.'

''Dw i newydd ga'l un, Miss Davies, fel ro'n i'n cychwyn o'r tŷ,' a hynny'n gelwydd i gyd. 'Diolch i chi yr un fath 'te.'

'Twt, ma' gynnoch chi le i un bach arall. Ma' hon drwy lefrith i gyd.'

'Ddim yn siŵr i chi.'

'Ma' hi *yn* barod, *dear*, dim ond ei thywallt hi.' Cychwynnodd yn sionc am y gegin serch fod y Gweinidog yn dal i ymliw â hi.

'Ond, Miss Davies . . .'

'*I won't be a sec*, Mistyr Thomas. Ylwch, siaradwch chi hefo'r cathod tra bydda' i,' a diflannu. (Gwireddwyd proffwydoliaeth Ceinwen.)

Craffodd ar y genfaint o gathod a'i hamgylchynai a rhythodd y cathod i wyn ei lygaid yntau. Gallai hwn, mewn siwt olau fel hyn, fod yn ffariar wedi dod yno i'w doctora. Serch eu hannifyrrwch, roeddan nhw yn rhy ddioglyd, dew i feddwl am symud, ar wahân i un gath fach – un, yn ôl yr arogl, a oedd heb lawn ddod o'i chlytiau – a swingiai'i hochr hi wrth un o gyrtenni'r ffenest gan ei rwygo'n gareiau pellach.

Crwydrodd ei lygaid o gwmpas ystafell a fu unwaith yn Fictorianaidd grand. Roedd y dresel yn sicr o fod yn un hynafol ond fod Albert a'i harem wedi bod yn hogi eu hewinedd ar ei drysau, a dyna'r cadeiriau trymion wedyn, yn rhai digon esmwyth petai'r cathod heb rwygo'r lledar a phantio'r clustogau yn un Pentraeth.

Yn sydyn, cododd cath wen o'i gorweddfa a dechrau mewian ei ffordd i'w gyfeiriad gan lygadu cael eistedd ar ei lin.

'Sgiat!' bygythiodd, o dan ei wynt, fel yr oedd Miss Davies yn dychwelyd hefo'r coffi.

'Oeddach chi'n deud rhwbath, Mistyr Thomas, *dear*?'

'M . . . siarad hefo fi fy hun, ma' gin i ofn.'

'*Fancy*! Sgiwsiwch gwpan heb sosar, Mistyr Thomas. Ma' soseri fel aur mewn tŷ lle ma' 'na gathod. *Just like gold*. Siwgr, *dear*?'

'Un, os gwelwch chi'n dda.'

Wedi plwc arall o siarad cathod – Teigar newydd gael ei ben-blwydd, Pws-pws Gwyn yn lecio Yncl Capal a Madelene newydd 'neud 'i *number one* yn lle na ddylai hi ddim – trodd Kit Davies at ei hail gariad.

''Fydda' i yn y Cyfarfod Plant, nos Iau, Mistyr Thomas, fel arfar. *If I'm spared*, 'te.'

'Dyna ni.'

Roedd yna Gyfarfod Plant o fath yn y Capel Sinc haf a gaeaf, glaw a hindda. Naill ai Miss Davies yn drymio Sankey a Moody, o barchus goffadwriaeth, i berfedd y piano neu un o'r gwarchodwyr yn chwarae gemau hefo'r plant, fel rhoi cynffon i fochyn a chithau â mwgwd dros eich llygaid neu gystadleuaeth cyfarwyddo dyn dieithr heb ddeud 'ie' na 'nage'. Tra oedd gweddill plant capeli'r dref gyda'u ffilmiau a'u gemau fidios, roedd plant Y Capel Cenhadol yn dal yn awyrgylch *penny reading* yr oes o'r blaen.

'Dw i newydd gael hyd i *hymns* bach ddaru *Daddy* sgwennu pan fydda' fo hefo'r *Mission to Seamen* 'stalwm a 'dw i am 'u dysgu nhw i'r plant. Saesneg ydi rhai ohonyn nhw, Mistyr Thomas.'

'Ond Miss Davies bach, Cymry ydi plant yr Harbwr.'

''Fydda' *Mammy* yn deud bob amsar bod Iesu Grist yn dallt Saesneg *as well*.'

'A pheth arall, y grwpiau pop sy'n mynd â hi heddiw 'ma, nid . . .'

'Ydi Iesu Grist wedi newid, Mistyr Thomas?'

'Wel, nag ydi.'

'*Hymns Daddy* amdani 'ta!'

Wedi gyrru'r angor i'r dwfn, yn ei thyb ei hun, cododd Miss Davies ar ei thraed. 'Rŵan, at y gymwynas ddaru chi gynnig i mi.'

'Ia?'

Trotiodd, unwaith yn rhagor, i gyfeiriad y gegin. Dychwelodd ymhen ychydig eiliadau yn arwain clamp o gath foliog wrth goler a lîd.

'Yncl Capal, dyma i chi Albert ni.'

'O! ia,' sgyrnygodd. Roedd cael ei alw yn 'Yncl Capal' yn halen ar groen y Gweinidog.

Plygodd yr hen ferch yn ei dau-ddwbl ac edrych i fyw llygaid y gath. 'Ma' Yncl Capal am fynd ag Albert ni at Yncl Fet.'

'Be'?' a daeth yn dro i'r Gweinidog neidio ar ei draed.

'Albert yn mynd i ga'l ffisig neis gin Yncl Fet, i Albert bach ni ga'l mendio'n *good boy*.'

'Ylwch, Miss Davies, mi ro' i *hand* i chi yn y Band o' Hope unrhyw amsar a . . . a mi alwa' i yma i'ch gweld chi mor aml â phosib ond fedra' i ddim mynd â chath at y fet i neb, am bensiwn.'

'Ond chi, Mistyr Thomas, ddaru gynnig cymwynas i mi. *Don't you recall*?'

'Ia, ond . . . m . . . math arall o gymwynas oedd gin i mewn golwg . . . gweddïo hefo chi, ne' . . . ne' nôl negas, deudwch.'

'Unrhyw gymwynas ddeudoch chi, cariad. *Your words, not mine*.'

'Ddeudis i hynny?'

'A chi ddaru gynnig, *dear*, nid fi ddaru ofyn.' Sylweddolodd y Gweinidog iddo'i roi'i hun mewn congl gyfyng ac aeth ati i chwilio am fwlch i ddianc drwyddo.

'Ond mi fasa' Arthur . . .'

'Albert, *dear*. Albert 'di'i enw fo. Trïwch gofio.'

'Ond mi fasa' Albert yn hapusach 'tasa chi, fel 'i fam o, yn mynd ag o yno.'

'Fedra' i ddim stepio dros drothwy'r lle, Mistyr Thomas bach. Gormod o *sad memories*.'

Chwiliodd am lwybr arall i ddianc. 'Wel, mi gostith ffortiwn i chi. Ma'r ffariars 'ma wedi mynd i godi crocbris am y pethau lleia'.'

'Oes 'na bris sy'n rhy uchal i' dalu am dawelwch meddwl, Mistyr Thomas? A pheth arall, 'dw i ddim yn gofyn i chi dalu'r bil drosta' i, dim ond mynd ag Albert at y fet. Dyna'r cyfan.'

'Na, 'dw i'n sylweddoli hynny.'

'A fydd yna ddim dima' yn llai yn erbyn f'enw i yn yr Adroddiad. 'Dw i'n addo hynny i chi. *Cross my bra*.'

'Diolch i chi.' Roedd Kit Davies, serch ei hodrwydd, wedi codi'n fore ac yn gwybod sut i fynd o dan wasgod ei Gweinidog.

Edrychodd Eilir, eilwaith, i gyfeiriad y gath, oedd

erbyn hyn yn gorwedd ar ei bol, yn mewian yn lleddf, a phenderfynodd gymryd tac gwahanol i geisio dod allan o'r twll.

'Be' 'tasach chi'n llwgu'r gath 'ma, Miss Davies?'

'I lwgu o ddeutsoch chi, Mistyr Thomas?' yn methu â choelio ei chlustiau'i hun.

'Dim ond am dd'wrnod neu ddau, deudwch. Ella ma' wedi mynd yn rhy dew mae o.'

Dechreuodd Kit Davies grio i'w hances. 'Mistyr Thomas, *dear, how could you*? Llwgu Albert.'

'Dim ond dros dro. Ac mi fedra' ga'l glasiad o lefrith, nawr ac y man, i gadw llwgfa draw.'

'Finnau wedi'ch clywad chi yn sôn cymaint am barchu anifeiliaid y maes.' Yna, sychodd ei dagrau a dweud yn reit siarp, 'A pheth arall, Mistyr Thomas, gw'nidog 'dach chi, nid fet.'

'Ceisio'ch cynorthwyo chi ro'n i, Miss Davies, dyna'r cyfan.'

'Dw i'n gwybod, cariad. Diolch i chi,' a rhoi ei llaw yn garuaidd ar lawes ei gôt.

Meddalhaodd y Gweinidog, yntau. ''Tasa'r car gin i, fasa' pethau'n wahanol, a hwyrach y medrwn i fod o gymorth i chi. Ond ar draed y dois i bore 'ma.'

'Dyna be' ydi rhaglunia'th o'n plaid ni, Mistyr Thomas bach.'

'Y?'

'Ma' Albert ni yn *nervous wreck* mewn car. Fasa'n ddigon am 'i einioes bach o. A pheth arall, ma'r *appointment* am un ar ddeg, ac ma' hi'n ddeg munud i un ar ddeg yn barod.'

'Felly.'

Sylweddolodd y Gweinidog nad oedd yna yr un llwybr

ymwared arall yn agored o'i flaen a phenderfynodd mai'r unig ddewis iddo oedd plygu i'r drefn.

''Stynnwch y fasgiad 'ta, Miss Davies, mi wela' i be' fedra' i 'neud.'

'Fedrwch chi, Mistyr Thomas, weld Albert yn ffitio i fasgiad yn y cyflwr mae o? 'Dw i wedi trio cyn i chi gyrra'dd ond mi fasa'n haws i mi roi galwyn mewn jwg peint.'

Wedi taflu cip arall ar y gath sylweddolodd Eilir mai gwir y gair. Roedd Albert druan yn fwy o led, bron, nag o hyd a'i goesau allan ymhell, fel tedi bêr wedi'i wnïo yn rhy dynn.

Gwthiodd yr hen ferch yr awenau i'w ddwylo a'i goncro â'i llygaid. '*Be a good boy, dear.*'

Cerddodd y Parchedig Eilir Thomas dros drothwy Anglesea View yn llusgo'r cwrcath o'i ôl. Safodd Kit Davies ar drothwy'r drws nes i'r ddau fynd drwy'r giât ac i'r stryd.

'Gwbei, Albert! *Be brave.*'

Yr eiliad nesaf aeth yn chwilfriw. Tan feichio wylo i'w hances diflannodd dros y trothwy i'r tŷ gan gau'r drws ffrynt yn glep o'i hôl.

Wedi cychwyn roedd Albert yn tywysu yn well na'r disgwyl. Taith araf oedd hi serch hynny, y gath yn bryderus, ofnus ac yn cael cryn drafferth i roi ei thraed heibio i'w gilydd a'r Gweinidog yn ceisio bod mor anamlwg â phosibl. Ofn dod wyneb yn wyneb ag aelodau o'i eglwys yr oedd Eilir Thomas ond ceir, yn hytrach na cherddwyr, a styrbiai'r gath. Pan ddaeth clamp o ddybldecar swnllyd heibio dawnsiodd Albert ar ei ddwydroed ôl, fel mwnci pric wrth linyn, er mawr ddifyrrwch i giw hir o bobl a ddisgwyliai am y bỳs.

I osgoi rhagor o annifyrrwch iddo'i hun ac i gyflymu peth ar y daith, penderfynodd y Gweinidog roi'r cwrcath o dan ei gesail a'i gario. Plygodd i lawr gan feddwl cydio'n dyner ynddo ond cafodd chwythiad rhybuddiol yn dâl am ei feddylgarwch.

Serch bod y Stryd Fawr yn llawn o gerddwyr ychydig o bobl a welai yr oedd o yn eu hadnabod, ar wahân i un criw o blant ysgol oedd yn hongian y tu allan i'r Indian yn disgwyl am sglodion i ginio, ac yn eu plith aelod neu ddau o'i Ddosbarth Derbyn yng Nghapel y Cei. Crechwenodd amryw ohonyn nhw fel roedd o'n dynesu i'w cyfeiriad a dechreuodd eraill wneud sŵn cath yn cathrica fel roedd o'n mynd heibio. Yna, fel roedd o'n croesi i gyfeiriad y Syrjyri, yn ddiolchgar am iddo gael cyn rhwydded taith, pwy ddaeth i'w gyfarfod o a'i ddal o i sgwrsio ar ganol y stryd ond Person y dref, Dic Walters.

'Wel ar f'enaid i! Cath wrth linyn s'gin ti?'

'Ia, Walters.'

''Tawn i'n llwgu'r funud 'ma, ma' 'na rwbath newydd i' weld bob dydd,' a dechreuodd y Ficer chwerthin yn glywadwy o uchel.

Dic oedd yr olaf y dymunai ei gyfarfod ac yntau yn tywysu cath. Roedd y ddau yn gyfeillion agos ond yn anghytuno yn ddiwinyddol yn aml iawn. Offeiriad oedd Dic yn 'i roi'i hun, yno at alwad ei blwyfolion, a dim mwy, ac yn feirniadol ryfeddol o weinidogion fel Eilir oedd yn ymweld o dŷ i dŷ, i 'werthu insiwrans rhag tân' chwedl yntau. O'r herwydd, roedd gan y Person amser ar ei ddwylo i lyffanta hyd y dref yn y boreau, yn dal pen rheswm gyda hwn ac arall. Arf cryfaf Dic Walters oedd dychan a gwyddai Eilir, cyn i'r Person agor ei geg, y byddai stori'r gweinidog a'r gath yn rhan o chwedloniaeth Porth yr Aur cyn byr o dro.

'Chdi biau'r giaman, Eil?'

'Nagi.'

'Pwy 'ta?'

'Miss Davies, Anglesea View.'

'Y gath fôr honno? 'Dydi hi'n nefoedd arnoch chi, weinidogion, digon o amsar sbâr ar fore Llun i fynd â chathod ych aelodau am dro. Mae'n rhaid 'mod i wedi joinio'r ffyrm rong ne' rwbath.'

'Trio byw yr ail filltir 'dw i, mynd â'r gath 'ma at y fet. Fel y gweli di, ma' hi wedi chwyddo'n un hogsiad a ddim yn dda.'

''I boddi hi mewn pwcad faswn i yn 'i 'neud. Ma' gin Cit-Cat fwy na digon o gathod heb i'r Gw'nidog drio ymestyn bywyd y geriatrics yn 'u plith nhw.'

'Tria di argyhoeddi Miss Davies o hynny, Walters, ac mi weli di bod gin i waith dipyn anoddach na cherdded stryd er lles fy iechyd.'

'Ych drwg chi, fel gweinidogion, ydi na wyddoch chi mo'r gwahaniaeth rhwng y seciwlar a'r cysygredig. 'Does ryfadd yn y byd fod capeli yr Hen Gorff yn cau wrth y dwsinau.'

'Ches i mo'r argraff fod yna ddiwygiad grymus yn chwythu drwy'r Eglwys Esgobol chwaith.'

'Rhif ydi'r peth lleia' pwysig i ni, 'ngwas i. Cysondeb y Sacramentau, dyna sy'n cyfri.'

Barnodd Eilir nad oedd hi na'r awr na'r lle i gynnal seiat. Roedd amryw o'r fforddolion yn dechrau adnabod y ddau ac ambell un yn gwenu'n sbeitlyd tu cefn i'w law neu'n gwneud sylwadau crafog wrth fynd o'r tu arall heibio.

'Rhaid i mi 'i throi hi rŵan, Walters. 'Dw i fod yn y Syrjyri 'na erbyn un ar ddeg.'

'Cofia fi at Elis y Fet, wrth 'i fod o'n rhyw fath o eglwyswr, er y bydda' i'n 'i gyfarfod o yn amlach wrth far y Delyn Aur nag wrth yr allor.'

Fel roedd Eilir yn rhoi plwc yn y penffrwyn i gael ailgychwyn, penderfynodd Albert farcio'r fan lle bu'r sgwrs â dŵr.

'Eilir, 'dw i'n diflannu.'

Erbyn i Eilir a'r gath gyrraedd roedd y Syrjyri yn rhwydd lawn o bobl a'u hanifeiliaid. Lle cyfyng oedd ystafell aros Elis y Fet ar y gorau. Eisteddodd wrth ymyl Churchill o fleiddgi mawr, llaes ei weflau a dagrau lond ei lygaid. Yn ffodus, roedd gan y ci hwnnw fwy o ddiddordeb, diolch fyth, yn yr ast ddefaid oedd ym mhen arall yr ystafell nag yn Albert. Dieithriaid iddo oedd y rhan fwyaf o'r cwsmeriaid, a Saeson yn ôl eu sŵn, ar wahân i un wraig ganol oed a eisteddai gyferbyn ag o ag anferth o gaets bwji ar ei glin. 'Doedd Eilir ddim yn siŵr o'i henw, Dora neu Doris o bosibl, ond gwyddai am y pedigri. Fel un o deulu 'Glywsoch Chi Hon?' y byddai'r werin yn cyfeirio ati. Roeddan nhw yn hen deulu o siopwyr yn y dref, yn gwerthu pysgod, a hi a'i theulu yn enwog am chwedleua wrth y cownter. Roedd hi, mae'n amlwg, yn nabod Gweinidog Capel y Cei yn iawn.

''Fora braf, Mistyr Thomas,' cyfarchodd yn uchel gan strejio'i gwddf i fedru gweld dros ben y caets.

'Ydi, ma' hi'n fora braf iawn.'

'Cath chi ydi honna?'

'Nagi.'

'Be', wedi ca'l hyd iddi hi 'dach chi?'

'Miss Davies, Anglesea View piau hi.'

'O! Honno?' Roedd tôn y llais yn dweud cyfrolau am berthynas y ddwy wraig â'i gilydd.

Caed saib yn y sgwrs nes i 'Glywsoch Chi Hon' gychwyn ar drywydd arall.

'Be' ma'r hogyn 'na s'gynnoch chi yn 'i 'neud rŵan?'

'Newydd ddechrau yn y coleg.'

'Mynd yn bregethwr?'

'Na, gwyddoniaeth ydi 'i faes o.'

'Alla' 'neud pethau gwaeth cofiwch.'

'Gwaeth na be'?'

'Mynd yn bregethwr.'

'*O*.'

'Cyflogau pregethwrs a ballu wedi gwella'n arw chadal fel bydda' hi. Fydda'r hen Richard Lewis, hwnnw fydda'n Weinidog yng Nghapal y Cei pan o'n i yn blentyn, yn dŵad heibio i Nain ar nos Sadwrn rhag ofn bydda' 'na benwaig heb 'u gwerthu a ddim yn debyg o gadw dros y Sul. Fred ddim hannar da.'

Tybiodd Eilir ei bod hi yn cyfeirio at gwsmer neu berthynas a phenderfynodd ofyn cwestiwn digon cyffredinol, 'Yn Ysbyty Gwynedd mae o?'

'Fo sy' yn y caets yn fa'ma.'

'O! deudwch chi,' ac aeth yr ychydig Gymry oedd yno i biffian chwerthin.

''Oedd o â'i draed i fyny pan godis i'r bora 'ma, ond mae wedi criwtio peth rŵan.'

Bu saib arall yn y cwestiynu.

'Erbyn faint oeddach chi i fod yma?'

'Un ar ddeg, yn ôl Miss Davies.'

''Gewch fynd i mewn gyda hyn. Chwartar wedi 'dw i i fod. Hogyn 'ta hogan ydi'r gath 'na s'gynnoch chi?'

'Y . . . y hogyn.'

'Hen sglyfaethod budr. Deudwch wrth Musus Thomas bod acw ddigon o fecryll ffres ar hyn o bryd.'

'Miss K. Davies!' taranodd y llais o'r stafell gyfweld.

'Chi 'di honno, mae'n siŵr.'

'Ia debyg.'

'Ia?'

Roedd y Fet â'i ben i lawr a'i freichiau cryfion, noethion yn amgylchynu'r bwrdd i gyd, yn cofnodi pa feddyginiaeth a roddwyd i'r anifail blaenorol.

'Ia, Miss Davies?' ond yn dal yn ei gwman.

'Y gath 'ma sy'n sâl, wedi . . .'

Cododd y Fet ei ben yn unionsyth.

'Diawl! Chi sy' 'ma? Finnau'n disgwyl rhwbath mewn sgert.'

Dyn dipyn yn amrwd oedd Elis y Fet, yn arthio ar bawb ac yn fyr ei dymer. Gwartheg a cheffylau ar y ffermydd oedd ei gariad cyntaf a 'doedd ganddo fawr o amynedd gydag anifeiliaid anwes y trefwyr, yn gathod a bwjis a llygod dof, ond y gwaith hwnnw, fodd bynnag, a roddai'r jam ar ei fara menyn.

''Gin i ofn y bydd yn rhaid i chi fynd yn ôl i'r stafall aros 'na, frawd, a disgwyl ych twrn fel pawb arall. Dynas Anglesea View ydi'r nesa' ar y list.'

'Ond y fi ydi honno,' eglurodd Eilir yn ffwndrus ond yr eiliad nesaf roedd o'n 'difaru iddo ddweud y fath beth.

'Finna'n meddwl bod oes y gwyrthiau wedi hen fynd heibio. Y . . . sudach chi, Miss Davies?' a hanner gwenu ar y Gweinidog druan.

'Hi ofynnodd i mi ddŵad â'r gath 'ma yma.'

'Gwyn ych byd chi, frawd, efo amsar ar ych dwylo. Ma'r Ficar 'cw yn gweithio'i hun i fedd cynnar.' Cydiodd mewn cerdyn a beiro. 'Enw?'

'Eilir Thomas.'

'Wn i hynny siŵr gythril. Enw'r gath, frawd?'

'Albert . . . Davies,' ychwanegodd, o ran hwyl.

'*Cut the comics*, frawd, ma' gin i lond Syrjyri yn disgwyl amdana' i.'

'Rhyw?'

'Sut?'

'Pa ryw ydi'r gath 'ma? Gwrw 'ta banw?'

'O! Gwrw.'

'A'i hoed hi, frawd?'

''Sgin i ddim clem.'

Taflodd y Fet gip sydyn i gyfeiriad y gath a sgwennu 'deuddeg' ac yna ychwanegu marc cwestiwn at y ffigur.

'Natur yr afiechyd?'

''Di chwyddo mae hi, Mistyr Elis, nes bod hi'n methu â rhoi un droed heibio i'r llall.'

'Dim yn pasio digon o ddŵr, beryg', dyna duadd cath wrw wrth fynd yn hŷn. Rŵan, codwch o i ben y bwrdd 'ma yn reit handi, i mi ga'l golwg arno fo.'

'Dim am bensiwn. Mae o'n chwythu fel clagwydd, dim ond i chi edrach arno fo.'

Cythrodd Elis y Fet yng ngwar Albert a'i sodro fo ar ben y bwrdd cyn i'r cwrcyn sylweddoli'i fod o wedi esgyn o'r ddaear. 'Mae o yn beth boliog gythril.'

'Ydi.'

Cydiodd y ffariar yng nghynffon Albert a chodi ei ben ôl o i'r golau.

'Lle caethoch chi'ch magu, frawd, o dan bwcad?' a gollwng cynffon y gath.

'Y?'

'Cath fanw ydi hon, siŵr dduwch, ac ma' hi wedi chwyddo am bod hi'n disgwyl cathod bach.' Rhoddodd hergwd front i Albert dlawd nes ei fod o'n disgyn dros ymyl y bwrdd ac yn ôl i'r ddaear. 'Finnau'n meddwl ych bod chi wedi'ch magu ar ffarm.'

Aeth y Gweinidog yn chwys drosto ond ceisiodd adfer peth ar ei hunan-barch drwy daflu'r bai ar un arall. 'Wel, Miss Davies ddeudodd wrtha' i ma' gwrw oedd hi.'

''Tasa honno'n lluchio 'i hun i'r Harbwr, fasa chi yn gneud? Ma' hi yn un o'r cwsmeriaid gorau s'gin i ond ŵyr hi mo'r gwahaniaeth rhwng teigar a thomcat. Ylwch, frawd, ewch â'r gath 'ma adra nerth ych carnau, ne' mi ddaw â chathod bach yn un llanast.'

'Diolch.'

'Mi bostia' i'r bil i Anglesea View. Ma' gin i fwndal iddi fel ag y mae hi.'

'Ylwch, mi'ch gollynga' i chi wrth giât y tŷ, Mistar Tomos, lle bod chi'n gorfod cerddad cam. Peth anniban iawn ydi cath yn disgwyl cathod bach, wyddoch chi ar y ddaear pryd landian nhw.'

''Dach chi'n fwy na charedig, Ifan Jones. 'Doedd gin i ddim calon i gerdded cath drwy'r dre am yr eilwaith yr un bora.'

'Wn i. Ma' hi'n oes anodd iawn i weinidog fel ag y mae hi, heb iddo fo fynd yn bric pwdin.'

Cododd ei law i gydnabod ei ddiolchgarwch fel roedd y Volvo yn llithro ymaith yn esmwyth. Ffarmwr o gefn gwlad wedi ymddeol i'r dref oedd Ifan Jones a gŵr yn llifo drosodd o natur dda. Roedd o'n flaenor yng Nghapel y Cei ond yn fawr ei ofal dros braidd y Capel Sinc yn ogystal. Bu'n fwy na ffodus i'w gyfarfod o wrth borth y Syrjyri. Gwyddai na fyddai Ifan Jones, o bawb, yn mynd â'r stori gam ymhellach.

Clywodd Kit Davies sŵn y car a rhuthrodd allan dros y trothwy i gael anwesu'r gath a chofleidio'r Gweinidog, yn y drefn yna.

'*I never,* ma' Albert ac Yncl Capal *wedi* cyrraedd. Y *verdict,* Mistyr Thomas, *dear*?'

'Y newyddion da 'ta'r newyddion drwg gym'wch chi gynta'?'

'Y newyddion da.'

''Dach chi'n mynd i ga'l cathod bach.'

'*Pardon*?'

'A'r newyddion drwg. Fydd yn rhaid i chi alw'r Albert 'ma yn Fictoria o hyn allan.'

'Be'?'

'Mae o, y hi yn hytrach, yn drwm gan gathod.' Gwthiodd y lîd i'w dwylo estynedig a'i throi hi am adref. ''Dw i'n mynd, ylwch, 'gin i *bobol* sy'n disgwyl am 'y ngweld i.'

Safodd Miss Davies yn ei hunfan am funud, mewn stad o sioc, ond fel roedd y Gweinidog yn tynnu'r giât o'i ôl adfeddiannodd ei hasbri arferol a gweiddi'n galonnog ar ei ôl o, 'Rhagor o waith bedyddio i chi eto, Mistyr Thomas, *dear*.'

Cerddodd y Gweinidog ymaith heb gynnig 'ateb yr ynfyd yn ôl ei ynfydrwydd'.

Fin nos, fel roedd Ceinwen ac yntau yn bwyta'u cinio, ac Eilir yn mynd dros saga rhywioldeb y cwrcath tybiedig, canodd cloch y teliffon.

'Nid Cit-Cat eto, gobeithio.'

'Caria di ymlaen hefo dy fwyd, Eil, mi a' i i atab.'

Wedi peth amser daeth Ceinwen yn ôl. Ymdrechodd yn lew i gadw'r wên o'i gweflau. 'Rhyw ddyn diarth sy' 'na yn holi ydi Sant Francis yn y tŷ.'

'O.'

'Ac yn deud bod yna wraig yn Neiniolen sy' ddim yn siŵr ai iâr neu geiliog ydi'r caneri, a meddwl . . .'

'Gofyn di i Walters oes gynno fo fenthyg gwenwisg ga' i, i mi ga'l mynd yn Berson. Wedyn, 'fydd gin i ddigon o amsar sbâr i fynd i Ddeiniolen.'

Jac Black

Ganed Jac yn ystod yr Ail Ryfel Byd, yn unig blentyn i Miss Gwen Black, 2 Llanw'r Môr. Bu hi farw yn 1976.

Gan na chofnodwyd enwau'r tadau anodd olrhain tarddiad y cyfenw 'Black'. (Yn 2003 daeth un Ikabod Black drosodd o Tennessee ar y gamdybiaeth ei fod yn perthyn.) Mynychai ei fam y Capel Sinc oni bai fod dawns yn y Cwt Chwain. Honna Jac mai tu cefn i'r Cwt hwnnw y'i cenhedlwyd ac y gosodir cofeb yno, maes o law.

Yn hogyn ysgol mynychai dafarn y Fleece a byddai, bryd hynny, yn rhoi'i bres poced ar geffylau. Pysgota fu ei alwedigaeth ond treuliodd gyfnod ar y môr. Wedi dychwelyd, fe'i cyflogwyd yn yrrwr hers i William Howarth.

Gweithreda fel gofalwr rhan-amser yn y Porfeydd Gwelltog a Chapel y Cei a bu'n gyrru bysus cyn colli'i drwydded yrru – am yr eildro. Yn 2005, gyda chymorth yr Academi Gymreig, cyhoeddodd gyfrol o atgofion, *Y Gwir yn Erbyn y Byd*. (Trueni na fu i'r Academi olygu'r gwaith; ceir tair 'o' yn y gair 'môr'.) Yng ngwanwyn 2005, gyda chymorth ei gymdoges, Bettina Pringle, a dylanwad

The Fish Fellowship o'r America, profodd dröedigaeth – un drwy'r post. I nodi'r digwyddiad, tatŵiodd Cecil Humphreys ymadrodd Beiblaidd ar ei frest, ond fe'i camsillafodd. Yn 2012, drwy hwylustod asiantaeth Kneesup.com, ymfudodd Jac i Puerto de Sueños, Sbaen, i ddal perthynas arbrofol â gweddw o'r enw Carmen Trujillo. Cyn ymfudo, ffilmiodd Teledu Pandora raglen amdano, un nas dangoswyd hyd yn hyn.

Jac fel yr ymddangosodd yn 'Cabej Bach', *Howarth a Jac Black*

Jac a'r Jacwsi
Harri Parri

Pwyodd William Howarth ei ffordd ar hyd y llain tir oedd yng nghefn y festri yn ei ddillad claddu a'i un stôn ar bymtheg yn peri i'r sgidiau swêd duon suddo at eu topiau i'r pridd meddal. Swatiai gweddill y Blaenoriaid yng nghysgod talcen yr Ysgoldy, fel rhyw yrr bychan o ddefaid yn disgwyl tywydd garw. Roedd hi'n ddechrau Mai anarferol o oer.

Wedi cyrraedd y dalar trodd Howarth ar ei sawdl a brasgamu'n araf tuag yn ôl a phob cam o'i eiddo yn llathen go union. Ar ôl sychu'i sgidiau'n ofalus mewn twmpath o welltglas cerddodd yn fyr ei anadl i gyfeiriad y Gweinidog.

'Faswn i'n deud, Mistyr Thomas, wedi i mi 'i fras gerddad o, 'i fod o'n ddigon agos i ugian wrth bymthag. Ma' hynny'n dri chan llathan sgwâr, o glawdd i glawdd.' A gwaith hawdd i Ymgymerwr fel Howarth, wedi hen arfer mesur pethau mor anghymesur â chyrff, oedd dyfalu hyd a lled darn hirsgwar o dir gweddol wastad. Tynnodd hances wen ac iddi ymylon du o'i boced gesail i sychu'r perlau chwys oedd ar ei dalcen ac ychwanegu, 'Mi cymra' i o ar rent gin y Capal.'

'Dyna ni 'ta.'

'Fasa' dim gwell i chi roi tâp mesur drosto fo i ddechrau,'

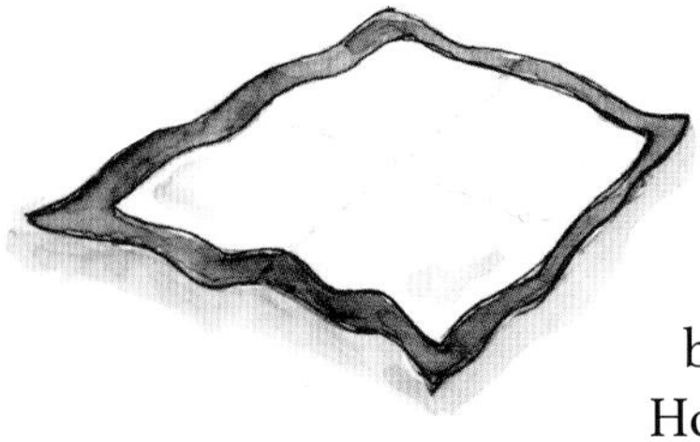

awgrymodd Huw Ambrose y Deintydd, Trysorydd y Capel, 'i osgoi drwgdeimlad yn y dyfodol.' (Yn ôl y sôn, roedd y ddau ohonyn nhw wedi mynd yn benben â'i gilydd ynghylch rhyw ddannedd gosod roedd Howarth wedi ceisio'u gwerthu'n ôl i'r Deintydd, yn ail-law felly, wedi i un o'i gwsmeriaid farw'n sydyn a'r set heb fod yng ngheg y truan hwnnw am fwy na phythefnos.)

'Na, mi rydw i'n fwy na hapus wedi i mi ga'l 'i gerddad o.'

'Dyna chi 'ta. Dim ond i chi beidio â thaflu'ch cylchau yn nes ymlaen.'

'Pa seis ydi'ch sgidiau chi, Mistar Howarth?' holodd Ifan Jones, yr hen ffarmwr, yn arferol ddiniwed. ''Newch chi ddeg yn nhraed ych sanau?'

'Naw!'

'Tewch chithau. 'Swn i'n taeru bod gynnoch chi draed mwy.'

'Sodlau llydan s'gin i.'

'Ac ma'r ddwy droed yr un seis gynnoch chi?'

'Be' ydach chi'n 'i awgrymu?' holodd Howarth, yn flin, wedi'i frifo gan y cwestiwn. 'Ydach chi'n awgrymu bod 'na rwbath o'i le ar 'y nhraed i? Gin i ddwy droed gymesur iawn,' pwysleisiodd, 'fel y basa' Musus Howarth 'cw'n barod iawn i dystio.'

A'i draed ei hun yn cyflym fferru wrth stelcian yn y pridd llaith, ceisiodd y Gweinidog lusgo meddyliau'r Blaenoriaid yn ôl at y mater oedd o dan sylw. 'Mi rydach chi i gyd wedi clywad cais Mistyr Howarth am ga'l rhentu'r tir, oes yna un ohonoch chi'n fodlon cynnig ein bod yn caniatáu hynny?'

''Dw i am gynnig ein bod ni'n gwrthod,' ebe Owen Gillespie, y selocaf o'r Blaenoriaid ond y lleiaf ymarferol o feibion dynion.

'O!'

'Rhag ofn i Ddiwygiad dorri allan. A ninnau'n gorfod dyblu seis y Capal.'

'Wel, os daw yna win newydd, yna, mi fydd yna gostrelau newydd. Dyna mae'r Testament Newydd yn ei awgrymu.'

'Bosib. Ond fel y gwyddoch chi, Mistyr Thomas, taid i mi, o ochr Mam, ddaru roi'r tir yn bresant i'r Capal.' Syllodd i fyw llygaid yr Ymgymerwr a dyfynnu'n dawel, '"Na ato yr Arglwydd i mi roddi treftadaeth fy hynafiaid i ti".' Trodd i wynebu'i Weinidog drachefn, 'Gosod Gwinllan Naboth i Jesebel, dyna ydw i'n galw'r peth.'

'Hannar munud,' a chamodd Howarth i gyfeiriad ei gyd-Flaenor, yn fygythiol yr olwg, 'ydach chi'n 'y ngalw i yn "Jesebel", Owen Gillespie?'

'Daliwch ych dŵr, Mistyr Howarth, cariad,' sisialodd Cecil Siswrn, y torrwr gwalltiau merched, 'dynas oedd y Jesebel honno – *well, according to my book*, beth bynnag. A dyn 'dach chi, 'te siwgr? *Well, as far as we know*.'

'Cofiwch, 'tasan ni'n penderfynu cadw'r llain tir,' ymyrrodd Ifan Jones drachefn, yn tywyllu cyngor unwaith yn rhagor, 'hwyrach y medrwn i berswadio Gwyndaf, yr hogyn 'cw, i ddŵad â dafad ne' ddwy yma i'w bori o.'

Cynhyrfwyd Cecil Siswrn fwy fyth, 'Ac mi fasa' me-mes mab Ifan Jones yn gneud 'u *number two* hyd y blew cae 'ma ymhob man, a phobol yn cario'r ych-â-fi hwnnw hefo'u traed i'r Cysegr Sancteiddiolaf.' Lluchiodd law wen, fodrwyog, i gyfeiriad yr hen ŵr a brathu pob sill, 'Ifan Jones, cariad, *how could you*?'

'Ma' o'n ddolur i'r llygad, fel ag y mae o, beth bynnag,' meddai Meri Morris, y wraig ffarm ymarferol ei natur, 'ac wedi mynd yn rêl toman byd.'

A dyna oedd y gwir. Bu cyfarfod Blaenoriaid Capel y Cei yn trafod y broblem hyd at syrffed. Taid i Owen Gillespie, mae'n wir – gŵr o'r un natur gynnes â'i ddisgynnydd, yn ôl pob sôn – y fo oedd wedi cyflwyno'r darn tir i Gapel y Cei, a hynny yng ngwres Diwygiad dechrau'r ganrif, gan dybio y byddai hi'n angenrheidiol yn fuan i ymestyn cortynnau'r Babell. Ond byr fu dylanwad y deffro hwnnw ac roedd yr adeilad gwreiddiol, erbyn hyn, yn llawer rhy fawr.

Fel y lleihaodd parch pobl Porth yr Aur tuag at gapeli a chrefyddwyr, aeth y llain tir yn sgip hwylus i luchio iddo ganiau a photeli, a phob rhyw 'nialwch tebyg. Y bwriad gwreiddiol oedd gwerthu'r plot ond roedd ei agosrwydd at y Capel yn gwneud hynny'n anodd. Wedyn, fe'i cynigiwyd ar rent i hwn ac arall ond 'doedd neb, rywfodd, yn neidio at yr abwyd. Pan glywodd Eilir am ddiddordeb William Howarth yn y lle roedd o'n fwy na balch, a bellach roedd o'n fwy nag awyddus i'w osod o iddo cyn i'r Ymgymerwr newid ei feddwl.

''Newch chi 'ta, John Wyn, fel Ysgrifennydd yr Eglwys, gynnig yn ffurfiol ein bod ni'n gosod y tir?'

'Ddim hyd nes y bydda' i'n gwbod be' s'gin Howarth dan glust 'i gap. Ella 'i fod o am agor puteindy yng nghefn y Capal 'ma am ddim a wn i.'

'*Perish the thought!*' sibrydodd Cecil o dan ei wynt.

Tuedd Ysgrifennydd Capel y Cei oedd rhoi gormod o baent ar bob brws.

''Dw i'n siŵr y bydd Mistyr Howarth yn fwy na pharod i roi rhagor o wybodaeth i ni,' awgrymodd y Gweinidog.

Aeth yn chwysfa ar Howarth, serch y meinwynt, a throdd yn amddiffynnol yn y fan. 'Fedra' i ddim datgelu'r manylion i chi ar hyn o bryd. Ond, os ca' i sêl bendith y Cyngor, 'dw i'n meddwl y medra' i ddeud y bydd yr hyn s'gin i mewn golwg o les i iechyd y dre yn gyffredinol.'

'Wel, gyfeillion, gawn ni bleidleisio? Cyn i bawb ga'l niwmonia a gorfod mynd ar ofyn Mistyr Howarth 'ma i'n claddu ni.'

'Fasa chi'n dymuno i mi fynd i'r toilet merched, Mistyr Thomas?' holodd Howarth, yn oedi pethau unwaith yn rhagor.

'Sut?'

'Fel 'mod i o'r golwg tra byddwch chi'n fotio. Ma'r lle dynion fymryn ymhell.'

'Go brin bod hynny yn angenrheidiol, rhwng ffrindiau.'

'Mi dro 'i 'nghefn atoch chi 'ta, tra byddwch chi'n cyfri.'

'Os gnewch chi ddangos, gyfeillion? Pawb sy' o blaid? . . . Diolch i chi. A phawb sy'n erbyn? . . . Dyna ni, chwech o blaid a thri yn erbyn.'

'Ond saith ydan ni i gyd,' eglurodd Dyddgu, yr ieuengaf o'r Blaenoriaid.

'Y?'

'Pump o ddynion sy' 'ma a dwy o ferchaid. Ac ma' pump a dau yn gneud saith.'

'Ond mi gyfris i naw o ddwylo i gyd.'

''Gin i ofn ma' fi ddaru bleidleisio ddwywaith,' eglurodd Ifan Jones, yn llawn anwyldeb. ''Doeddwn i ddim yn siŵr iawn 'ta 'i bori o, 'ta 'i osod o, fasa'r calla' i ni. Ac felly, lle 'mod i'n drysu pethau i chi, Mistar Thomas, mi godis i fy llaw hefo'r ddwy ochor.'

‘Fora braf, Mistyr Thomas.’

‘Ydi. Ond bod y gwynt yn dal yn gebyst o oer.’

‘A be’ ga’ i ’i ’neud i chi bora ’ma?’

‘’Sgynnoch chi fymryn o samon ffres?’

‘Ydi hwn yn ddigon o faint gynnoch chi?’ a phwyntio at lefiathan ugeinpwys, neu well, a orweddai yn unllygeidiog, oer, ar wely o rew. ‘Mae o wedi’i ddal yn lleol, ac yn gyfreithlon.’

‘Bosib iawn. Ond dau damad, digon i ddau, dyna oedd gin i mewn golwg.’

‘O!’ a’r siomedigaeth i’w deimlo yn nhôn y llais.

Cydiodd Dora, neu Doris – ’doedd o byth yn sicr p’run oedd p’run o’r ddwy chwaer – yng nghynffon y ’sgodyn, ac wedi rhoi’i llaw arall o dan ei dagell fe’i trosglwyddodd o’n deidi i slab y dienyddio gan ddal i fân siarad yr un pryd. ‘Rhyw newydd, Mistyr Thomas?’

Dyna’r gwir reswm dros ymweliad y Gweinidog, esgus oedd yr archeb. Siop bysgod ‘Glywsoch Chi Hon’ oedd y lle gorau ym Mhorth yr Aur am glep a si, a’r bore Llun hwn roedd o wir angen gwybodaeth.

‘Dim newyddion arbennig, hyd y gwn i. Os nag ydach chi, Doris, wedi clywad rhwbath.’

‘Dora.’

‘Ddrwg gin i.’

‘Doris ydi’r *delicatessen*,’ a phwyntio â bwyell at y cownter cig oer, gyferbyn.

‘Ddyliwn i gofio.’

‘Gynnoch chithau, Mistyr Thomas, ych croesau i’w cario.’

‘Sut?’

‘Wel, ’tasach chi ond yn meddwl am y Blaenoriaid i ddechrau.’

'Ia?'

'Dyna i chi'r William Howarth hwnnw,' a thorri pen y samon yn glir i ffwrdd hefo un ergyd fwyell. 'Ffansi agor crematoriym drws nesa' i Gapal Methodus.'

Teimlodd Eilir ei waed yn fferru. Dyna oedd bwriad yr Ymgymerwr wedi'r cwbl? Chwarter awr yn ôl, fel roedd o'n croesi'r bont oedd yn arwain o'r Mans i gyfeiriad y dref, roedd o wedi sylwi fod yna wagen artic, hir ei chynffon, wedi'i pharcio gyferbyn â Chapel y Cei ac anferth o gwt pren, cymaint ei faint ag ambell neuadd bentref, wedi'i raffu ar ei thrwmbal. Gerllaw, yn sefyll ar ei sodlau'i hun, roedd yna graen, â'r geiriau 'Phillips a'i Feibion, Adeiladwyr' wedi'i datŵio i'w fraich o, ac yn edrych fel petai o ar fin cydio yn y cwt gerfydd ei war a'i drosglwyddo, yn ei gorffolaeth, o drwmbal y lorri i gefn y festri.

'A fytith Howarth ddim 'sgodyn dros 'i grogi. Y fo na'i wraig,' a hacio'i dicter i'r samon druan. 'Fasa' pedair stecan go dew yn ddigon i chi?'

'Mwy na digon, Dori . . . m . . . Dora. Diolch i chi.'

'A welsoch chi wraig Howarth yn ddiweddar 'ma?'

'Ddim yn ddiweddar iawn.'

'Ma' hi wedi mynd yn rêl balŵn.'

Dychwelodd Dora 'Glywsoch Chi Hon' at y cownter a'r ddegfed ran o'r samon, neu ragor, wedi'i lapio mewn papur menyn a'i wthio i gwdyn plastig.

'Geith ych Musus chi dalu i mi at ddiwadd yr wsnos pan ddaw hi yma i chwilio am ragor. A hwyrach bydd gin i haig o fecryll ffres erbyn hynny.'

'Diolch i chi.'

Cyn gadael y siop trodd Eilir yn ei ôl a holi'n betrus,

'Ac mi rydach chi'n hollol siŵr, Doris . . .'

'Dora!'

'. . . ma' dyna ydi bwriad Mistyr Howarth?'

'Be'? I beidio â byta pysgod?'

'Nage. Agor amlosgfa.'

''Doeddach chi ddim wedi clywad am y peth? A chithau'n Weinidog y lle!'

'Wel, mi wyddwn i, a gweddill y swyddogion, 'i fod o wedi rhentu'r tir ond ddaru Mistyr Howarth ddim datgelu'i fwriadau i ni.'

'Neithiwr ddwytha' roedd Doris a finnau'n diolch yn ein gweddïau i ni ga'l 'n geni'n Annibynwrs.' Pwysodd ymlaen dros y cownter a hanner sibrwd, 'Ond peidiwch â deud ma' fi sy'n deud. Mewn busnas taw piau hi.'

Roedd Eilir ar droi'i gefn ar ddrws ffrynt, llwm ei baent, 2 Llanw'r Môr, wedi hir ac ofer guro, pan glywodd foto-beic yn cael ei gicdanio yng nghyffiniau cefn y tŷ teras. Penderfynodd gerdded at y ddôr gefn i geisio mynediad. Pan oedd o ar gyrraedd y ddôr rhoddodd y beic modur besychiad neu ddau a marw'n llwyr. Edrychodd Eilir dros ben y wal i weld Jac Black yn ei ofarôls a'i gap llongwr ac yn oel drosto, yn llygadrythu'n filain ar MZ deustroc, cant a hanner, hynafol yr olwg, a safai ar ei golyn ar ganol yr iard. Cydiodd Jac yn llyw y beic ag un llaw, a chydio yn sadl y beic â'r llaw arall, a rhoi cicdan front arall i'r peiriant. Gollyngodd hwnnw gwmwl o fwg du, afiach, o'i goluddion, troi'n gryglyd am eiliad neu ddwy, tisian, ac yna marw unwaith yn rhagor.

'Damia!'

'Sudach chi, Jac?'

'Pwy ddiawl . . .?' a gollwng y moto-beic i'r llawr gan

faint ei fraw. Taflodd ddau lygad bolwyn i gyfeiriad y Gweinidog. 'Chi sy' 'na? Ddylis i am eiliad bod ych Bos chi yn 'y ngalw i i gyfri. Am regi. At be' 'dach chi'n hel?'

'Hel at ddim. Dim ond galw am sgwrs.'

'Dowch trwy'r ddôr 'na 'ta. 'Dydi hi ddim wedi'i chloi.'

Os oedd rhywun ym Mhorth yr Aur yn gwybod symudiadau yr Ymgymerwr, Jac Black, Llanw'r Môr, oedd hwnnw – y cwilliwr cimychiaid a'r dreifar hers, ysbeidiol.

Hances-boced-merch o iard gefn oedd un Jac, yn goncrit i gyd, a heb fod fawr mwy o ran hyd a lled na hyd y beic modur oedd o dan driniaeth.

''Dach chi ar fai mawr yn rhoi sioc fel'na i mi a finnau heb ddafn o frandi yn nes na'r gegin gefn.'

'Gwrthod tanio mae o, Jac?'

'Nagi.'

'O?'

'Mae o'n tanio hefo'r gic gynta'. Marw wedyn ma'r sglyfath. Wyddoch chi rwbath am foto-beics?'

'Dim ydi dim.'

'Felly ro'n i'n meddwl. Ond ma' nhw'n deud am y peth oedd yma o'ch blaen chi, y Richard Lewis hwnnw fuo'n trio claddu Mam i mi 'stalwm, y medra' hwnnw dynnu injian moto-beic yn gyrbibion ulw a'i rhoi hi'n ôl wedyn heb fethu sgriw.'

'O'dd hwnnw'n werth 'i gyflog felly.'

'Oedd, a nag oedd. Unwaith yr âi o i fyny i'r pulpud i drio pregethu oedd o'n oilio'i blygiau'n syth. Fath â'r satan yma,' a rhoi cic ysgafn i deiar y moto-beic oedd yn dal ar ei hyd ar lawr. 'Heblaw, fy mai i oedd prynu fforinar ail-law. Finnau wedi meddwl mynd am heic i'r wlad, wrth 'i bod hi'n braf ac wrth 'i bod hi'n ben-blwydd arna' i.'

Tynnodd y Gweinidog bapur pumpunt o'i waled a'i roi iddo, gan obeithio y byddai rhodd felly'n agor ei galon o yn nes ymlaen. 'Llawar dedwydd dro i'r dydd.'

'Y?'

'*Many happy returns* 'te. Wrth 'i bod hi'n ben-blwydd arnoch chi.'

'Dew, diolch yn fawr iawn i chi. 'Neith i mi i brynu diod i'r merlyn,' a chiledrych i gyfeiriad y beic, 'os codith o ar 'i draed.' Gwasgodd y papur yn bêl a'i wthio i boced ei ofarôl. 'Os na, yna mi bryna' i ddiod i'r joci.'

'Chi ŵyr ych pethau.'

'Diawl, gan ych bod *chi* yma, mi rydw i awydd rhoi un cynnig arall ar danio'r satan.'

'Dyna chi,' atebodd y Gweinidog, heb lawn sylweddoli mor gaeëdig gyfyng oedd y cowrt.

Cydiodd Jac yn y beic modur a'i godi ar ei draed unwaith yn rhagor. Dyna'r pryd y sylwodd Eilir nad oedd y perchennog, serch ei fod o'n ŵr cydnerth, fawr talach na'r beic.

'Ylwch, gweddïwch chi, mi gicia' innau.'

Rhoddodd Jac Black un gicdan ffyrnig arall i'r MZ ac ymsaethodd pelen ddu allan o ben-ôl y beic modur heibio clust chwith y Gweinidog a sodro'i hun yn slwj ar y wal derfyn rhwng y ddau dŷ a chuddiwyd y ddau mewn cwmwl o fwg glas, afiach.

'Y plant felltith 'ma wedi gwthio tatan arall i'r beipan ecsôst,' gwaeddodd Jac, wedi iddyn nhw ddod i weld ei gilydd eilwaith, a'r ddau mor ddu â phetaen nhw wedi bod ar y Costa del Sol am fis, 'ond mae o'n troi fel injian bwytho bach rŵan.'

Wedi tagu'r peiriant ac ailosod y moto-beic ar ei golyn roedd Jac yn awyddus am gael cefn y Gweinidog cyn gynted â phosibl.

'Ddowch chi ddim i'r tŷ, ma'n siŵr, 'taswn i'n pwyso arnoch chi.'

'Fedrwch chi atab cwestiwn neu ddau i mi, Jac?'

'Ffeiar-awê!'

'Ydi hi yn wir fod Mistyr Howarth am agor amlosgfa yng nghefn Capal y Cei?'

A gwelodd Jac Black ei gyfle i rwbio halen i friw oedd eisoes wedi dechrau rhedeg. 'Cyn wiriad â 'mod i'n fa'ma, yn fy ofarôls. Ma'r adeilad i fod i gyrraedd bora 'ma.'

'Mae o *wedi* cyrraedd.'

'Gawn ni ddechrau llosgi pobol gyda hyn, felly,' a rhwbio'i ddwylo'n frwd i ddangos afiaith dros y gwaith.

'Ond ma' Mistyr Howarth wedi bod mor wrth'nebus i'r arfar. Teimlo, medda' fo, fod amlosgi'n tlodi'r busnas cerrig beddi s'gynno fo. Ac fel y gwyddoch chi, Jac,' a dechrau sibrwd, '"Wil dim Llosgi" ma' rhai'n 'i alw fo – yn 'i gefn.'

'Ac yn 'i wynab! Unwaith y ca' nhw fîl claddu gynno fo. Twt, 'dach chi'n nabod Howarth gystal â finnau. Os clywith o oglau pres yn rwla mae o'n troi fel cwpan mewn dŵr.'

'Ond fedar o ddim agor amlosgfa mewn cwt pren heb ganiatâd y Capal.'

Cymerodd Jac arno wylltio. 'Be' gythral s'arnoch chi, yn sefyll yn ych golau ych hun? 'Drychwch mor handi fydd y peth i chi, pan fydd hi'n dywydd mawr a bellu. Dim ond camu o'r capal i'r lle llosgi fydd rhaid i chi. Diawl, fedrach chi gynnal gwas'naetha' rŵan yn ych slipars.'

'Fedra' i wir?'

'A chan 'i fod o'n Flaenor mae o am losgi'r hannar cant cynta' am hannar pris.'

Cychwynnodd y Gweinidog am y ddôr, yn flin ei ysbryd. 'Ca'l gair hefo Howarth 'i hun fydd orau i mi. Diolch i chi am roi gwbod i mi. Da boch chi, rŵan.'

'*So long*. Galwch heibio eto, *any time*.'

Pan oedd y Gweinidog yn troi'r gongl am ffrynt y tai teras clywodd Jac yn cicdanio'r MZ unwaith eto, a hwnnw, wedi carthu'r daten allan, yn troi mor wastad â wats.

Bu'r Gweinidog yn ffodus i ddal yr Ymgymerwr yn ei barlwr gan ei bod hi, erbyn hyn, yn awr ginio. Fe'i gorfodwyd i ddal pen rheswm â hwn ac arall wrth iddo gerdded y stryd a'r datblygiadau annisgwyl yng nghefn Capel y Cei oedd ar flaen tafod pawb. A phawb am roi croen Howarth, druan, ar y pared oherwydd maint ei ryfyg – pawb ond Meri Morris, Llawr Dyrnu, un o'i gyd-Flaenoriaid. Daeth Eilir wyneb yn wyneb â hi wrth Warws Amaethwyr Arfon yn lluchio bagiau bwyd anifeiliaid i gefn y picyp mor ddiymdrech â phetaen nhw'n sachau gweigion.

''Dw i yn fwy na balch, beth bynnag, ma' amlosgfa s'gynno fo mewn golwg.'

'O?'

'Oedd y gŵr 'cw wedi clywad rhyw si yn y Mart, echdoe, ma' am gadw ieir roedd William Howarth. Fasa' peth felly yn lladd fy rownd wyau i o amgylch y dre 'ma fel diffodd cannwyll,' a lluchio sach farw arall i drwmbal y picyp heb drafferthu agor y caead. 'A pheth arall, leciwn i ddim clywad ceiliogod yn canu yng nghefn y Capal a chithau'n trio pregethu i ni.'

'Y gorau o ddau ddrwg fasa' peth felly, yn 'y marn i.'

'Cofiwch, ma' 'na *un* dro-bac,' cyfaddefodd, yn ildio blewyn.

'Un?'

'Bwriwch chi bod yna g'warfod Chwiorydd yn y festri a mwg taro o gyfeiriad yr amlosgfa. Wel, mi fasa' rhaid i ni gau pob ffenast.'

Adeilad hirgul oedd Parlwr Angladdau William Howarth, gyda'r swyddfa yn wynebu'r stryd, y rhewgelloedd a'r capel gorffwys tu cefn i'r swyddfa, a'r iard cerrig beddau yn y cefn un. Roedd y safiad, fodd bynnag, yn strategol ffodus – wedi'i wasgu'n dynn rhwng siop flodau a rithoedd teulu Moss Bank a swyddfa Derlwyn Hughes a Hugh Hughes-Roberts a'i Fab, Cyfreithwyr a Chomisiynwyr Llwon.

'Dowch i mewn, Mistyr Thomas. Mi fydda' i hefo chi, mewn munud neu ddau.'

Drwy'r ffenest ochr gwyliodd y Gweinidog William Howarth yn llwytho gweddw ifanc – yn ôl ei gwisg a'i hymarweddiad, ac fel y tybiai Eilir – i sedd gefn clamp o Daimler tywyll, moethus gan roi pat ysgafn ar ei phen-ôl â'i law fodrwyog i ddangos ei gydymdeimlad â hi, mae'n debyg, ac i geisio adfer ei ffydd hi mewn dynoliaeth. Drwy'r system hei-ffei llifai *Largo* Handel yn gymedrol, weddus. (Mor chwaethus o wahanol i Henri Rowlands, yr Ymgymerwr yng Ngharreg Boeth ers llawer dydd, a'i dâp amaturaidd o chwaer y wraig yn canu 'Ar Lan Hen Afon Ddyfrdwy Ddofn' i gyfeiliant piano capel.) Ar wal y swyddfa, yn wynebu'r cwsmeriaid, roedd yna arddangosfa helaeth o blatiau eirch o wahanol siâp a chyda manylion am yr amrywiol fathau o lythrennu oedd yn bosibl.

Wedi i'r car dynnu allan drwy'r adwy, a throi i'r chwith i gyfateb i lif y traffig, daeth Howarth yn ôl i'w swyddfa yn fflat-wadn a byr ei wynt. Eisteddodd gyferbyn â'i

Weinidog a'i wasgod yn trochi'n donnau dros y ddesg isel a wahanai'r ddau.

'Mi fedra' i fforddio ugain munud da i chi rŵan, rhwng dwy brofedigaeth.' Pwysodd fotwm yr intercom â'i fys, plygodd ymlaen, a thuchan i'r meic, 'Dwy banad o goffi, Anemone, cariad? Os ydi hynny'n hwylus i chi.'

'Mi ddyla' 'mod i wedi trefnu cyfweliad hefo chi ymlaen llaw.'

'Na hidiwch, am y tro. Fydd Owen Gillespie ddim yma am chwartar awr arall.'

'Owen Gillespie?' holodd y Gweinidog, mewn syndod.

'Ia siŵr. Mae o am ga'l help llaw i ddewis emynau ar gyfer c'nebrwng hen wraig 'i fam.'

Cafodd y Gweinidog ail styrbans y dydd, 'Bobol ar y ddaear! Pryd buo Musus Gillespie farw? Roedd hi hefo ni yn y Cymun neithiwr.'

'Ddeudis i ddim 'i bod hi wedi marw, Mistyr Thomas.'

'O!'

'Na, fi perswadiodd hi i ddewis ymlaen llaw. Rhag ofn iddi ddigwydd marw a finnau oddi cartra.'

'Deudwch chi,' ac anadlu yn fwy naturiol.

'Mi rydw i'n medru rhoi deg y cant o ddisgownt, rŵan, i bawb sy'n archebu ddwy flynadd cyn y digwyddiad.'

'Wela' i. Ond matar â mwy o frys yn 'i gylch sy'n peri 'mod i wedi galw i'ch gweld chi bora 'ma.'

'O!'

'Gofidio yr ydw i, Mistyr Howarth, eich bod chi am agor amlosgfa yng nghefn y Capal.'

Gŵr gwengar, mwyn ei ysbryd, oedd William Howarth, yn arferol, ond roedd cyhuddiad annheg y Gweinidog wedi codi'i wrychyn o. Tuedd Gweinidog Capel y Cei – ac roedd ei wraig wedi'i rybuddio rhag hynny sawl tro –

oedd crogi troseddwr i ddechrau a holi oedd o'n euog yn nes ymlaen a theimlai Howarth iddo dderbyn yr union driniaeth honno.

'Pwy ddeudodd wrthach chi 'mod i'n mynd i agor amlosgfa? 'Fydda' i wrth fy modd yn claddu pobol ond dda gin i ddim llosgi neb.'

Ceisiodd Eilir achub hynny o'i groen oedd ar ôl drwy luchio'r bai ar bobl eraill. 'Yn Siop Glywsoch Chi Hon y clywis i grybwyll y peth i ddechrau. Dora . . . ne' Doris . . .'

'Twt! Ma'r ddwy, fel ei gilydd, yn uwd o g'lwyddau.' Plygodd ymlaen dros y ddesg a hanner sibrwd, 'Dyna pam y bydd Musus Howarth a finnau yn prynu'n pysgod o Hull, *in bulk*.'

'Ond mi welis i Jac Black wedyn, ac roedd yntau'n cadarnhau'r peth i mi.'

Ymlaciodd yr Ymgymerwr yn y fan a daeth cysgod gwên i'w wyneb. 'Ac ma' Jac wedi bod yn rhoi glo ar tân, ydi o?'

Roedd gan Howarth le tyner yn ei galon i'w law dde – y ddau wedi bod yn cicio a brathu'i gilydd am chwarter canrif neu well a chariad, o'r herwydd, wedi dechrau magu – a gallai faddau drygioni hwnnw.

'Finnau'n meddwl y basach chi, o bawb, wedi codi o flaen Jac Cimwch. Un direidus fel'na oedd 'i dad o – er na 'sgin Jac, druan, mo'r syniad lleia' pwy gafodd y bai.'

''Ddrwg gin i i mi'ch camgyhuddo chi.'

'Na hidiwch.' Agorodd ddrôr yn y ddesg a thynnu allan faich o gynlluniau pensaer. Clywyd pâr o draed trymion yn dynesu a brysiodd Howarth i wthio'r 'dystiolaeth' yn ôl i'r drôr.

Daeth Musus Howarth i mewn i'r swyddfa, wysg ei hochr, yn llusgo troli te o'i hôl ac arno ddwy gwpanaid o

goffi chwilboeth, dwy lwy, powlen siwgr a dewis tlawd o fisgedi.

Neidiodd Howarth ar ei draed yn y fan.

Os oedd yr Ymgymerwr yn drwm roedd ei wraig yn llawer trymach. Cerddai gydag ymdrech, fel petai ganddi ddau sach blawd o'i blaen a maen melin rhwng ei choesau. A 'doedd Anemone Howarth ddim yn gywen ifanc o bell ffordd ond gwisgai felly – ffrog, ddu wrth gwrs, gwta, ddilewys, a weddai'n well i un feinach, hanner ei hoed, a phob pant a bryn yn ei chorff, oherwydd tynder y ffrog, yn bowld o amlwg.

Ym mhresenoldeb ei briod âi Howarth yn wasaidd yn syth. Fe wyddai pawb ym Mhorth yr Aur mai hi a wisgai'r trowsus yn y Parlwr Angladdau – fel yn Tros Amser, eu cartref moethus ar gwr y dref – ac mai hi, mewn gwirionedd, oedd y grym tu ôl i'r busnes.

'A! Anemone, cariad. Mi rydach chi'n gyfarwydd â Mistyr Thomas, ein Gweinidog ni?' holodd hwnnw, yn ffrwcslyd, fel petai Eilir yn 'ddyn gwyrdd' newydd landio o'r lleuad.

'Mi ddylwn, a finnau'n mynd i'w gapal o unwaith y mis. 'Steddwch, William, lle bo' chi'n gneud y lle 'ma'n flerach nag ydi o,' a disgynnodd Howarth i'w gadair mor swat â chi defaid â chomand da arno.

'Siwgr, Mistyr Thomas?'

'Dwy, os gwelwch chi'n dda.'

'M!'

Pan oedd hi'n plygu ymlaen i roi'r cwpanaid coffi o'i flaen o byddai Eilir yn hapusach petai gwddw'i ffrog hi droedfedd yn uwch. Ond mater iddi hi oedd hynny.

'Diolch i chi, Musus Howarth.'

'A thrïwch chithau, William Henri, bendith tad i chi,

beidio â'i golli o i gyd i'r sosar fel y byddwch chi arfar â gneud.'

'Diolch, Anemone.'

Hwyliodd Anemone Howarth yn ôl i gyfeiriad y drws a arweiniai i'r cynteddoedd mewnol, fel llong hwyliau a gormod llwyth tan ei byrddau. Cyn mentro'r porth cyfyng taflodd rybudd siarp i gyfeiriad ei gŵr, 'A chofiwch y bydd Gillespie 'na yma unrhyw funud, a fedra' i ddim fforddio'r amsar i 'neud coffi i hwnnw hefyd.'

Wedi gwrando ar sŵn y sgidiau trymion yn pellhau, ac ail ddrws yn cael ei agor a'i gau, trodd Howarth at ei Weinidog a gofyn cwestiwn annifyr ddigon iddo: 'Fedrwch chi, Mistyr Thomas, ddyfalu be' ydi pwysau Musus Howarth, heb ddim amdani?'

Ymataliodd y Gweinidog rhag dychmygu'r fath olygfa a thaflu allan ateb a dybiai'n un rhesymol: ''Neith hi bedair stôn ar ddeg, ne' 'chydig o dan hynny?'

'Ma' hi'n nes i ddeunaw, Mistyr Thomas bach.'

'Tewch chithau!'

'A fedra' i mo'i pherswadio hi, dros 'i chrogi, i golli owns.'

'Felly!'

'Ond ma' hi wedi addo i'r doctor y basa' hi'n gneud yr ymdrech 'tasa 'na gyfla o fewn 'i chyrraedd hi.'

Aildynnodd William Howarth y cynlluniau o'r drôr, ac wedi taflu cip pryderus i'r cyfeiriad lle tybiai roedd ei wraig, ac edrych yn frysiog ar ei wats, eglurodd mai'i fwriad oedd agor clinig colli pwysau i ferched dros hanner cant yng nghefn Capel y Cei gyda chyfleusterau sawna a jacwsi, tylino'r corff a chodi pwysau, gan fawr hyderu y byddai'i wraig, ymhlith llaweroedd eraill, yn manteisio ar y cyfle.

'Ac mi rydw i wedi anfon Dwynwen Lightfoot, gynt o'r Lingerie Womenswear, i Gaer, i ga'l hyfforddiant yn y gwaith.'

'O!' (Ac o ddal i gofio marwolaeth annhymig y diweddar Derlwyn Hughes yn y gwely benthyg hwnnw, offrymodd Eilir weddi o ddiolchgarwch am mai merched yn unig a fyddai'r cwsmeriaid.)

'Ac ma' fy nghyd-Flaenor i, Cecil – o'r Siswrn *Cecil's Scissors* – mae o am bicio i mewn i helpu hefo'r erobeg a'r aromatherapi.'

'Wela' i.'

'O! Ia, mi rydw i wedi addo i Jac y ceith yntau ddarn d'wrnod yno, nawr ac yn y man, i olchi'r waliau ac i garthu'r lle allan, a bod yn llaw a throed i mi fel y bydd angen. Dyna ni 'ta,' a chododd Howarth ar ei draed, i arwyddo fod yr 'ugain munud da' wedi dod i ben a'i bod hi'n bryd iddo gyfarfod â'i gwsmer nesa'. 'Os medrwch chi gadw'r peth i chi'ch hun, Mistyr Thomas.'

'G'naf yn siŵr.'

'Ar hyn o bryd. Hyd nes bydda' i wedi ca'l caniatâd y Cyngor.'

'Mi rydw i'n dawelach 'y meddwl yn mynd o'ma, beth bynnag.'

'Diolch i chi.' A dyna pryd y daliwyd Gweinidog Capel y Cei yn ei wendid. ''Dw i'n siŵr, Mistyr Thomas, fel 'y Ngweinidog i, y dowch chi yno pan fydda' i'n agor y lle – i ofyn bendith ar fy llafur i, ac ar ymdrechion Musus Howarth a'i thebyg i golli pwysau.'

'Wel . . . m . . .'

'Fel y g'naethoch chi pan oeddan nhw'n agor y ffatri sgidiau fach 'na sy' ar y Stad Ddiwydiannol. A Saeson rhonc ydi'r rheini, fel y gwyddoch chi.'

'Well i mi drio dŵad 'ta, debyg.'

Wedi cael yr addewid hon trodd Howarth yn gyw gog yn syth a hanner taflu Eilir dros y nyth. 'Canmil diolch i chi, frawd, a phnawn da i chi rŵan.'

Fel roedd Eilir yn ailgroesi'r bont o'r dre i gyfeiriad y Mans sylwodd fod y craen a'r lorri wedi hen adael ffrynt y Capel a bod yr adeilad pren wedi'i sodro ar y darn tir yng nghefn y festri – yn llond y lle ac yn fwgwd i sawl ffenest.

Wedi hir graffu llwyddodd i ddarllen yr enw ar glamp o hysbysfwrdd, ochr yn ochr â hysbysfwrdd y Capel, ond ei fod o'n lletach ac yn un llawer talach – '*Hydro Howarth's Hydro*'.

'Eilir Thomas, ma' isio chwilio dy ben di.'

'Pam?'

'Yn caniatáu i helgwn y wasg dy 'neud ti'n bric pwdin unwaith eto.'

''Dydi hynny ddim yn wir, Ceinwen.'

'Ti ddim wedi gweld y papur ne' be'?'

'Do.' A llithro i'w gragen.

Pan ddisgynnodd y *Porth yr Aur Advertiser* drwy'r twll llythyrau aeth yn ddydd barn ar Weinidog Capel y Cei yn y fan a'r lle a Cheinwen, ei wraig, yn farnwr a rheithgor.

''Drycha ar dy lun di yn fa'ma, ar y dudalan flaen un, yn gwenu fel mwnci newydd ga'l banana.'

''Nes i ddim ymdrech i wenu.'

'A merchaid noethion, un ymhob cesail i ti.'

''Doeddan nhw ddim yn noeth. Wel, ddim yn arbennig felly.'

'O?'

'Roedd Dwynwen Lightfoot mewn leotard ac o'dd Cwini Lewis mewn . . . m . . . wel, math o ficini.'

Rhythodd Ceinwen ar y llun a lenwai hanner y dudalen flaen.

'Un cynnil ar y naw faswn i'n ddeud. Ma' 'na lawar mwy o groen yn y golwg na dim arall, a'r croen hwnnw, os ca' i ddeud, mewn dirfawr angan am ga'l 'i smwddio.'

'Grawnwin surion ydi deud peth fel'na.'

'Grawnwin surion?' a gollwng y papur i'w glin mewn ffit o ddicter. 'Be' 'ti'n awgrymu?'

'Awgrymu dim. Dim ond awgrymu. A pheth arall, Howarth ddaru ofyn i mi.'

'Wn i hynny.'

'A fedrwn i ddim llai na chytuno, ac yntau'n Flaenor hefo mi a phob dim.'

''Tasa Howarth yn gofyn i ti neidio ar dy ben i'r môr, fasa ti'n mynd?'

'Baswn . . . y . . . na faswn.'

'Addewid dyn meddw, dyna ydw i yn galw'r peth.'

Yng ngwaelod ei galon roedd Eilir yn cytuno â'i briod ond bod ei falchder yn ei gadw rhag cydnabod hynny yn agored.

Noson ddiniwed ddigon oedd honno yn yr *Hydro* i ddathlu agoriad swyddogol y clinig colli pwysau. Wedi tameidiau o gaws a llymaid bach o win daeth gwahanol rai ymlaen i siarad ar ran gwahanol gymdeithasau'r dref – i ddymuno'n dda i Howarth a'i wraig yn y fenter newydd hon o'u heiddo ac yn eu hymdrech i fywiocáu Porth yr Aur a gwella cyflwr iechyd y trefwyr. Y cyfan wnaeth Eilir oedd arwain math o fyfyrdod byr ac offrymu gair cynnil o weddi yn union ar ddechrau'r cyfarfod ac yna, fel amryw eraill, sefyll i gael tynnu'i lun, unwaith neu ddwy, ar ddiwedd y noson. Golygydd yr *Advertiser*, y twmffat gwirion iddo fo, oedd wedi penderfynu rhoi'r hanes ar y feri tudalen flaen a llun lliw o Eilir a'r gwragedd yn union uwchben y stori.

Cydiodd Ceinwen yn y papur unwaith yn rhagor, a saethu rhes arall o daflegrau i gyfeiriad ei gŵr. 'A pham oedd rhaid i ti siarad yn Saesneg?'

''Nes i ddim yngan sill o Saesneg.'

'Do, yn ôl y papur.' Dechreuodd Ceinwen ddyfynnu i brofi'i phwynt, '*Reverend E. Thomas, Mr and Mrs Howarth's private Chaplain . . .*'

''Dydw i ddim yn Gaplan i Howarth, na'i wraig. A 'nes i ddim siarad Saesneg.'

'Gwranda i ddechrau ac mi gei di amddiffyn dy hun wedyn, os medri di. . . . *urged the ladies of the town, above the age of fifty, to bare all and take to the waters*.'

'Celwydd i gyd.'

'*"O! Come to the waters," he implored them, "all of you who are heavy-laden"*.'

'Y Wraig wrth Ffynnon Jacob, dyna oedd 'y nhestun i.'

'Am honno ma'r Gair yn deud iddi ga'l pump o wŷr?'

'Ia.'

'Ac nad oedd y sawl oedd yn ŵr iddi ar y pryd ddim yn ŵr iddi hi?'

'Bosib.'

''Sgin i ond gobeithio i Dwynwen Lightfoot lyncu'r bilsan! Ma' stori'i bywyd hi yn ddigon tebyg.'

Dyna'r foment y taflodd Eilir gip damweiniol i gyfeiriad cloc y gegin a sylwi, er ei fraw, ei bod hi wedi troi saith. Neidiodd ar ei draed, ''Ti'n barod? Ma'r Cyfarfod Gweddi Cenhadol wedi dechrau.'

''Dw i ddim am ddŵad heno 'ma.'

'O! Pam?'

'Fedra' i ddim wynebu'r cyhoedd tra ma'r llun anllad 'na yn ffres yn 'u meddyliau nhw.'

'Fydd rhaid i mi fynd.'

'Bydd.'

Cerddodd Eilir i gyfeiriad y drws cefn, fel un condemniedig yn cerdded i'w grocbren, a'i agor.

'Ac Eilir!'

'Ia, Ceinwen?'

'Os byddwch chi'n trafod Cenhadu, trïwch ddechrau wrth ych traed, 'newch chi?'

Tynnodd y drws i gau o'i ôl a hynny gyda chryn jyrc.

'Pst!'

Agorodd Eilir ei lygaid ac fe'i dilynwyd gan amryw.

'Pst!'

Roedd Ifan Jones, ar y pryd, yn ymbil dros 'baganiaid yr India' fel y mynnai gyfeirio atyn nhw. (Er i Eilir geisio'i oleuo, sawl tro, daliai i feddwl am Genhadaeth yr Eglwys yn nhermau'r ganrif ddiwethaf, fel petai William Carey newydd adael am yr India a David Livingstone heb gyrraedd y Sambisi.)

'"Doed Paganiaid yn eu twllwch, / Doed y Negro dua'u lliw" . . .'

'Pst!'

Yn nrws y festri safai Jac Black, a'i wyneb yn dduach nag arfer oherwydd y gôt wen a wisgai a'r gair 'Howarth' mewn coch seicedelig yn blastar ar draws ei phoced.

'Pst,' a bygwth lluchio brws llawr i gyfeiriad y Gweinidog mewn ymdrech i ddal ei sylw.

'"Doed addolwyr yr eilunod" . . .'

Cododd John Wyn, yr Ysgrifennydd, ar ei draed a

chychwyn i'w gyfeiriad ond cafodd ei wthio'n ôl â phen y brws.

'Pst!'

Gwelodd Eilir nad oedd dim arall yn tycio ond iddo godi a mynd at y drws. Ailblygodd y gweddill eu pennau, fel gwartheg yn ailddechrau pori wedi i berygl fynd heibio, ac Ifan Jones, yn ei holl ddidwylledd brwd heb deimlo fod dim o'i le.

'"Deued llu heb ddim rhi' " . . .'

Caeodd y Gweinidog y drws o'i ôl a chau allan y weddi â'r un glep.

'Ia, Jac?'

'Pam gythril na ddowch chi allan pan fydda' i'n gweiddi arnoch chi?'

'Fydda' i ddim yn hoffi tarfu ar weddi neb.'

'Fasa' yr hen Ifan yn dal ati i dynnu yn y rhaffau 'tasa 'na eliffant yn mynd drwy'r festri.'

'Be' ydi'r broblem?'

'Gwraig Howarth sy' wedi slipio yn y Swswci.'

'Yn lle?'

'Yn y Swswci.'

'Jacwsi 'dach chi'n feddwl, debyg?'

'Wel, ma' hi wedi mynd â'i thin am 'i phen, beth bynnag ydach chi'n galw'r peth.'

'Ydi hi wedi brifo?'

'Mewn mwy o annifyrrwch ma' hi, faswn i'n ddeud, nag o boen.'

'O!'

'Ma' hi'n gorwadd 'no ar wastad 'i chefn, â'i dwy goes i fyny yn yr awyr, fel y gwelsoch chi dyrci noeth yn barod i fynd i'r popty.'

'Sut digwyddodd y peth 'ta?'

'Wel, pan gafodd yr hen Anemone gefn pawb, ond 'y nghefn i, mi benderfynodd fynd ati i godi pwysau ac yna, wedi iddi chwysu dipyn, mi gamodd i'r Swswci.'

'Jacwsi.'

'Dyna chi, i hwnnw. Ac wrth gamu dros y rhiniog mi aeth â'i thin am 'i phen, fel chwadan ar rew.'

'Wela' i.'

'Ma' hi mewn caethgyfle ers cyn i'r hen Ifan ddechrau gweddïo.'

'Well i mi frysio yn ôl i'r festri 'ta, i ofyn am help rhai o'r Blaenoriaid?' a chychwyn tuag yno.

'Cym'wch gythril o ofal.'

'Y?'

'Fasa'r peth yn ormod o sioc.'

'I Musus Howarth, felly?'

'I'r Blaenoria'd, siŵr dduwch.'

'Fedra' i fod o help?'

''Tasach chi'n medru cydio yn 'i choesau hi ac mi ro' innau 'mreichiau dan 'i cheseiliau hi, ac mi . . .' Oedodd ar ganol brawddeg a newid ei feddwl. 'Diawl, wrth ych bod chi'n W'nidog, hwyrach basa'n well i chi gym'yd at y ceseiliau.'

Cychwynnodd y ddau am yr *Hydro*. Cyn cyrraedd y drws, oedodd Jac eilwaith, a holi fymryn yn bryderus, ''Sgynnoch chi ddim pâr o sbectols haul hefo chi, debyg?'

Teimlodd y Gweinidog ei boced. 'Oes, fel ma' hi'n digwydd.'

'Well i chi 'i gwisgo hi 'ta. Achos 'sgynni hi ddim cerpyn amdani. Er ma' o bell y ces i olwg arni hi.'

Daeth yn dro i'r Gweinidog oedi. 'Wel, os hynny, ydi hi'n ddoeth i ni fentro?'

'Nag'di, bosib. Wrth 'i bod hi mor fawr ma' gynni hi, rhywsut, gymaint yn golwg.'

'Ac ma' hi'n ddeunaw stôn yn ôl Mr. Howarth.'

'Ac mi fasa'n anodd goblyn ca'l lle i gydio yn'i hi a hithau'n laddar drosti.'

'Fydda'n beryg iddi hi lithro trwy'n dwylo ni a brifo mwy.'

''Dach chi'n iawn, frawd, fasa'n mynd rhwng bysadd rhywun fel brithyll g'lyb.'

'Gofyn am gymorth proffesiynol sy' orau i ni.'

Neidiodd y Cimychwr at yr awgrym. Serch ei holl orchest, enaid cysetlyd oedd Jac Black yn y bôn, ac un swil yng nghwmni merched. ''Dw i'n falch ych bod chi wedi awgrymu hynny, achan. 'Fasa'n anodd gythral i mi edrach Howarth ym myw 'i lyga'd a finnau wedi gweld 'i wraig o yn y niwd.'

'Mi a' i draw i'r Tŷ Capal i ffonio am ambiwlans.'

'Fasa' dim gwell i chi ga'l hogiau'r ffeiar-brigêd i ddechrau?'

'Basa', bosib.'

'I ni 'i cha'l hi ar 'i thraed. A galw'r ambiwlans wedyn.'

A chafodd Howarth a'i *Hydro* sylw yn yr *Advertiser*, bondigrybwyll, am yr ail wythnos yn olynol – ond ei fod o'r math o gyhoeddusrwydd y byddai'n well gan yr Ymgymerwr, petai modd, fod wedi'i osgoi. Yn llenwi hanner y dudalen flaen roedd yna lun lliw o Musus Anemone Howarth yn gorwedd ar wely orthopedig yn Ysbyty Min Menai – yn edrych yn ddigywilydd o iach oddigerth fod un goes iddi wedi'i lapio mewn plastr Paris ac yn hongian wrth dracsion. I'r cyfarwydd, roedd hi'n amlwg fod ei gŵr yn eistedd wrth ei hochr â'i fraich am ei hysgwydd pan dynnwyd y llun, ond oherwydd prinder gofod, mae'n debyg, fe dorrwyd Howarth allan ar wahân i'w fraich. Yna, ar ddiwedd yr erthygl, mewn trymach print, roedd yna nodyn yn egluro na fyddai 'Mr William Howarth, "Tros Amser", un o gyd-berchenogion yr *Hydro* – oherwydd y ddamwain ddisyfyd a ddigwyddodd i'w briod, Mrs. Anemone Howarth, o'r un cyfeiriad – yn abl i gario ymlaen â'r busnes ar hyn o bryd. Roedd Mr. Howarth, yr un pryd, yn dymuno diolch i bawb am bob arwydd o gydymdeimlad a ddangoswyd tuag atynt yn eu profedigaeth ac am ddal ar y cyfle i ddymuno Nadolig Llawen – serch nad oedd hi ond canol Medi – i'r oll o'i gwsmeriaid'.

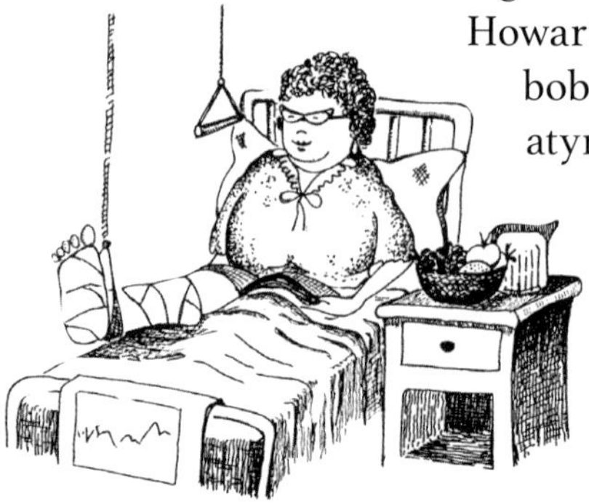

William Howarth

Tŷ eang ym mhen draw'r Stryd Fawr, Tros Amser, ydi cartref William Howarth, yr Ymgymerwr, a'i briod, Anemone. Mae'n adeilad amlbwrpas gyda swyddfa a pharlwr angladdau, rhewgelloedd a chapel gorffwys tu cefn, ac iard cerrig beddau lle byddai'r ardd. Ymataliodd rhag codi amlosgfa yno, rhag ofn amharu ar y busnes cerrig beddi; ar dro, cyfeirir ato fel 'Wil Dim Llosgi'.

Dywed ei gyfoedion mai chwarae cynhebrwng fyddai ei fwyniant yn blentyn. Ei dad, Robert Howarth – chwarelwr wedi arallgyfeirio – a sefydlodd fusnes Robert S. Howarth a'i Feibion, Ymgymerwyr – er nad oedd ganddo blant ar y pryd. Wedi ffrae parthed ewyllys y tad ymfudodd Harold, y mab ieuengaf, i gyffiniau Rotherham. Dychwelodd yn 2001 i sefydlu ffyrm gystadleuol – yn cynnig 'dau angladd am bris un' – ond un a arweiniodd at achosion llys.

Unwaith, bu gan William Howarth glinig colli pwysau yng nghefn Capel y Cei gyda chyfleusterau sawna a jacwsi, tylino'r corff a chodi pwysau. Cadw mulod ar y traeth oedd galwedigaeth tad Anemone,

Morris Peters – 'Morris Mul' fel y'i gelwid. Yn hogyn ysgol âi Howarth yno i garthu ac felly y cyfarfu'r ddau. Fel ei dad o'i flaen, bu'n flaenor yng Nghapel y Cei er yn laslanc, ac fel ei dad mae'n aelod o'r Seiri Rhyddion. Fe'i hystyrir yn ŵr pwyllog, a chyda'r blynyddoedd aeth rhai o'i ddywediadau – 'anodd deud' neu 'mi ddaw pethau'n gliriach yn y man' – yn rhan o lên gwerin.

Cosi'n gynnil
John Ogwen

Llun: Robin Griffith

Mae Harri – a defnyddio un o hoff eiriau John James o ffyrm James James, James John James a'i Fab, Cyfreithwyr – yn 'rhyfeddol'! Wyth gwaith – os nad naw neu ddeg bellach – dw i wedi derbyn pecyn o chwe stori drwy'r post rywbryd tua diwedd Chwefror neu ddechrau Mawrth, i'w darllen yn y Babell Lên wythnos gyntaf mis Awst! A bob tro mae 'na nodyn bach gan yr awdur wedi cadw cwmpeini i'r straeon. Dim ond dyn hynod ddiymhongar, a mymryn bach yn fyr o hunanhyder, fyddai'n sgwennu, 'Os w't ti'm yn licio un o'r rhain, gwna un o'r hen rei.' Wnes i 'rioed. Bob tro, mi fyddwn yn darllen y straeon yn awchus. Ac wedyn, diolch yn ddistaw am yr anrheg y byddai unrhyw storïwr yn falch o'i gael. Diolch, a rhyfeddu, at ddawn Harri o'r newydd.

Cerdded i mewn i siop John Bwtsiar yn y Borth (mae John a Musus Swain Williams yn ffans o Harri). Un o'r cwsmeriaid yn fy ngweld i'n cyrraedd a gofyn yn syth, 'Be' mae'r hen Shamus am gael fel cig heddiw?!' Yn ôl Harri mae 'na ambell flaenor wedi disgwyl pregeth gan Shamus yn hytrach na ganddo fo wrth gadw cyhoeddiad. Dipyn o bregeth fuasai honno! Beryg y buasai'r saint, fel Eilir Thomas pan ddaw Shamus i'w fywyd, wedi syrthio amdani! A thalu mwy iddo am ei ail bregeth.

Mae nifer fawr o bobol wedi gofyn i mi petai rhywun â'r weledigaeth i wneud cyfres ddrama ysgafn/gomedi deledu yn seiliedig ar y straeon, pa gymeriad fyddwn i'n hoffi ei bortreadu? Wel, heb os, Jac Black. Ers y straeon cynta' i mi eu darllen, mae 'na le cynnes yn fy nghalon i Jac. A dw i ddim yn ama fod gan Eilir Thomas ryw gornel fechan yn ei galon yntau i'r hen longwr hefyd. Er gwendidau a rhagrith amlwg y perchennog, mae hi'n anodd i'r gweinidog, a minnau, gadw draw o 2 Llanw'r Môr, tŷ Jac. Dim ond gneud yn siŵr na 'tydi Cringoch, y gath chweinllyd gyda'r moesau amheus, ddim wedi ista ar y gadair eiliada cyn i chi 'neud!

O feddwl am Cringoch, mae'r anifeiliaid fydd yn ymddangos bob hyn a hyn yn y straeon yn gymeriadau ynddynt eu hunain. Cringoch, Sonny a Fraser, cŵn ufudd Shamus Mulligan, cathod Kit Davies, a'r parot drudfawr crefyddol o fath a adawyd i Eilir mewn ewyllys, i enwi dim ond rhai o'r creaduriaid. Testun traethawd MA yn y fan yna, ddeudwn i! O leia', mi fyddai'n draethawd gwerth ei ddarllen.

Rŵan, petawn i'n gorfod yngan gair o feirniadaeth ar straeon Harri, dim ond un fyddai gen i. A dyma hi. Mi ddaru o 'ladd' un o fy hoff gymeriadau i yn llawer rhy gynnar. Yr anfarwol, anghymharol, fythgofiadwy, nwydus ryfeddol Dwynwen Lightfoot.

Fe fyddai darllenwyr a gwrandawyr gwrywaidd Harri wedi licio, dw i'n siŵr, cael clywed mwy o hanes ei champau – a'r gwrandawyr benywaidd eiddigeddus hefyd. Ar ôl iddi fod yn 'gyfrifol' am farwolaeth ddisyfyd Derlwyn Hughes trwy or-wrhydri yn y gwely bychan hwnnw yn 'The Nook' uwchben siop Lingerie Womenswear, cafodd y gosb eithaf gan yr awdur. A finna, ar ôl ymarfer oriau lawer, wedi cael llais contralto dwfn, rhywiol iddi! Dylem, ddynion

Llun: Robin Griffith

gwaetgoch y genedl, fod wedi protestio'n noeth ar Sgwâr Porth yr Aur a martsio rownd y castell.

Ydi Harri yn cerdded er lles ei iechyd o gwmpas tref fwya diddorol Cymru wrth wrando ar yr un pryd ar ei chymeriadau lliwgar yn mynd trwy'u petha? Ydi, meddan nhw. Ond 'tydi hynny ddim yn deud y medar pawb gerdded yr un llwybrau ac wedyn ysgrifennu straeon mor fendigedig o ddigri am gymeriadau dychmygol tebyg. Adnabod pobol ydi cryfder mawr Harri. Adnabod pobol, eu cryfderau a'u gwendidau. Yn enwedig eu gwendidau. Yn y pen draw, y gwendidau hynny sy'n britho'r storïau – gwendidau'r rhai sy'n mynychu'r capel yn ffyddlon, a'r rhai sy'n mynychu pan fo hynny o fantais i'w bywydau a'u busnesau, a'r rhai sydd byth yn t'wllu'r adeilad. Mawredd yr awdur ydi ei fod yn trin y capelwyr a'r digapel yr un mor onest â'i gilydd. Nid gordd sydd ganddo, ond pluen. Cosi'n gynnil mae Harri Parri, nid waldio.

Wrth feddwl am straeon digri, clasurol a'r cymeriadau sy'n eu britho, pobol 'o ddifri' sydd ynddyn nhw. Rhoi pobol 'o ddifri' mewn sefyllfa 'ddigri' mae'r awduron, a hynny sy'n gwneud i ni fel cynulleidfa chwerthin. Meddyliwch am gymeriadau Porth yr Aur. Shamus a Kathleen Mulligan a'r Mulliganiaid i gyd (torllwyth), Jac Black, Howarth, Anemone, Cecil o Siswrn *Cecil's Scissors* yn Stryd Samson (a thrïwch *chi* ddeud hynna'n gyflym!), Ifan Jos – a'i dremolo, John James, Walters y Person, y Tad Finnigan, Ellis y fet, Fred a Bettina Tingle . . . ym . . . Pringle, Meri Morris a'i Daihatsu myglyd, Daisy (chwaer Meri), Doris a Dora Siop Glywsoch Chi Hon. Mae mwy . . . oes, mwy! Mae creu'r ffasiwn lu yn dipyn o gamp. A'u cael i gydfyw yn fwy na champ. Mae Harri yn athrylith.

A be' am y Gweinidog ei hun? Na, nid Harri ond Eilir Thomas. Eilir ddiniwed, ddifeddwl-ddrwg, ffyddiog, ydi catalyst pob stori. Lwcus i ni mai un fel 'na ydi o. 'Tasa fo fwy yn y byd hwn, ac yn gwrando ar gynghorion doeth ei wraig amyneddgar, Ceinwen, fyddai gynnon ni ddim un stori. Fyddai o ddim yn cael ei ddal yn y 'rhwydau greodd ef ei hun'. Mewn dŵr cynnas ac nid dŵr poeth y buasai Eilir wedi bod ar hyd ei oes. A meddyliwch gymaint tlotach y byddai bywyd y genedl.

Diolch, Harri.

Meri Morris

Merch Llawr Tyddyn, ffarm ar gwr y dref, oedd Meri. Yn hogan ysgol syrthiodd mewn cariad â Cadwaladr Morris a oedd yno'n was, a'i briodi. Yn ganol oed, symudodd y ddau i Lawr Dyrnu, ar y terfyn, a gadael y ffarm wreiddiol – ar wahân i'r godro – yng ngofal Tecwyn, eu hunig blentyn.

Fe'i gwelir hi ar ei 'rownd lefrith' o gwmpas y dref: pâr o welingtons – a baw gwartheg heb sychu ar eu cefnau – hen drowsus melfaréd wedi mynd yn grwn yn ei bengliniau, jyrsi wlân dyllog a'i llewys wedi'u torchi at y penelinoedd a chap gwau.

Yn wraig gydnerth, gall luchio sachaid hanner can cilo o flawd gwartheg o lwyfan-llwytho warws Amaethwyr Arfon i drwmbal y Daihatsu rhydlyd mor ddidrafferth â phetai'n handlo paced o greision. Mae cryn wahaniaeth rhyngddi a'i chwaer Daisy, priod y diweddar Derlwyn Hughes; Daisy yn gwisgo'r goreuon o ddilladau'r Lingerie Womenswear a Meri, wedyn, yn fwndel o racs, ar wahân i'r Sul – a dim gwarant, ar ddydd felly, na fydd yna lastig yn llyncu'i ben neu sysbendar yn llacio'i afael. Serch ei hiaith blaen, a thafod fel sgwriwr sosbenni, ni welodd Capel y Cei ffyddlonach Blaenor. Gŵr yr encilion ydi 'Dwalad', ei phriod, yn hapusach yn chwalu slyri nag yn addoli – ac eithrio ar yr Ŵyl Ddiolchgarwch. Gofid iddynt oedd i enw Tecwyn ymddangos ar restr tadau tebygol plentyn Coleen Mulligan. Ond, yn ffodus, gan feithed y rhestr, ni lwyddodd y llys i ddod i benderfyniad.

Dwynwen Lightfoot

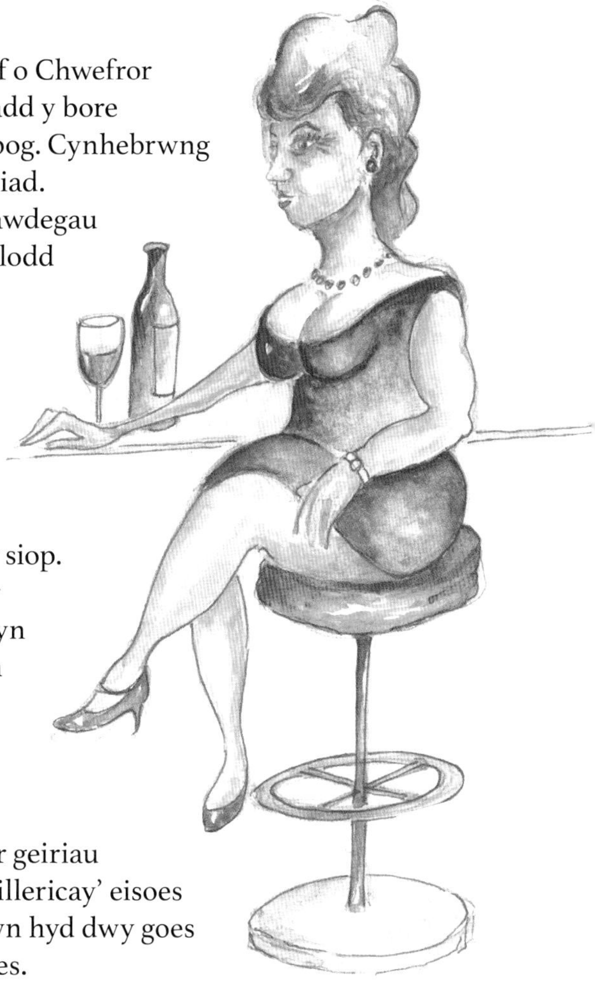

Bu Dwynwen Lightfoot farw y dydd olaf o Chwefror 2003, yn y Porfeydd Gwelltog, a'i hangladd y bore Mawrth canlynol, Dydd Mawrth Crempog. Cynhebrwng mawr i ddynion yn unig oedd ei dymuniad.

Daeth i Borth yr Aur yn nechrau'r nawdegau a'i gŵr, Percy, i'w chanlyn. Ond dychwelodd hwnnw gyda throad y llanw, byth i ddychwelyd – ond mewn arch. Mewn ysgrif goffa iddo yn y *Navy News* fe'i disgrifiwyd fel 'hen gi môr' a wynebodd sawl brwydr ar y cefnfor ac ar dir sych. Cyflogwyd hi'n rheolwraig y Lingerie Womenswear ac aeth i fyw yn y Nook, fflat uwchben y siop. Yno, yn ddiarwybod i'w briod, Daisy, ar drothwy Nadolig 1994, y bu farw Derlwyn Hughes, Y Fron Dirion – cyfreithiwr ym Mhorth yr Aur a Blaenor yng Nghapel y Cei. Bu Dwynwen yn hysbyseb dda i'r busnes, yn gwisgo'n gyfoes – os beth yn gynnil.

Fe'i claddwyd gyda'i diweddar ŵr, â'r geiriau 'Percy Reginald Lightfoot R. N. late of Billericay' eisoes ar y garreg. Yn eironig, mae'r bedd o fewn hyd dwy goes rhaw i'r man y gorwedd Derlwyn Hughes.

Porth yr Aur ar y radio
Elwyn Jones

Mae cyfres gomedi dda yn gwbl angenrheidiol i bob gwasanaeth radio a theledu llwyddiannus. Pan gefais achlust, felly, fod Harri Parri – 'meistr y stori ffraeth Gymraeg' ys dywed Maldwyn Thomas – wrthi'n creu cyfres newydd o straeon roedd yn rhaid cysylltu â fo. Cefais addewid o sgript cyn gynted â phosib ac ro'n innau'n edrych ymlaen at fwynhau dychymyg rhyfeddol yr awdur. Ond, gwaetha'r modd, 'doedd pethau ddim cweit mor hawdd â'r disgwyl. Cefais drawiad ar y galon, ac yn Ysbyty Gwynedd roeddwn i pan gyrhaeddodd y sgript! Bethan, fy ngwraig, felly, oedd y cyntaf i ddarllen 'Cit-Cat a Gwin Riwbob' ac mi wnaeth fy sicrhau nad oedd gen i ddim i boeni amdano ynglŷn â chynnwys y gyfres – roedd hi'n 'berl' o stori!

Roedd hi'n dweud y gwir. Os bu i ofal ardderchog Ysbyty Gwynedd a thabledi'r doctor fy ngwella'n gorfforol, yn sicr gwnaeth y pyliau o chwerthin yn uchel pan o'n i ar fy mhen fy hun yn darllen straeon Harri fyd o les i'm hwyliau. 'Doedd byw na marw nad awn yn ôl i'r gwaith pe na bai ond i gynhyrchu'r gyfres.

Y penderfyniad pwysicaf wnaeth Harri a finnau am y gyfres oedd ein bod ni'n mynd i ofyn i John Ogwen ddarllen y straeon. Yr ail benderfyniad o bwys oedd fy mod i am gael cynulleidfa'n rhan o'r cynhyrchiad, a'n bod ni am recordio'r cyfan yng Nghaernarfon mewn stafell yn y capel a oedd yn nabod yr awdur a'i hiwmor orau, sef Capel Seilo. Roedden nhw'n 'chwerthwrs' heb eu hail, ac yn rhoi 'wmff' i'r chwerthin adref.

Bu John yn gaffaeliad mawr o'r cychwyn cyntaf. Bu'n gweithio mor galed ar y gyfres ymlaen llaw, fel y byddai rhywun yn disgwyl i actor proffesiynol fel John ei wneud. Wedyn roedd ei leisiau, ei gymeriadau, ei acenion, a'i amseru yn rhoi cymaint o amrywiaeth a digrifwch i'r cyflwyniadau. Wnes i erioed drafod hyn hefo Harri ond mi fydda' i'n credu weithiau fod dehongliad John wedi dylanwadu ar greadigaeth ei straeon wrth i'r cyfresi ddatblygu. Er enghraifft, tybed nad oes mwy o Shamus Mulligan yn y straeon diwethaf nag yn y rhai cyntaf? 'Dwn i ddim, ond roedd cyflwyniad John a'i gysylltiad â'i gynulleidfa yn benigamp. I mi roedd dychymyg byw, ysgrifennu cynnil, y defnydd ffraeth o brofiadau cyffredin yr awdur, dawn yr actor a chwerthin y gynulleidfa yn creu'r profiad o 'Weld llais a chlywed llun' – hanfod radio – ar ei orau.

O ran dewis fy hoff stori a chymeriad, mae hyn yn anodd. Mae rhannau helaeth o'r straeon i gyd rydw i wrth fy modd efo nhw. Mae'r stori gyntaf ('Cit-Cat') yn un sy'n apelio'n fawr ata' i. Mae'r syniad o 'Yncl Capal', y Parchedig Eilir Thomas, yn arwain Albert y gath (a fyddai, cyn hir, yn troi'n Fictoria) ar dennyn ar hyd strydoedd Porth yr Aur yn dipyn o bantomeim i ddechrau. Fel un sy'n dal i straffaglu gyda drama Nadolig y plant bob blwyddyn mi ges gryn flas ar 'Ji yp Tedi!' wrth i blant y Capel Sinc waldio asyn y Samariad Trugarog ar ei ffordd i'r llety! Mae 'Shamus Mulligan a'r

Y comisiwn radio cyntaf gan Elwyn Jones mewn print.

Parot' a 'Dŵr, Dŵr, Gloyw Ddŵr' – hanes y bedydd ym mhwll nofio Ffrîd a Twdls – yn codi llond bol o chwerthin. Mae'r 'Festri Blastig' yn dipyn o ffefryn ac mae'r disgrifiad o'r babell yn datgymalu yn un o'r disgrifiadau mwyaf cofiadwy yn yr iaith Gymraeg, a'r darlun o Howarth fel llo yn cael ei dynnu o groth 'McLaverty's Multi-purpose Pavilion' yn orchest ryfeddol. Wedi ystyried yn hir a dwys, serch hynny, 'Pow-wow' sy'n mynd â hi. Mae'r olygfa yn nhŷ Miss Ambrose o'r wardrob yn siglo, *Taith y Pererin* yn llithro o ben y dodrefnyn, y wardrob yn syrthio gan fethu o drwch blewyn â throi'r ci Pekinese yn gi sosej, a John Wyn barchus i'w weld wrth i'r drws agor yn eistedd ar lawr y wardrob â 'sgert wlân ar draws ei war' yn curo'r lleill o fymryn yn fy marn i.

Mae'r un broblem yn aros pan ddaw hi at fy hoff gymeriad. Mae 'na oriel gyfoethog yn y straeon. Mae Shamus Mulligan yn bownd o fod yn agos at y brig a hefyd cymeriad cwbl wahanol fel Cecil Siswrn â'i benderfyniad i roi '*zigzag parting*' i'r gweinidog a'r '*ruffle look*'! William Howarth, yr ymgymerwr â'i 'mi ddaw pethau'n gliriach i ni, un ac oll, yn y man'. Jac Black, y pysgotwr o werinwr sy'n gallach na'i olwg, Cit-Cat, Cwini Lewis, Dwynwen Lightfoot ... ac eto mae fy newis i, serch hynny, ychydig yn wahanol. Fy hoff gymeriad i yn y pen draw ydi Ceinwen Thomas, yr un sy'n ceisio cadw rhyw fath o drefn ar ddiniweidrwydd caredigrwydd ei gŵr. Mae unrhyw un sy'n gallu deud y deud fel hyn – 'Welis i 'rioed neb arall ond chdi, Eilir, yn rhoi'i ben yng ngheg llew, o'i wirfodd, ac yna yn gofyn gras bwyd cyn i ti ga'l dy f'yta', yn haeddu'r lle cyntaf.

Harri a John
Elfyn Pritchard

'*Top of the morning to you*, Mistyr Thomas, *dear*.'

Brawddeg gynta Saesneg yn y Babell Lên! Tonnau o chwerthin yn dod o'r adeilad arbennig hwnnw ar faes Eisteddfod Genedlaethol 1997 yn y Bala! Tyrfa dda yn mwynhau'r arlwy. A minnau'n gwybod yn yr eiliadau hynny y byddai'r fenter yn llwyddiant mawr.

'Cyn pen dim roedd y Babell yn siglo gan chwerthin . . .'

Gan 'mod i'n Gadeirydd Pwyllgor Llên yr eisteddfod honno roeddwn i wedi bod yn crafu 'mhen i geisio meddwl am sesiynau gafaelgar ar gyfer y Babell Lên, a phan glywais mewn pwyllgor canolog am fwriad Pwyllgor Llên Eisteddfod Bro Dinefwr i gynnal stori'r dydd gyda gwahanol awduron yn darllen eu straeon, meddyliais ei fod yn syniad da.

Sut roedd datblygu'r syniad hwn a sicrhau Pabell Lên lawn i wrando? Meddyliais i ddechrau am *Storïau'r Henllys Fawr* nad ydyn nhw byth yn colli eu blas, ond credwn mai yn un o eisteddfodau Môn y dylai'r rheini gael eu darllen. Fodd bynnag, daeth goleuni! Un canol dydd mi ddigwyddwn fod yn cael cinio yn yr Antelope, y gwesty sydd ar ben Sir Gaernarfon i Bont Menai, a phwy gerddodd i mewn ond John Ogwen. Pan welais o mi gofiais am y gyfres radio a ddarlledwyd gan y BBC a John yn darllen straeon Harri Parri, a dyna wawrio

arnaf fy mod wedi cael yr ateb! Doedd gen i na phenderfyniad pwyllgor na dim i gefnogi fy syniad ond roedd yn rhaid taro'r haearn tra'i fod yn boeth. Gan 'mod i'n lled-nabod John mi deimlais yn ddigon hyderus i fynd ato am sgwrs ac awgrymu'r syniad iddo. Diolch i'r drefn roedd yn ei hoffi, ond hanner y broblem oedd o. Harri Parri oedd yr hanner arall. Ond os cofia i yn iawn cafwyd cytundeb y byddai John a fi yn awgrymu'r posibilrwydd i Harri, ac mae dau yn well nag un bob amser. Ac oedd, roedd yntau'n hoffi'r syniad hefyd, diolch byth.

'Albert Fictoria', *Howarth a Jac Black*

Yng nghyfarfod y Pwyllgor Llên ar 20 Chwefror 1996 dyma gyflwyno fy syniad gan gyfadde 'mod i wedi cael gair efo'r ddau. Roedd y pwyllgor yn cytuno'n unfrydol, diolch byth, a dyma a nodwyd yn y cofnodion dan bennawd 'Awgrymiadau ar gyfer rhaglen y Babell Lên':

> Slot o tua hanner awr – Storïau Awr Ginio (comisiynu storïau newydd gan Harri Parri i gael eu darllen gan John Ogwen. Mae'r Cadeirydd eisoes wedi crybwyll y posibilrwydd hwn wrth y ddau, ac roedd aelodau'r pwyllgor yn awyddus iawn i gadarnhau'r syniad hwn.)

Hywel Wyn Edwards a Swyddfa'r Eisteddfod fyddai bellach yn gyfrifol am wneud y trefniadau a'r cytundebau efo'r ddau. Ac yn y pwyllgor dilynol ar 24 Ebrill cafwyd y cofnod hwn dan y pennawd 'Gwybodaeth':

> Mae Harri Parri a John Ogwen eisoes wedi cytuno i lunio a darllen stori awr ginio.

Beth fyddai'r ymateb tybed? Mi fûm yn Eisteddfod Dinefwr am wythnos ac yn y Babell Lên yn gweld sut roedd y sesiwn storïau'n gweithio. Amrywiol oedd y cynulleidfaoedd ond cafwyd cyfraniadau da gan Eleri Llewelyn Morris, Angharad Tomos, Meleri Wyn James a Margiad Roberts – pob un yn darllen ei stori ei hun, ac yna ar y dydd Gwener, Caradog Evans yn darllen stori gan Meirion Evans. Yn sicr, roedd y syniad yn werth ei ddatblygu. Y broblem gynyddol mewn eisteddfodau lle mae mwy a mwy o arlwy amrywiol yn cael ei gynnig i ddenu'r mynychwyr yw sut i lenwi'r Babell Lên, a doedd ond gobeithio'r gorau.

Felly, am chwarter wedi hanner dydd ar ddydd Llun yr Eisteddfod yn y Bala roeddwn i wrth fy modd yn gweld y Babell yn rhwydd lawn pan gyflwynwyd John Ogwen i'r gynulleidfa gan Haf Llywelyn, ac yntau'n codi i ddarllen y stori 'Teigr, Teigr' gan ddechrau gyda'r frawddeg: '*Top of the morning to you,* Mistyr Thomas, *dear.*'

Oedd, roedd hi'n 'dop of ddy morning' go iawn. Cyn pen dim roedd y Babell yn siglo gan chwerthin a'r gynulleidfa yn dal ar bob gair ddeuai allan o enau'r perfformiwr dawnus. Ddydd Mawrth roedd y Babell yn llanwach fyth a'r sôn am y stori awr ginio wedi mynd ar led, ac am weddill y dyddiau roedd pobl yn ciwio am hydoedd i fynd i mewn a'r Babell dan ei sang, y gynulleidfa yn fwy hyd yn oed nag i ymrysonau'r beirdd.

'Lesyr Lisi' oedd stori dydd Mawrth, ac yn yn eu tro cafwyd 'Chantelle', 'Cabej Bach' a 'Jac a'r Jacwsi', pob un gydag 'Albert Victoria' yn ychwanegiad wedi eu cyhoeddi yn y gyfrol *Howarth a Jac Black*. Pan lefarodd John Ogwen y frawddeg ola' amser cinio dydd Gwener i ddweud bod Mr Howarth yn dymuno Nadolig Llawen i bawb (a hynny wrth ddiolch

'Lesyr Lisi',
Howarth a Jac Black

'Chantelle',
Howarth a Jac Black

am gydymdeimlad ar ôl profedigaeth), er nad oedd hi ond canol Medi, daeth y cyfan i ben ac roedd gwrogaeth y gynulleidfa i Harri a John fel gwrogaeth i ddau frenin.

Ond nid dyna ddiwedd yr hanes. Bachwyd ar y syniad gan Eisteddfod Meifod yn 2003 ac Eryri yn 2005, ac yna wrth gwrs dychwelodd y Brifwyl i Feirion yn 2009. Be' wnaen ni'r tro hwn? Wel, roedd pawb yna awyddus i ailadrodd y cyfan a chael y ddau i gydweithio unwaith eto. Ar faes yr Eisteddfod yng Nghaerdydd yn 2008 y gwelais i'r ddau, ar wahân fel mae'n digwydd. Y tro yma roedd tipyn mwy o waith perswadio: John Ogwen wedi cael digon arni – ac roedd o'n waith caled, yn golygu llawer o baratoi ac yna ymrwymiad am bob dydd o'r wythnos, a Harri Parri yn meddwl tybed o ble y câi o syniadau am ragor o straeon.

Ond fe gafwyd cyfaddawd yn y diwedd – pedair stori yn lle pump a'r rheini yn straeon a oedd eisoes wedi'u cyhoeddi, ond ta waeth am hynny, yr un oedd y brwdfrydedd a'r cynulleidfaoedd niferus a'r hwyl wrth wrando ar 'C'nebrwng Gwahanol', 'Priodas Nuala Mulligan', 'Y Plât Casglu' ac 'Y Baptismal'.

Wrth ystyried adloniant ysgafn Cymru dros y blynyddoedd daw enwau Ryan a Ronnie a Wil Sam a Stewart Jones yn syth i'r meddwl, ac mi ddalia i fod Harri a John yn gyfuniad sy' gyfuwch â'r rhain. Hawdd yw cael cenedl o dras Geltaidd i dosturio, i wylo, i gydymdeimlo, nid mor hawdd ei chael i chwerthin. Mae honno'n ddawn go arbennig ac ychydig sydd yn ei meddu.

Y Tad James Finnigan

Erbyn hyn, mae'r Tad James Finnigan ar ddannedd y pedwar ugain, yr un hyd a'r un lled ac yn foel fel wy.

Fe'i magwyd ar dyddyn anhygyrch yn ardal Ballybachmoch yn y Connemara, a'i hyfforddi ym Maynooth yn Swydd Kildare a Seminario de los Ángeles ym Madrid.

O ddilyn y Cwrs Wlpan meistrolodd y Gymraeg hyd at berffeithrwydd ond gan ei siarad ag acen Wyddelig drom.

Daeth i Borth yr Aur yn 1970 yn Babydd i'r stanc, yn credu'n angerddol ym modolaeth angylion – rhai gwrywaidd yn unig. Ei gynhaliaeth, ar wahân i'r offeren ddyddiol, ydi Jo McLaverty's Special Home Brew. Treuliodd weinidogaeth faith yn pysgota hogiau Shamus Mulligan allan o drybini. Neilltua nos Sadwrn i wrando cyffesion – rhai Kathleen Mulligan yn unig, gan amlaf.

Ei arfer ydi darllen y *Catholic Herald*, â glasiad o'r *Home Brew* wrth ei benelin, gan apelio, *'Kat'leen, me dear, carnal sins only. It's getting late!'*

Ei arbenigaeth ydi adrodd jôcs Gwyddelig heb nabod y ffin yn aml. Mae'i ddynoliaeth yn llawer caredicach na'i ddiwinyddiaeth: 'Gymerwch chi goffi, Eilir Thomas?' Ond bod hwnnw'n anyfadwy o gryf.

Nadolig 2012 ymddeolodd i Ballybachmoch, lle mae'i frawd yn cadw'r Three Ugly Piglets, ond dychwelodd. Yn ôl y *Porth yr Aur Advertiser* teimlai fod ganddo waith eto i'w gyflawni. Ond ei gam gwag, meddir, oedd helpu'i hun i'r llith yng nghafn y Tri Phorchell Hyll – heb ganiatâd ei frawd.

Priodas Nuala Mulligan
Harri Parri

'Dw i'n lecio ci chdi, Bos.'

'Faswn i ddim yn gwerthu'r ast 'ma i neb am bris yn y byd.'

'Na, Bos? 'Faswn i'n gwerthu Sonny a Fraser i rywun am symthing. Byta, Bos, fath â canibals. Ond am cŵn ufudd, ia.'

Roedd hynny'n ddigon amlwg. Eisteddai'r ddau alsesion ar eu cyrcydau, gryn hanner canllath i ffwrdd, a'u clustiau i fyny yn disgwyl am y gorchymyn nesaf o enau eu perchennog tra oedd ast ddefaid y Gweinidog yn plycio'n anniddig ym mhen ei thennyn.

'Be' 'di enw ci chdi, Bos?'

'Brandi.'

Chwarddodd Mulligan yn harti. 'Ffansi chdi, Bos, yn galw ci ar ôl enw *liquor* a chdi'n pregethwr.'

''I lliw hi, mae'n debyg, roddodd yr enw iddi. Heblaw, mi roedd hi wedi'i henwi cyn i mi 'i cha'l hi.'

'A Shamus,' gan gyfeirio ato ei hun, 'yn galw 'i cŵn o ar ôl bocsars. Ma' gin i Sugar a Winston yn y garafán ond *lurchers* ydi rheini. *Down*, Fraser!' rhybuddiodd wrth sylwi ar hwnnw yn bygwth ymestyn ei drwyn allan i ffroeni'r awyr. Ymlonyddodd y ci yn y fan.

Bore Sadwrn oer, sych oedd hi yn nechrau Chwefror ac

Eilir wedi mynd â'r ast am dro ar y Morfa Mawr er mwyn iddi hi gael ychydig o ryddid ac iddo yntau gael meddwl am y Sul a'i hwynebai. Fel roedd o'n cerdded ar draws y Morfa, a Brandi'n sboncio'n fywiog rhwng y brwyn, clywodd y ddau chwibaniad yn rhwygo'r awyr. Safodd yr ast yn ei hunfan, gan foeli ei chlustiau, ac edrychodd y Gweinidog o'i gwmpas. Wedi methu â gweld dim anarferol yn digwydd, a chan sylweddoli fod yna sawl un yma ac acw ar y Morfa yn ymblesera hefo'i gi, aeth y ddau ymlaen ychydig lathenni. Dyma chwibaniad uchel, arall yn torri'r awyr ac wedi edrych yn ôl i gyfeiriad y traeth gwelodd Eilir un o'r tinceriaid yn rhedeg i'w cyfeiriad, yn chwifío ei ddwylo a dau gi anferth yn rhedeg wrth ei ochr o. Dyna pryd y tybiodd Eilir y byddai'n well iddo glymu Brandi ymhen y lîd.

'Mynd i hela wyt ti, Bos?' holodd y tincer, drachefn.

'Na, mynd â'r ci am dro, dyna'r cwbl.'

Tynnodd stwmp sigarét a leitar o boced ei grys a thanio. Sugnodd un llond ysgyfaint o fwg a'i ollwng allan gyda'r cwestiwn, 'Fasat ti'n gneud tro da i fi, Bos?'

Roedd y Gweinidog yn gwybod digon am deulu'r Mulligans i beidio â rhoi ateb ar ei ben. 'Dibynnu be' ydi'r gymwynas, Mistyr Mulligan.'

'Galw fi'n Shamus, ia.'

Roedd y Mulliganiaid, fel y cyfeiriai trigolion Porth yr Aur atyn nhw, yn sefydliad yn y dref ers hanner can mlynedd bellach. Yn ôl a glywodd Eilir, croesi yno o Iwerddon wnaethon nhw ar derfyn yr Ail Ryfel Byd, a phabellu yma ac acw hyd cefnffyrdd y fro, gan fynd o amgylch y gymdogaeth i hwrjio pegiau, cribau a manionach tebyg. Gyda'r blynyddoedd, fodd bynnag, fe ehangodd y busnes a bellach roeddan nhw'n prynu ac ailwerthu hen haearn ac yn tarmacio llwybrau a safleoedd parcio dros ddarn eang o wlad. Y gred oedd y gallai Mulligan, o'r iawn ryw, werthu hufen iâ i Esgimo a tharmac ar gyfer dreif a oreurwyd.

Fel roedd y busnesau yn llwyddo a hwythau, bellach, yn berchnogion lorïau a cheir, fe ymsefydlodd y llwyth ar gytir uwchben y môr ym Mhorth yr Aur o'r enw Pen y Morfa a byw mewn carafanau a thai unnos.

Gwyddel yn siarad Saesneg, mae'n debyg, oedd y Mulligan gwreiddiol ond buan y dysgodd hwnnw'i bod hi'n haws cael gwared â phegiau os oedd o'n pupro'r iaith fain ag ychydig Gymraeg. Cafodd Shamus, a'i lu brodyr a chwiorydd, grap da ar yr iaith ond eu bod nhw wedi colli gormod ar yr ysgol i feistroli'r treigladau.

Cymerodd Shamus Mulligan un sugniad arall o'i stwmp sigarét a gofyn, 'Fasat ti'n priodi hogan fi, Bos?'

'Be', yn y capal?'

'Ia, capal mawr hwnnw s'gin ti'n dre.'

'O!'

''Ti'n gwbod sut ma' pethau, Bos. Ma' hogan bach fi, Nuala, isio priodi hogyn un o bobol fawr y dre ac ma' nhw isio priodas swel yn capal.'

O leiaf mae hwn yn onest, meddyliodd Eilir.

'Ond Pabyddion ydach chi fel teulu.'

'Y?'

'Catholigion 'dach chi fel teulu, nid capelwyr.'

'Wedi bod, ia, Bos? Ma' *Father* yn yfad fath â stag ond yn rhoi row i hogia' fi pan ma' nhw'n ca'l *lush.* Peth ddim yn ffêr, Bos.'

'Pwy ydi'r bachgan ma' hi'n mynd i briodi, 'ta? Hynny ydi, a chym'yd fy mod i yn 'i nabod o.'

''Ti'n 'i nabod o'n iawn, Bos. Ma' Elvis yn sôn lot am dyn capal fo.'

'Elvis?'

'Ma' dad o, ia, yn un o big nobs yn dre, 'di bod yn Faer a bellu. 'Ti'n gwbod, Bos, y boi sy'n bildio tai.'

'Nid hogyn Fred Phillips?'

''Ti 'di hitio bwlsei efo'r siot gynta', Bos. Dyna'r boi i ti.'

'Ma'r teulu yn aelodau yng Nghapal y Cei 'cw, ydyn, ond na fyddan nhw byth yn mynychu. Ma' gin i go' y bydda'r Elvis hwnnw yn reit selog yn y Cyfarfod Plant pan oedd o'n fychan.'

'O! ma' nhw'n prowd o capal nhw, Bos.'

Balchder arwynebol iawn, meddai Eilir wrtho'i hun, neu mi fydden nhw'n cyfrannu mwy tuag at gynnal yr Achos.

Ond sut ar y ddaear y daeth merch Shamus i berthynas â theulu Phillips yr Adeiladydd? Arfer y Mulliganiaid oedd priodi oddi mewn i'r llwyth. A pheth arall, roedd angen llanc go ddewrgalon i gyrchu i Ben y Morfa i chwilio am ddyweddi, yn arbennig felly fwrw'r Sul. Y gwir oedd, mae'n debyg, fod arferion byw y tinceriaid, hwythau, yn dechrau llacio ac ymddatod erbyn hyn, yn union fel roedd eu perthynas â'r Eglwys Babyddol yn y dref wedi pellhau ac oeri.

Ar y llaw arall, os oedd hyder ei dad gan Elvis, yna, 'doedd yna unpeth a'i rhwystrai i gyrraedd ei nod. Labrwr wedi datblygu i fod yn adeiladydd llwyddiannus oedd Fred Phillips – 'pry' wedi codi o ben 'doman', felly y sibrydai'i gaseion amdano tu ôl i'w gefn. Manteisiodd ar lanw y chwech a'r saithdegau a chyda'i graffter a'i ysbryd menter cododd dai ac adeiladau lawer yn y dref a thu allan iddi.

I gydweddu â'i lwyddiant symudodd o'i hen gartref yn 9 Stryd Balaclafa i Blas Coch, plasty ffug yn ei libart ei hun ar gwr y dref, gan addasu a gwella'r hen adeilad. Roedd yno, bellach, bwll nofio, sawna, cwrt tenis a chyfleusterau adloniadol eraill.

'Ond pam na fasan nhw, ne' Elvis, wedi dŵad i 'ngweld i, yn lle'ch bod chi yn gorfod gofyn i mi?'

'Fred yn brysur, fel 'ti'n gwbod. A fi daru cynnig gofyn dros pawb pan faswn i'n gweld chdi hefo ci chdi ar y Morfa.'

'O.'

''Ti ddim 'di bod ar y Morfa yn ddiweddar, naddo Bos?'

'Naddo.'

''Dw i 'di bod hefo binocilars yn ffenast y carafán ers wythnosa'. Ti o'dd Padre, Fred, ia, Bos?'

'Y fi oedd 'i Gaplan o pan oedd o'n Faer y Fwrdeistref. Ia.'

'O'dd Fred yn deud.'

Gydag amser, fe lwyddodd Phillips i ddirprwyo peth o'r gwaith adeiladu i'w feibion a rhoi cyfran o'i amser i wasanaethu'r cyhoedd. Gyda chefnogaeth cyfeillion yng ngwahanol glybiau a chelloedd y dref cafodd ei ethol yn aelod o'r Cyngor ac yng nghyflawnder yr amser yn Faer y Fwrdeistref. I gadw confensiwn, bu'n rhaid iddo ofyn i'w Weinidog fod yn Gaplan iddo a dyna'r pryd y daeth Eilir i'w adnabod o orau. Fe'i cafodd yn ŵr hynaws ddigon ond roedd hi'n amlwg y gwyddai o fwy am frics a mortar na dim arall a'i fod o'n hapusach yn concritio nag yn annerch y cyhoedd.

''Nei di priodi nhw felly, Bos?'

'Deudwch wrth Elvis a . . .'

'Nuala. O! mae o yn tlws, Bos. 'Fath â blodyn, ia.'

'Wel, deudwch wrth y ddau am ddŵad i 'ngweld i ryw noson.'

'Grêt, Bos,' ac ysgwyd llaw y Gweinidog yn gynnes.

'Ac iddyn nhw, ne' Phillips 'i dad o, ffonio gynta', i drefnu.' Tynnodd gerdyn o'i waled. 'Ma' fy rhif ffôn i ar hwn.'

'Ew! Thenciw, Bos.'

Lluchiodd Mulligan y stwmp i'r ddaear a'i sgriwio â sawdl ei esgid. Gallai tân mor agos â hyn i'r garafán fod yn beryglus. Gwthiodd gerdyn y Gweinidog i boced ei wasgod, ac yna, gwthiodd ddau fys i ben draw ei safn a rhoi un chwibaniad clir. Yr un eiliad, bron, roedd Sonny a Fraser wrth ei sodlau a Brandi, druan, yn ceisio dianc gyda'i pherchennog a'i phenffrwyn gan faint ei braw.

'Gyda llaw, Bos, 'ti'n lecio samon ffres yn strêt o'r afon?'

'Ydw. Os bydd o wedi 'i ddal yn gyfreithlon.'

'Wela' i chdi, Bos,' a chychwyn i gyfeiriad y gwersyll a'r cŵn yn dilyn yn dynn wrth ei sodlau. Yn sydyn, fel petai o wedi anghofio rhan o'i neges, trodd yn ei ôl a gweiddi o beth pellter, ''Ti ddim isio tarmacio'r dreif, nagoes, Bos? Gei di pris sbesial.'

'Na, ddim diolch.'

'Wela' i chdi yn y briodas 'ta.'

Gwenodd Eilir wrth ollwng Brandi, eilwaith, oddi ar y lîd.

Roedd hi'n ddeg o'r gloch y nos, neu well, pan ganodd cloch y drws ffrynt a'r Gweinidog a aeth i ateb. Ar y trothwy safai Nuala, mae'n rhaid mai hi oedd hi, a babi mewn siôl – fel y tybiai Eilir ar y pryd – yn gorwedd ar draws ei breichiau.

'Presant i ti, Mistyr Thomas.'

Ia, Nuala oedd hi. Roedd yr agosatrwydd yn y cyfarch yn profi hynny.

'Gin Shamus, tad fi.'

'O! diolch.'

Wrth dderbyn y parsel i'w freichiau sylweddolodd Eilir mai papur newydd oedd y siôl a physgodyn, yn ôl ei arogl, oedd y cynnwys. 'M . . . dowch i mewn, Nuala.'

'Geith o dŵad i mewn?' a thaflu ei phen at yn ôl.

Dyna'r pryd y sylwodd Eilir fod yna ail berson yn llercian yn y llwydnos.

'Wrth gwrs,' a rhoi'i anrheg ar fwrdd yn y cyntedd.

Daeth Elvis i mewn dros y trothwy.

'Awn ni i mewn i'r stydi, ylwch. 'Ga' i air hefo chi yn fan'no.'

Wedi arwain y ddau i mewn i'r stydi a'u gwahodd i eistedd cafodd y Gweinidog gyfle i weld ei ymwelwyr yn gliriach. Roedd Nuala yn ferch brydferth, fel yr honnodd ei thad amdani – geneth fain, weddol dal, gyda llygaid duon, gwallt crych, tywyll a chroen fel eira – ac roedd hi wedi gwisgo'n weddol deidi, ond yn unol â ffasiynau'i chenhedlaeth.

'Trueni na fasach chi wedi ffonio, i drefnu amsar, ac i minnau fedru rhoi gwell croeso i chi.'

'Ond ma' Shamus wedi bod yn ffenast carafán am tua wsnos.'

'Biti na fasa' fo wedi anfon c'loman.'

Ond disgynnodd y jôc ar dir caregog, braidd. ''Di, Liam, brawd fi, ddim yn cadw c'lomennod rŵan, Mistyr Thomas.'

Hi oedd yn gwneud y siarad i gyd ac Elvis yn nythu yn ei gadair, heb ddweud na bw na be'. Os cofrestrwyd hogyn erioed ag enw'n gweddu iddo fo, yna, Elvis oedd hwnnw. Wedi patrymu'i hun ar arwr ei enw roedd o, mae'n debyg. Byr oedd o, mewn cymhariaeth – stwcyn cydnerth, yn union fel ei dad, gyda mwy o fol na'r cyffredin o'i oed – ond o ran popeth arall roedd o'n hynod o debyg i'r Presley gwreiddiol. Roedd ganddo wallt tywyll, a hwnnw wedi'i blastro'n ôl yn dynn ond gyda math o gyrlen yn troelli dros ei arlais; gwisgai grys du a hwnnw'n agored hyd ei fogail, serch ei bod hi'n noson farugog yng nghanol Chwefror, a throwsus du tyn i gydweddu, ac roedd ganddo fodrwyau, amryw, yn ogystal â breichled am ei fraich a chadwyn am ei wddf. Dychmygai Eilir ei glywed yn torri allan i ganu 'Heartbreak Hotel', unrhyw funud.

Cytunwyd ar y trefniadau yn hwylus ddigon.

'Oes gynnoch chi unrhyw gwestiwn fasach chi'n hoffi 'i ofyn i mi?'

Dyna'r pryd y profodd Elvis ei fod o'n fab i'w dad. 'Lle rho' i fy het?'

'Y?'

'Wrth bydda' i isio 'nwylo i roi'r fodrwy.'

'Wel, gadal yr het ar glustog y sêt fawr 'te, ar ddechrau'r gwasanaeth.'

'O!' ochneidiodd, fel petai o wedi cael ateb i broblem eneidiol, ingol a fu'n ei ddirdynnu ers pobeidiau.

'Ga' i ofyn un cwestiwn arall i ti, Mistyr Thomas?'

'Ia, Nuala?'

''Dw i ddim isio bod yn rŵd, ond fasa'r Tad Finnigan yn ca'l gneud rwbath yn Capal chdi?'

'Pryd?'

'Yn y briodas.'

'Wrth gwrs. Mi geith o gymryd rhan â chroeso. Ond oedd ych tad yn deud nag oeddach chi ddim yn Babyddes.'

'Na, dim hynny,' a swiliodd Nuala Mulligan, am eiliad, fel petai hi ofn rhoi'i throed ynddi. 'Ond ma' Yncl Jo fi, reit?'

'Ia.'

'Brawd i Nain, yn dŵad drosodd o Ballinaboy, i rhoi fi i ffwrdd. Reit?'

'Reit.'

'Ac mae o yn Cath'lic mawr.'

Sylweddolodd Eilir i ble roedd hi'n gyrru. 'Ac mi roedd ych tad, Shamus, yn meddwl basa' fo'n hyfryd 'tasa y Tad Finnigan a finnau yn cydwasanaethu. Ylwch, mi a' i draw i'w weld o, i drefnu.'

'Grêt!'

Ond roedd yna fwy na hynny i'r stori.

'Ma' Yncl Jo McLaverty fi yn rowlio mewn loli, ac oedd Shamus ofn iddo fo fynd yn stinji os na fasa' fo'n ca'l part.'

Cyn bo hir anesmwythodd y Gweinidog, fel arwydd i'r pâr ifanc yr hoffai o fynd i'w wely yr un diwrnod ag y cododd o ohono. Llyncodd y ddau yr abwyd a hwylio i ymadael.

Aeth Nuala yn ôl i'r nos â gwên ar ei hwyneb a theimlai Eilir fod Presley yr Ail yn edrych beth yn hapusach na phan gyrhaeddodd.

Roedd hi ymhell wedi hanner nos ar y Gweinidog a'i wraig yn cynnal cwest uwchben cynnwys y parsel.

'Ydi o'n ffres?' holodd Ceinwen.

'Syth o'r afon, dyna ddeudodd Nuala Mulligan.'

'Ella basa'n well i ni 'i dorri o'n ddarnau heno 'ma 'ta, a'i roi o yn y rhewgist yn syth.'

'Gorau po gynta', debyg. Chwarae teg i'w galon o.'

Fel roedd Ceinwen yn dychwelyd o'r pantri, â thwca miniog yn ei llaw, safodd ar untroed, oediog. 'Eilir, wyddost ti pa fis ydi hi?'

'Chwefror 'te. Be' 'neith hi, y nawfed ar hugain?'

''Fyddi yn y jêl yn glap.'

'Y?'

'Ma'r eog braf yma wedi'i botsio allan o dymor.'

'Wel ar f'enaid i! Be' 'nawn ni rŵan? Fydd raid i mi gartio'r sglyfath yn ôl i'r garafán 'na ym Mhen Morfa ar 'y nghodiad.'

Edrychodd Ceinwen i lawr ar y samon boldew a sgleiniai ar y bwrdd diferu â'i llygaid yn llawn siom. 'Biti hefyd. 'Fydda' i'n lecio samon ffres.'

'Ceinwen, tyd â'r gyllall 'na i mi.'

'I be'?'

'Codi pais ar ôl glychu fasa' mynd â hwn yn ôl i'r sawl daliodd o, ac ma' o wedi marw ers gormod o oriau i mi geisio rhoi cusan bywyd iddo fo. Well i mi llnau o i gychwyn, dŵad?'

'Wel, chdi, Eilir Thomas, fydd yn mynd i'r tân mawr – nid fi,' a gwthio'r twca i'w law o.

''Ga' i rwbath gan Shamus am briodi'i ferch o. Go brin y gwela' i sardîn o Blas Coch am 'y nhraffarth.'

Cafodd Eilir Thomas sbario galw yn y tŷ i gael gair gyda'r Tad Finnigan; fe'i gwelodd o, un bore, yn parcio'r bws mini gerllaw ei eglwys a chafodd wahoddiad cynnes i ymuno ag o yn ei ystafell ymwisgo yng nghefn yr adeilad.

'Gymerwch chi gwpanaid o goffi, Eilir?'

'Diolch i chi. Os ca' i 'i hannar o yn ddŵr.'

'Dŵr?'

'Doedd yna neb tebyg i'r Tad Finnigan am fragu coffi pur. Roedd ganddo felin a thebot addas at y gwaith yng nghefn yr eglwys ac ar brydiau byddai arogl y gneuen goffi yn lladd sent y thuser ac arogl y canhwyllau. Yn wir, roedd coffi'r Tad Finnigan yn anyfadwy o gryf heb ei felysu'n eithafol.

'Siwgr, Eilir?'

'Pedair, os gwelwch chi'n dda.'

'M! Pedair?'

Diodydd gweinion oedd un o gasbethau y Tad Finnigan. Yng nghornel yr ystafell roedd yna gwpwrdd, ond ei fod o dan glo, yn storio diodydd cryfach na'r coffi, ond chafodd Eilir erioed gynnig un o'r rheini. Ond roedd yna stori ar led yn y dref i Finnigan, pan oedd o'n llawer ieuengach a newydd gael ei ordeinio'n Offeiriad, gynnig diod o'r cwpwrdd i Richard Lewis, Gweinidog Capel y Cei ar y pryd, ac i hwnnw dderbyn wedi i'r Offeiriad egluro'u bod nhw yn ei yfed o fel llaeth enwyn yn ei fro enedigol. Derbyniodd Lewis y cynnig, heb sylweddoli ei fod yn yfed *potcheen* gyda'r cryfaf, a hwnnw'n syth o seleri tyddynnod ym mherfedd gwlad Connemara. Yn ôl y chwedloniaeth eto, ymbalfalodd Lewis ei ffordd cyn belled â sgwâr y dref cyn torri allan i ganu cân ddigon masweddol ond na fedrai neb ddeall y geiriau yn union. Pa un bynnag, byr fu arhosiad Richard Lewis yn y dref wedi'r anffawd hwnnw.

Wedi gweinyddu'r croeso, eisteddodd yr Offeiriad i gael ei wynt ato. Gŵr byr, wynepgoch, deg a thrigain oed oedd y Tad Finnigan, yn gwbl foel ac yn llawer rhy foliog i fedru croesi ei goesau dros ei gilydd.

'Ro'n i'n awyddus i ga'l gair hefo chi, Jim.'

'Mae hynny yn rhoi pleser i mi bob amser.'

Os oedd Cymraeg y Mulliganiaid yn ddiffygiol, yna,

roedd Cymraeg eu Hoffeiriad bron yn orberffaith, ar wahân i'w acen Wyddelig.

'Fe hoffwn i estyn gwahoddiad i chi, i gydweinyddu hefo mi mewn priodas.'

'Mi fydd hynny'n hyfryd. Cyn belled na fydd gofyn arna' i wneud mwy na darllen o'r Ysgrythur neu arwain un o'r emynau.'

Roedd Finnigan gyda'r siriolaf o'r gwŷr eglwysig ond yn Babydd gwarcheidiol a chwbl uniongred.

'Darllen y Gair, dyna oedd gin i mewn golwg.'

'Ond, y . . . well i mi holi pwy sydd yn ymbriodi?'

''Dach chi'n nabod teulu'r Mulligans, sy'n byw . . .'

Ymgroesodd y Tad Finnigan yn frysiog, ag Eilir ar hanner egluro.

'Teulu'r fall! Rydw i wedi bod am ddeugain mlynedd yn eu tynnu nhw allan o ryw drybini neu'i gilydd.'

'Nuala Mulligan ydi enw hon.'

'Honno?' a chynhyrfu drachefn. 'Ddaru honno ddim ymddangos yn yr eglwys ar ddydd ei Chonffyrmasiwn. Prin y bu honno wrth allor yr eglwys hon er y dydd y'i bedyddiwyd. Mair a'n gwaredo! Pam mae angen Offeiriad ym mhriodas pagan fel honno?'

Am eiliad roedd Finnigan yn fwy na pharod i dynnu'i addewid yn ôl nes i Eilir roi goleuni pellach iddo.

'O barch i ryw Yncl Jo o Ballinaboy, medda' hi.'

Cyn i Eilir ddarfod egluro roedd yr Offeiriad yn ddyn normal unwaith yn rhagor, ac yn fwy na pharod i ddarllen y Gair yn y gwasanaeth.

'Jo McLaverty? Un o'r Catholigion selocaf yn Iwerddon, a'r cyfoethocaf. Mae McLaverty's Connemara Peat yn mynd drwy'r byd i gyd, ac mae o'r peth mwyaf llesol i'n gerddi ni. Mae Jo, Duw gadwo'i enaid o, yn dod drosodd bob haf i dynnu'r Mulligans felltith yna allan o ryw dwll neu'i gilydd. A'r lle cyntaf daw o wedi cyrraedd, ar ôl galw yn y bwcis i holi hynt ei geffylau, ydi yma i'r eglwys i olau cannwyll.'

'Wir?'

Â llaw fechan, dew pwyntiodd at y cwpwrdd, 'A ddaw o byth drosodd yn waglaw, Eilir Thomas. Mae o, bob amser, yn cofio am syched yr Offeiriad. Bendith arno fo.'

Wedi trafod dyddiad y briodas a'r amser, a phwy oedd y priodfab (anffodus, ym marn yr Offeiriad, gan ymgroesi eto wrth glywed cyfeirio at y teulu), treuliwyd chwarter awr arall yn sgwrsio, a'r Tad Finnigan, yn ôl ei arfer, yn canmol rhai o ddatganiadau *ex cathedra* diweddaraf y Pab presennol, er mawr ddiflastod i'r Gweinidog.

Fel roedd Eilir yn hwylio i godi cydiodd yr Offeiriad at ei ail botel sugno – ailadrodd jôcs Gwyddelig, heb nabod y ffin, ambell dro, rhwng y derbyniol a'r di-chwaeth.

'Eilir, mae ganddoch chi amser i wrando ar hon. O'Reilly wedi mynd ar bererindod i Wlad Canan ac yn cael cynnig taith mewn cwch ar Fôr Galilea. "Faint ydi'r pris?" holodd. "Degpunt," atebodd yr Iddew ac meddai O'Reilly, "Diawl, 'does dim rhyfedd i Pedr gerdded ar y môr."

A cherddodd y Gweinidog allan, dan wenu'n gymedrol.

Dim ond teulu'r Mulligans a'r priodfab a ddaeth i'r ymarfer. Clywodd Eilir, yma ac acw hyd y tai, fod teulu Plas Coch yn chwyrn yn erbyn yr amgylchiad – teimlo fod Elvis yn priodi'n llawer is na'i stad. Ond roedd y Mulliganiaid yno'n gryno – Nuala a'i chwaer, Brady, oedd i fod yn forwyn iddi; Shamus y tad a Kathleen ei wraig; Jo McLaverty ei hun, yn hen ŵr tal, siriol â blodyn plastig yn llabed ei siaced, a nifer dda o blant y llwyth.

Aeth yr ymarfer rhagddo'n weddol hwylus, ond fod Elvis wedi syrthio mewn cariad â pholyn lamp yng nghongl y sêt fawr ac yn amharod i ollwng gafael ynddo a dod i fraich ei ddarpar wraig.

Gyda Jo o Ballinaboy y bu'r drafferth fwyaf. Roedd ei glyw yn drwm a châi gryn anhawster i ddeall acen Saesneg y Gweinidog. Yn fwy na hynny, roedd o wedi ei wreiddio mor gadarn yn nhrefniadaeth a litwrgi yr Eglwys Babyddol fel roedd symlrwydd y Gwasanaeth Anghydffurfiol y tu hwnt i'w ddealltwriaeth.

Aeth pethau o chwith gyda'r hen frawd ar ddechrau'r noson. '*Pray, Father, and where is the Holy Water, I must surely cross m'self.*'

Eglurwyd iddo nad oedd gan gapel Cymraeg ddim amgenach na Dŵr Cymru ac mai Finnigan oedd yr unig Dad Pabyddol yn y gymdogaeth. Gloywodd o glywed enw'r Offeiriad.

'*There's a saintly man for you, and there's a man who can hold his drink. It's Gospel truth, Father.*'

'Shamus,' sibrydodd y Gweinidog, 'fasa' dim gwell i chi gyflawni'r gwaith? Chi, wedi'r cwbl, ydi tad Nuala.'

'Sh! Bos,' a'i lusgo ychydig o'r neilltu. 'Fasa'n digon am bywyd Yncl Jo. Ma' fo'n *eighty two,* w'sti. A pheth arall, fo sy'n talu am y *drinks*, Bos. 'Ti'n dallt?'

Cytunwyd ar ddiwedd y noson mai'r cyfan oedd raid i McLaverty ei wneud ar y dydd oedd llefaru un gair dwy lythyren – 'Fi' – pan fyddai'r Gweinidog yn edrych i'w gyfeiriad o, a bod Shamus Mulligan, ei nai, i ddysgu'r gair hwnnw iddo dros dridiau.

'I'll surely light a candle for you, Father, when I go back to Ballinaboy. But right now I must call on Father Finnigan.' Cydiodd yng ngwddf potel oedd erbyn hyn yn sticio allan o'i boced, *'I've got something here that'll surely gladden his godly heart.'*

Diflannodd Elvis o'r cwmni ar y cyfle cyntaf; roedd o wedi addo cyfarfod y 'bois' yn yr Angor Las.

Llwythwyd pawb arall, ond Nuala, i Volvo hynafol Shamus Mulligan, serch fod Sonny a Fraser yno'n barod.

Ond golygfa hyfrytaf y noson i Eilir oedd gweld Nuala yn penlinio wrth y bwrdd cymun yn y Capel hanner tywyll, ac yn ddwfn mewn gweddi. Roedd hi, o leiaf, yn cymryd ei phriodas o ddifri.

Os aeth yr ymarfer ymlaen yn weddol hwylus ni bu hynny'n wir am y briodas ei hun. Cyrhaeddodd Eilir y Capel yn rhesymol o gynnar ac aeth yn ôl ei arfer ar ei union i'r Ysgoldy. Roedd John Wyn, y Cofrestrydd, yno'n barod ac mor gwynfanus flin ag arfer.

'Dda gin i ych gweld chi wedi cyrraedd mewn pryd. Ma' hi'n ben set ar W'nidog yr Annibynwyr yn cyrraedd i bob priodas, nes ma' pawb a phopeth ar bigau'r drain. 'Dwn i ddim pam na chodith o o'i wely chwarter awr ynghynt, unwaith yn y pedwar amsar.'

Un blin fu John Wyn erioed, yn ôl ei gyfeillion, ond erbyn hyn roedd o'n tynnu ymlaen ac yn flinach fyth. Ond roedd o'n Flaenor ffyddlon yng Nghapel y Cei, ac yn Ysgrifennydd yr Eglwys fel ei dad o'i flaen o. Oherwydd chwerw brofiad dros flynyddoedd meithion, diweddariaid mewn priodas a'i cythruddai fwyaf o bob dim.

''Dw i ddim wedi gweld lliw o'r hogyn sy'n priodi, hyd yn hyn, na'i was o.'

‘Chwartar i ydi hi, Mistyr Wyn.’

‘Ond ma’ hi *yn* chwarter i, ’tydi?’ Craffodd ar y dystysgrif. ‘Pwy ydi’r Elvis Phillips ’ma, pan fydd o gartra?’

‘Mab Fred Phillips, yr adeiladydd.’

‘Mab i hwnnw ydi o? Wel, os ydi o’n fab cyfreithlon i Phillips y Bildar mae o’n siŵr dduwch o fod yn hwyr. Ma’ ’i dad o wedi addo smentio’r corn ’cw i mi ers hannar blwyddyn.’ Craffodd, eilwaith, ar y dystysgrif. ‘I feddwl bod mab Plas Coch yn priodi un o’r tincars. Wel dyna i chi be’ ydi cymdown. Wyddoch chi, ddaru un o’r pethau Mulligans ’na darmacio’r ffrynt i mi, am grocbris, ac roedd yna chwyn yn tyfu drwyddo fo cyn fod y tarmac wedi dechrau oeri.’

‘’Tydw i ddim yn synnu.’

‘Nid rhwbath yn sgrechian canu oedd yr Elvis gwreiddiol hwnnw?’

‘Rydach chi’n llygad ych lle, John Wyn.’

‘Ro’n i’n meddwl ’mod i. Wel i be’ oedd isio rhoi pagan o enw fel’na ar yr hogyn?’

Ar hynny daeth y Gwas i mewn yn arwain y Priodfab o’i ôl a chafodd Eilir gryn fraw. Roedd pen Elvis, dlawd, mewn math o gaets metal a cherddai mor stiff â chath wrw wedi bod allan dros nos.

‘Bobol! Be’ sy’ wedi digwydd?’ holodd Eilir.

‘Wedi ca’l cythral o stid mae o, neithiwr,’ eglurodd y Gwas yn bowld ddigon.

‘Be’? Gin y Mulligans?’ a’i ragfarn yn peri i’r Gweinidog awgrymu’r ateb ymlaen llaw.

‘Nagi. Un o’r Mulligans cariodd o i’r ’sbyty. ’I frawd colbiodd o.’

‘Y?’

'Ac mae o'n llai na fo o droedfadd.'

'Ma'n ddrwg gin i am hyn, Elvis,' ebe Eilir, yn teimlo i'r byw o'i weld o'n y fath gyflwr poenus ar ddydd ei briodas.

Y Gwas atebodd eto, achos roedd hi bron yn amhosibl i Elvis, druan, agor ei geg na nodio.

'Noson stag wyllta' fûm i yn'i hi 'rioed. O'dd yno gythral o ffeiarworcs tua hannar nos.'

'Doedd gan y Cofrestrydd ddim dafn o gydymdeimlad â'r Priodfab yn ei gyflwr. Wedi gwneud yn sicr fod y manylion yn gywir ar y dystysgrif daliodd ei law allan am weddill y tâl.

'Pam goblyn na 'newch chi ofalu bod yr union swm gynnoch chi, lle 'mod i'n gorfod stryglo i chwilio am newid i chi?' a chwilio drwy'i bocedi am arian rhydd. 'A chofia di, cyw, ddeud y pethau 'ma'n glir, wrth bod gin ti'r ddyfais 'ma am dy ben.'

Nodiodd y Priodfab a winsio gan boen yr un pryd.

'Ac yli, mab, os na fydda' i'n dallt bob sill fyddi di'n drio'i ddeud fyddi di ddim wedi priodi yng ngolwg y gyfraith.'

Wedi i'r Gwas droi'r Priodfab, fel ei fod o'n wynebu'r drws a arweiniai i'r sêt fawr, cerddodd y ddau drwodd o'r festri i'r Capel, a'r Priodfab yn martsio'n araf fel robot mewn ffilm wyddonias.

'Mae o wedi ca'l coblyn o ddamwain, 'tydi?' ebe'r Gweinidog.

''Dach chi'n meddwl hynny?' Gyda'r ddau allan o glyw roedd gan John Wyn lai o gydymdeimlad fyth â'r un a anafwyd. 'Twt, welis i sawl un o'r pethau ifanc 'ma wedi colli 'u pennau cyn heddiw. O leia' oedd 'i ben gin hwnna. Bihafith yn well i chi amsar pryd bwyd ac mi yfith lai.'

O'i gadair yn y sêt fawr ni allai y Gweinidog lai na sylwi ar y gwahaniaeth rhwng y ddau deulu a eisteddai o boptu iddo. Eisteddai'r Mulliganiaid ar y dde, yn uchel eu clychau a lliwgar eu gwisgoedd, yn debycach i rai mewn ffair nag mewn addoliad; roedd y Phillipiaid, ar y chwith, yn llawer tawelach, a Fred a'i wraig yn debycach i rai mewn tŷ galar na thŷ gwledd.

Eisteddai y Priodfab a'i Was ar glustog esmwyth y sêt fawr, yn swat ddigon, a'r ddau wedi rhoi'u hetiau ar ben y polyn lamp y bu Elvis mewn cymaint cariad ag o noson yr ymarfer.

'Yr ydym wedi ymgynnull i fod yn dystion i briodas Nuala Kathleen McLaverty Mulligan ac Elvis Phillips . . .' Gwenodd Nuala i gyfeiriad y Priodfab ond y gorau a allai hwnnw'i wneud oedd edrych yn syth o'i flaen fel soldiar ar ddril. '. . . ac i lawenhau gyda'r ddau deulu ar yr achlysur dedwydd hwn.' Taflodd y Gweinidog gip i gyfeiriad rhieni'r Priodfab, ond golwg aflawen iawn oedd ar y ddau hynny.

'Y mae priodas i'w golygu yn anrhydeddus a chysegredig. Ac ni ddylai neb fyned i'r cyfamod hwn yn fyrbwyll neu'n ddifeddwl . . . Gan hynny, os gŵyr neb am unrhyw achos cyfiawn, fel na ellir yn gyfreithlon briodi'r ddau hyn, dyweded hynny yr awron.'

'Y fi!' meddai'r hen ŵr, Jo McLaverty, a safai wrth ochr Brady, y Forwyn. (Ar y Gweinidog roedd y bai, wedi edrych i gyfeiriad Jo, yn ddamweiniol, cyn pryd.)

Aeth popeth ar chwâl. Edrychodd Nuala i'w gyfeiriad mewn syndod. Gyda chil ei lygad, sylwodd y Gweinidog ar Fred a'i wraig yn sirioli drwyddynt ac yn troi'n ôl yn eu sedd i dderbyn llongyfarchion y teulu agosaf. Fodd bynnag, roedd rhai o'r Mulliganiaid ar eu traed, yn chwythu bygythion a chelanedd yn erbyn yr hen ŵr. Cododd trydar cynhyrfus drwy'r holl adeilad, torrodd Nuala i wylo'n hidl, ond daliai McLaverty i edrych o'i gwmpas yn siriol, yn tybio fod hyn yn ddigwyddiad arferol mewn capel Anghydffurfiol ac yn rhan arferol o'r drefn.

Dyna'r awr y daeth John Wyn i'w oed. 'Os daw Mistyr Mclavatory, a chithau, Mistyr Thomas, hefo mi i'r Ysgoldy.' Trodd at y gynulleidfa ac arthio i'r meic, ''Steddwch chithau, lle rydach chi, bendith tad i chi, rhag ofn y bydd rhaid i ni fynd ymlaen hefo'r briodas 'ma.'

Aed ymlaen â'r briodas, gryn hanner awr yn ddiweddarach, wedi cryn dipyn o ymrafaelio yn yr Ysgoldy.

Fe dderbyniodd John Wyn esboniad y Gweinidog ar y digwyddiad gan ei geryddu yr un pryd.

'Ddyla'ch bod chi wedi rihyrsio mwy ar y peth hefo'r Gwyddal 'ma. 'Dydach chi'n gwybod, fel finnau, ma' rhai dwl ydyn nhw ar y gorau.'

''Ddrwg gin i, Mistyr Wyn.'

'Fedrwch chi ddeud wrth y Gwyddal byddar 'ma be' sy'n digwydd? A deud wrth fo am gau 'i geg fel feis a dim ond nodio pan rowch chi'ch dwrn yn 'i 'sennau fo.'

Roedd hi'n amhosibl cael McLaverty i ddeall. Dirywiodd ei ysbryd ac aeth i roi'r bai ar ei nai, Shamus, am ei gamddysgu. '*That son of a bitch is no good to anyone, no good at all. He only wants me money. I'll omit him from me will, sure as hell I will.*'

'Ylwch, Mistyr Wyn, y peth gorau i mi ydi nôl y Tad Finnigan yma, fedar o 'i ga'l o i ddallt.'

'Dyna chi 'ta. 'Dria' innau gadw'r Gwyddal 'ma rhag

mynd dros ben llestri. Rhowch draed arni, bendith tad i chi, ne' mi eith yn berfeddion arna' i yn ca'l 'y nghinio.'

Mewn Gaeleg yr eglurodd y Tad Finnigan yr amgylchiadau i McLaverty a deallodd yntau y cyfarwyddiadau newydd yn y fan. Fel roedd y Cofrestrydd yn ceisio cael y ddau yn ôl i'r Capel, roedd y ddau yn ysgwyd llaw yn gynnes a'r frawddeg glywodd y Gweinidog oedd, *'We must drink to this, Father.'*

'Indeed we will.'

Yr eildro, roedd yr awyrgylch yn llawer teneuach. Edrychai rhieni Elvis yn llawer hapusach fel petai'r brotest a fynegwyd wedi gyrru eu maen hwy i'r wal ac nad oedd dim i'w wneud, bellach, ond plygu i'r drefn. A'r tro hwn daeth Ballinaboy i'r adwy ar yr union adeg er iddo ddweud 'Y fo' yn lle 'Y fi'. Gyda'r fodrwy y bu'r unig helbul.

'Dyro yn awr i'r ferch y fodrwy hon yn arwydd o'r cyfamod cysegredig yr aethoch iddo.'

Yn anffodus, roedd y fodrwy ym mhoced gwasgod y Priodfab, ac nid y Gwas, a chafodd hwnnw drafferth fawr i'w chael hi oddi yno heb ei frifo'n ormodol. Roedd dagrau yn llygaid y Priodfab – nid am y teimlai oddi wrth gysegredigrwydd y foment ond oherwydd y gwewyr yr âi drwyddo wrth i'w gyfaill ffureta drwy'i bocedi.

'Mi fedrwch chi roi y fodrwy rŵan,' sibrydodd y Gweinidog ond ni fedrai Elvis gynnig gwneud hynny oherwydd ei glwyfau.

Bu Nuala yn dal bys estynedig allan am hir amser ac Eilir a'i modrwyodd hi yn y diwedd a hynny er mawr ddifyrrwch i'r gynulleidfa.

'Yr wyf yn rhoddi i ti y fodrwy hon yn arwydd o'n priodas â'n gilydd.' Torrodd y gynulleidfa allan i chwerthin yn uchel a syllodd Nuala yn ddrygionus i fyw ei lygaid.

'Gweddïwn.'

Ond Nuala yn unig a benliniodd a'i gŵr yn dal ar ei draed, yn rhythu i'r pellter o'i flaen, fel troseddwr wedi derbyn dedfryd o garchar am oes.

Chlywodd Eilir fawr ddim am y briodas am fisoedd wedyn. Aeth y neithior rhagddi'n dangnefeddus – y Tad Finnigan yn cadw'r Mulliganiaid mewn duwiol ofn, gan ganmol y siampên, a theulu'r ochr arall yn ymlacio o dan ddylanwad y gwin gan gredu mai un o'r Phillipiaid a fyddai Nuala o hyn ymlaen.

Er i Eilir a Brandi gerdded dipyn dros y Morfa Mawr yn ystod misoedd yr haf, fe aeth hi'n fis Awst cyn iddo daro unwaith eto ar Shamus Mulligan, heb ei gŵn y tro hwn.

''Ti'n gwbod be', Bos? Ma' gin Nuala 'ogyn bach.'

'Mor fuan?'

'Y boi 'na briododd hi wedi saethu heb leisans. Teulu giami, ia Bos?'

'Deudwch 'mod i'n dymuno'n dda iddi hi a'r babi, beth bynnag, wrth ma' fi roddodd y fodrwy ar 'i bys hi.'

'O'dd hynna'n sgrîm, Bos.' Edrychodd Shamus i gyfeiriad ei garafán, yn anniddig ei ystum, fel petai ganddo newydd drwg i'w dorri. ''Ti'n gwbod be', Bos? Ma' Nuala isio i Tad Finnigan 'i fedyddio fo, os ti ddim yn meindio.'

'Ddim o gwbl. Y fo fedyddiodd Nuala.'

'Dim hynny, Bos. Ond ma' Yncl Jo yn dŵad drosodd

i 'lychu pen y babi, a fasa'n haws i fi werthu tarmac i ffarmwr na cha'l hwnnw i capal chdi eto.'

''Dydi hynny ddim yn rhyfeddod o gofio beth ddigwyddodd.'

''Dw i'n 'i miglo hi 'ta, Bos.'

Cerddodd Eilir a Brandi ymaith, a'r Gweinidog yn dyfalu rhyngddo ac ef ei hun a fyddai'r Tad Finnigan yn plygu i'r drefn. Byddai, mae'n debyg. Adfer y colledig fyddai hynny. Clywodd chwibaniad yn torri'r awyr a throdd yn ei ôl.

Cwpanodd Shamus Mulligan ei geg â'i ddwylo a gweiddi, ''Ti'n barod i darmacio'r dreif rŵan 'ta, Bos?'

Cwpanodd y Gweinidog ei geg a gweiddi'n ôl, 'Fred Phillips newydd 'neud i mi!'

'O!'

'Am ddim, wrth ma' fi priododd nhw.'

Joseph McLaverty

Mae Joseph McLaverty – er mai 'McLavatory' ydi'r ynganiad ym Mhorth yr Aur – yn ewythr i Shamus Mulligan ond nid o waed, yn hollol.

Mae'i 'Yncl Jo', yn ôl Shamus, ar hyn o bryd yn talu 'parental' i wraig tŷ gwely a brecwast yn Bantry Bay – 'a bydd o'n neinti tro nesa', cofia'.

Yn 1995, ar achlysur priodas Nuala, merch Kathleen a Shamus Mulligan, y cyrhaeddodd Borth yr Aur am y waith gyntaf. Yn y Connemara, man ei eni, y mae safleoedd y McLaverty's Enterprises ond An Eírí Sun, plasty pum llawr yn wynebu'r môr yn Ballybunion, Swydd Kerry, ydi ei gartref.

Fe'i disgrifir gan y Tad Finnigan fel 'un o Gatholigion selocaf Iwerddon' a chred y dylid ei ddyrchafu'n sant. Mae'n dioddef o *achluophobia*, sef obsesiwn ysol i oleuo canhwyllau. Gwnaeth hyn yng Nghapel y Cei a'r Tad Finnigan yn cesio'i atal:

'But Father, I always light a candle in the House of God.'

'Jo McLaverty, this is not a house of God. It's a Welsh Chapel!'

Mae cynhyrchion y McLaverty's Enterprises yn lleng a syrthiodd y Gweinidog am sawl un – megis y Baptismal Washtub hwnnw gogyfer â bedydd seithug Jac Black. Ond arweiniodd y McLaverty's Self-flushing Urinal â'i ddŵr, yn anffodus, yn fflysio at i fyny, at achosion llys.

Creu byd newydd
Manon Elwyn

Mae'n hawdd adnabod unrhyw gyfrol o gyfres 'Porth yr Aur' dim ond drwy edrych ar y clawr yn unig, gan fod y darluniau ar bob un gyfrol wedi'u dylunio'n grefftus gan Ian Griffith. Mae'r cyfrolau hyn wedi bod ar silffoedd fy nghartref ers blynyddoedd ac wedi rhoi boddhad i'm rhieni wrth iddyn nhw eu darllen er pan oeddwn yn blentyn.

Gwta ugain mlynedd ers cyhoeddi cyfrol gyntaf cyfres 'Porth yr Aur', dechreuais innau ddarllen rhai o straeon byrion y gyfres gan Harri Parri, wedi imi glywed pethau canmoliaethus iawn amdanyn nhw. Cefais flas aruthrol; roedd y straeon yn dal i deimlo'n ffres, roedd yr hiwmor yn dal yn iach a'r cymeriadau'n dod yn fyw yn fy meddwl.

Cefais gymaint o flas ar y straeon fel y penderfynais eu hastudio ymhellach. A minnau ar flwyddyn olaf fy nghwrs gradd yn y Gymraeg ym Mhrifysgol Bangor eleni, dewisais ysgrifennu traethawd estynedig ar holl straeon byrion Harri Parri, o'r gyfrol gyntaf yng nghyfres Carreg Boeth, *Pregethwr Mewn Het Person* (1968), hyd at yr olaf yng nghyfres Porth yr Aur, *Ifan Jones a'r Fedal Gee* (2012).

Rydw i'n hynod falch i mi ddewis y testun hwn fel maes ar gyfer fy nhraethawd hir, a threulio cymaint o f'amser arno yn ystod fy mlwyddyn gradd, oherwydd rydw i wir wedi cael modd i fyw yn darllen ac ailddarllen y straeon. Er bod bron i hanner canrif ers cyhoeddi'r gyfrol gyntaf o straeon byrion, mae'r deunydd yn dal yn hawdd i'w ddarllen, diolch i iaith a hiwmor rhwydd a naturiol Harri Parri, a'r cymeriadau llachar a greodd: Shamus Mulligan, Cecil Siswrn, Howarth yr Ymgymerwr, a Jac Black a'u tebyg.

Cyhoeddwyd *Hufen a Moch Bach* yn 1976. Dilyniant i *Pregethwr Mewn Het Person* oedd y straeon ac fe'u darllenwyd ar y radio gan Charles Williams i ganmoliaeth sylweddol iawn.

Mae'r hiwmor a brofir yn ei waith yn beth prin iawn mewn llenyddiaeth Gymraeg, ac mae ei ffraethineb wedi cael croeso a chanmoliaeth o sawl cyfeiriad. Dywedodd un o ddarllenwyr y Cyngor Llyfrau amdano ar glawr *Cit-Cat a Gwin Riwbob*: 'os oes y fath beth â llinach sgrifenwyr doniol Cymraeg, y mae Harri Parri yn haeddu ei le gyda'r amlycaf.' Yn wir, mae'r hiwmor yn amlwg iawn yn ei straeon ac yn cymryd lle blaenllaw. Mewn gwirionedd, y digwyddiadau ffarslyd, yr ymadroddion doniol a'r cymeriadau digrif sy'n graidd i'r straeon byrion.

Mae'n debyg mai un o'm hoff gymeriadau yng nghyfres 'Porth yr Aur' yw Cecil Siswrn. Rhydd yr awdur linellau anfarwol a chofiadwy yng ngenau Cecil, er enghraifft: '*Don't dilly-dally*, William Howarth, cariad . . . [m]a' gin i *Hungarian Goulash* ar hannar toddi a dau *tatoo* ar hannar sychu . . . un ar gefn Miss Lala Mulligan, *just above the pants*.' Y tro cyntaf y down ar draws Cecil Siswrn yn *Cit-Cat a Gwin Riwbob*, caiff ei ddisgrifio fel: 'torrwr gwallt merched yn y dref, yn brathu pob 's' ac yn ddwylo i gyd.' Ymhellach ymlaen yn y gyfres, cyfeirir ato fel un 'rhyfedd ac ofnadwy'. Ef yw barbwr y dref, ac mae ganddo weledigaethau gwahanol i'r arfer. Cynigia steil gwallt newydd i'r gweinidog: 'Rŵan, gan fod eich gwallt chi'n *thinning on top*, fy awgrym i'r tro yma ydi *fringe* yn y ffrynt a . . . *tapered nape* yn y cefn.' Pan mae'r gweinidog yn mynnu mai'r 'torri gwallt arferol, a dim arall' yr hoffai ei gael, wedi i Cecil orffen ei gampwaith, dywed: 'Dyna

Cyhoeddwyd *Buwch a Ffansi Mul* yn 1978 ac fe'u darllenwyd uwaith eto ar y radio gan Charles Williams.

ni, *job done.* Ond hefo'r math yma o steil, dal i fynd i lawr fydd y gynulleidfa, *I'm afraid.*' Yn wir, mae Cecil Siswrn yn enghraifft nodedig o'r cymeriadau byw a chofiadwy y gall Harri Parri eu creu.

Cyflwyna Harri Parri gymeriadau newydd i Borth yr Aur trwy gydol y gyfres, gan ychwanegu rhyw ddisgrifiad byr ond unigryw o bob un ohonynt. Yn y gyfrol *Bwci a Bedydd*, defnyddia gymariaethau disgrifiadol i bortreadu dwy chwaer, Daisy Hughes a Meri Morris:

> O ran pryd a gwedd roedd y chwiorydd yn ddigon tebyg i'w gilydd – dwy bowlten gron, yr un hyd a'r un lled – ond fod Daisy wedi lliwio a phowdro'r fersiwn a gafodd hi gan yr Hollalluog nes lleihau'r tebygrwydd. O ran natur cymeriad roedd y ddwy mor wahanol â'u henwau – Meri'n ddynes dŵr a sebon – dŵr oer os yn bosibl – a diwrnod caled o waith ffarm, a Daisy ar y llaw arall, yn ddynes *Chanel* ac yn gysurus ddiog.

Fel sy'n amlwg o'r dyfyniad uchod, mae'n ddigon hawdd rhoi wyneb i bob un o'r cymeriadau lliwgar a bortreadir gan Harri Parri, gan fod ei arddull a chywair ei iaith yn llwyddo i roi i ni ddarlun llawn a chlir o'i gymeriadau. Wedi darllen y cyfrolau, byddai unrhyw ddarllenydd yn gallu creu map go iawn o Borth yr Aur, ac yn gallu rhestru nodweddion pob cymeriad – bron fel petaen ni'r darllenwyr ar ochr y stryd yn ystod pob stori'n gwylio'r hyn sy'n digwydd o'n blaenau.

Mae Porth yr Aur dan ddylanwad Borth-y-gest, Porthmadog a Chaernarfon. Yn y trefi hyn, Cymraeg yw iaith y bobl – Cymraeg cyhyrog, naturiol, yn meddu ar droadau ymadrodd a phriod-ddulliau cyfoethog, disgrifiadau byw a chymariaethau gwreiddiol. Daeth Harri Parri i adnabod cymeriadau amryliw yng Nghaernarfon pan symudodd i fyw yno yn saithdegau'r ganrif ddiwethaf, a chododd sefyllfaoedd a digwyddiadau difyr a doniol. Yn debyg i Kate Roberts, bu magwraeth a phrofiadau bore oes Harri Parri, a'r gymdeithas y magwyd ef ynddi, a'i waith a'i fywyd wedi hynny – yn arbennig yng Nghaernarfon – yn llwyfan ardderchog iddo ar gyfer llunio cyfres Porth yr Aur.

Down ar draws y gymdeithas yn dod at ei gilydd ac yn cydweithio mewn nifer o achosion yn y straeon, ac mae hynny'n adlewyrchiad o'r gymdeithas glòs a ddarlunnir gan yr awdur yn ei waith. Yn 'Y Baptismal', yn y gyfrol *Ifan Jones a'r Fedal Gee*, mae'r stori gyfan yn arwain yn raddol tuag at un digwyddiad mawr, sef bedydd Jac Black. Mae'r stori'n ffarslyd, gyda sgyrsiau fel hyn yn digwydd rhwng y cymeriadau:

> Ifan Jones yn holi oedd hi ddim yn bosibl bedyddio Jac yn sych, 'yn lle bod ni'n wastio dŵr a ninnau wedi mynd ar y mityr?' Yna Meri Morris, yn gymwynasgarwch i gyd, yn cynnig benthyg hen 'septic tanc' a ddefnyddiai Dwalad, ei gŵr, i ddyfrio'r bustych.

Er hynny, mae'r stori'n dangos bod y gymdeithas yn cyd-dynnu ac yn barod i gynnig cymorth mewn unrhyw sefyllfa. Anaml iawn y digwydd hynny mewn cymdeithas erbyn heddiw. Erbyn cyrraedd yr uchafbwynt, 'y baptismal' ei hun, mae pethau'n mynd o ddrwg i waeth:

> Gwirfoddololodd Cecil i fod yn fath o reolwr llwyfan i gysylltu rhwng y gegin a'r Capel ac i roi arwydd i Ifan Jones, tra byddar, pryd i daro'r dôn 'Cymod'. Daeth yno yn barod i fyw'r part mewn siwmper fflamgoch â'r

Rhai o gloriau nodweddiadol Ian Griffith sy'n darlunio Porth yr Aur inni.

> hysbyseb 'Siswrn *Cecil's Scissors*' ar ei ddwyfron, llodrau claerwynion a stopwatsh yn ei law. Y cydamseru a fyddai'n anodd.

Mae'r sefyllfa'n ymylu ar fod yn *rhy* ffarslyd rywsut, ond mae'n brawf bod cymdeithas Porth yr Aur yn gymdeithas go iawn a'r trigolion i gyd yn driw i'w gilydd pan fo angen.

Meddai Harri Parri yn ei gyflwyniad i *Ifan Jones a'r Fedal Gee*, 'Dros ddeugain mlynedd yn ôl, bellach, penderfynais greu byd y medrwn i ddianc iddo pan fyddai'r gyrru'n galed; byd ysgafala – "nid oes yno neb yn wylo, nid oes yno neb yn brudd" – a byd lle mae dau a dau'n debygol o wneud pump.' Yn sicr, mae Harri Parri wedi llwyddo i greu byd newydd, ac yn wir, cymdeithas newydd y mae darllenwyr Cymru'n gallu ymgolli ynddi. Heb os nac oni bai, straeon byrion Harri Parri yw'r doniolaf i mi ddod ar eu traws, mae'r hiwmor yn addas ar gyfer pob oedran, ac mae pob stori'n ysgafn ac yn hawdd iawn ei darllen. Mae ganddyn nhw'r gallu i roi gwên ar eich wyneb, ac mae hynny'n beth prin mewn llenyddiaeth.

John Wyn ac Elisabeth Ambrose

Hen lanc fu John Wyn – Cofrestrydd lleol ac Ysgrifennydd Capel y Cei – hyd ei ymddeoliad, bron. Dyna'r pryd yr ymddeolodd Miss Elisabeth Ambrose o fod yn Brifathrawes Ysgol y Santes Siarlot, ysgol breifat i ferched, ar gyrion Kidderminster. Dychwelodd, a chartrefu yn fflat rhif 2 Siesta *Cecil's Siesta*.

Carwriaeth yn y dirgel fu hi. Cofia'r Gweinidog iddo, unwaith, alw heibio i'r fflat i glywed y wardrob yn deud y gair 'Lisi'. Yna, syrthio ar ei chefn, a John Wyn yn camu allan.

Yn ôl y *Porth yr Aur Advertiser*, gweinyddwyd y briodas yn eglwys y Deep End Exclusive Evangelical Brethren yn Kidderminster.

Hana'r ddau, fel ei gilydd, o hen deuluoedd pysgota Porth yr Aur: tad John Wyn, 'Wil Gwich-gwich', yn gwerthu pysgod cregyn – gwichiaid yn bennaf – a'r Ambrosiaid yn gwerthu pysgod yn gyffredinol.

Ystyrir John Wyn yn un â'i frath cyn waethed â'i gyfarth, gyda threfnusrwydd a phrydlondeb yn

ganllawiau bywyd iddo. Pan fo angen, gall fod yn agored ei law a charedig ei galon.

Er ei dyddiau yn y Brifysgol, Cynfeirdd y chweched ganrif – y 'Gododdin' yn arbennig felly – ydi diddordeb ei briod; cymaint felly nes iddi alw'r mymryn pecinî sydd ganddi yn Aneirin (er i John Wyn gredu, unwaith, mai ar ôl gŵr i gyfnither iddo y bu hynny). Erbyn hyn, Elisabeth Wyn *née* Ambrose ydi'r pennaf awdurdod ar hanes y dref, ei diwylliant a'i thraddodiadau.

Pow-wow
Harri Parri

'Pregath dda oedd honna, Mistyr Thomas,' canmolodd Meri Morris fel roedd hi a gweddill Blaenoriaid Capel y Cei yn paratoi i adael y sêt fawr ar ddiwedd oedfa'r bore.

'Diolch yn fawr i chi.'

'Pregath i godi'n c'lonnau ni ar drothwy'r Dolig fel hyn, lle 'bod ni'n llyfu'n clwyfau, Sul yn dilyn Sul. Ynte, John Wyn?'

'Ia,' mwmiodd yr Ysgrifennydd, ond mor amharod i ganmol ag erioed – serch ysbryd yr ŵyl. 'Ond teimlo ro'n i 'i bod hi fel amball i dorth wen gewch chi o Siop Bob Becar – yn sagio tua'r canol,' gan roi bara gwyn Robert Williams Galwch Eto, fel y'i gelwid, a Bara'r Bywyd yn yr un glorian. 'Fasa neb ohonon ni wedi bod ar ein collad, Mistyr Thomas, 'tasach chi wedi rhoi'r ail ben yn y drol ludw.'

'Felly,' atebodd y Gweinidog yn cofio iddo fod ar ei draed y nos yn nyrsio'r union ran o'r bregeth y cyfeiriai John Wyn ati.

'Gyda llaw,' ychwanegodd yr Ysgrifennydd, 'mi leciwn i ga'l gair bach hefo chi, fel Blaenoriaid, cyn ych bod chi'n mynd am ginio. Ydi pawb yma?'

'Ma' pawb yma,' eglurodd William Howarth, 'ond

Huw Ambrose, y Trysorydd. Mi gafodd o gománd adag canu'r emyn olaf i fynd nerth 'i garnau am y syrjyri.'

'Mi gwelis i o'n sleifio allan,' ebe'r hen Ifan Jones, yn ddiniweidrwydd pur, 'ond ro'n i wedi tybio ma' isio gneud dŵr roedd o, fel y bydda' innau weithiau. Wel, os bydd y pregethwr flewyn yn hir.'

'Roedd Cwini Lewis, Llanw'r Môr,' eglurodd yr Ymgymerwr eilwaith, wedi i'r chwerthin beidio, 'wedi ca'l twtsh o'r ddannodd yn ystod y bregath ac am i Ambrose dynnu'r dant iddi hi 'gyntad â phosib, ar y *National Health*.'

'Wel, pan welwch chi be' s'gin i dan yr ordd ella 'i bod hi'n llawar gwell 'i fod o yn absennol,' oedd sylw John Wyn.

Heddwch brau ryfeddol oedd rhwng Ysgrifennydd a Thrysorydd Capel y Cei. Pan ddeuai unrhyw fater yr anghytunent arno i'r bwrdd byddai'r ddau yn ymgnawdoli'n ôl yn hogiau ysgol ac yn ail-fyw brwydrau y bu eu rhieni'n eu hymladd adeg yr Ail Ryfel Byd. Safleoedd stondinau gwerthu pysgod ar y cei oedd asgwrn y gynnen, unwaith – yn ôl a glywodd Eilir – a'r pysgod, wedi hanner can mlynedd hir, yn dal i ddrewi ar yr esgus lleiaf.

'Os byddwn ni mor garedig, gyfeillion, â rhoi gwrandawiad teilwng i Mistyr Wyn,' apeliodd y Gweinidog wrth glywed rhai o'r Blaenoriaid yn carthu'u gyddfau'n fygythiol.

'Wedi ca'l llythyr Saesnag ydw' i oddi wrth . . . y . . .' a rhoi'i sbectol ar ei drwyn, '. . . oddi wrth y Deep End Exclusive Evangelical Brethren Church yn 9 Mount Sion Terrace, Kidderminster.'

'Bobol!' rhyfeddodd Meri Morris, 'be' ma' rheini isio gynnon ni?'

''Dydyn nhw isio dim byd.'

'O!'

'Am roi rhwbath i ni maen nhw.'

''Rioed?'

'Wel, well i chi ddeud wrthan ni, Mistyr Wyn, be' ma' nhw am roi i ni,' awgrymodd Dyddgu, yr ieuengaf o'r Blaenoriaid, 'mi rydan ni i gyd ar dân isio gwbod.'

Cymerodd John Wyn ei wynt ato ac ateb, 'Chwaer Ambrose — Lisi Fish-fish fel y byddwn ni'n 'i galw hi!'

'At Miss Elisabeth Ambrose ydach chi'n cyfeirio?' holodd y Gweinidog, mewn ymdrech i barchuso'r sefyllfa.

'Ia siŵr, ond 'i bod hi'n haws i mi gyfeirio ati hi'n gartrefol fel'na tra ma'i brawd hi'n absennol,' a throsglwyddo'r llythyr i ofal y Gweinidog.

Wedi bwrw golwg frysiog dros y llythyr ceisiodd Eilir drosglwyddo gweddill ei gynnwys i'r swyddogaeth.

'Wel, math o lythyr cyflwyniad ydi o, yn trosglwyddo aelodaeth Miss Ambrose o'r capal 'ma yn Kidderminster i Gapal y Cei, lle cafodd hi'i magu.'

'Cynnig ein bod ni'n gwrthod y rhodd,' meddai'r Ysgrifennydd wedyn, 'er 'i bod hi'n Ddolig.'

Anwybyddodd y Gweinidog yr ymyrraeth a mynd yn ei flaen, 'Yn ôl y llythyr yma, ma' Miss Ambrose ar fin ymddeol o fod yn Brifathrawes Ysgol y Santes Siarlot, ysgol breifat i ferchaid ar gyrion Kidderminster, ac yn bwriadu chwilio am fflat neu dŷ ar rent ym Mhorth yr Aur, ac . . .'

'Sgiwsiwch fi, Mistyr Thomas, cariad,' ebe Cecil, y torrwr gwalltiau merched, 'ond ydi hi'n bosib i mi ga'l enw a chyfeiriad y *gentleman* sy' wedi sgwennu'r llythyr, rhag ofn y medra' i fod o help hefo'r *accommodation*?'

'Gwraig ydi hi, Mistyr Humphreys.'

'Pardwn?'

'Merch, nid dyn, sy' wedi sgwennu'r llythyr.'

'*Well, I never*,' a moeli'r dwylo modrwyog i guddio'i embaras.

'Be' ma' nhw'n ddeud am gymeriad Lisi? Dyna sy'n bwysig,' brathodd John Wyn drachefn. 'Sut ma' hi wedi byw yn y wlad bell? Ydi hi wedi bod yn afradlon neu beidio? Dyna sy'n mynd i droi'r fantol.'

'Wel, ma' nhw'n cyfeirio at 'i haelioni mawr hi tuag at yr Achos.'

'Rhaid 'i bod hi'n fwy rhydd hefo arian Lloegr 'ta! Cwta ugain punt gyfrannodd hi at ein ffair ha' ni, pan oedd Ifan Jones 'ma yn rafflo'r mochyn hwnnw. Mi roddodd Owen Gillespie 'ma ganpunt.'

Clwyfwyd y gŵr duwiol. 'Rhodd ddienw oedd hi i fod, John Wyn, a 'doedd neb ond y swyddogion i wybod y swm. Ma'r Beibl yn 'n rhybuddio ni i ochelyd "gwneuthur ein helusen yng ngŵydd dynion".'

'Rydan ni'n gwerthfawrogi hynny, Mistyr Gillespie,' eglurodd y Gweinidog, yn gwneud ei orau i roi eli ar y briw, 'ac yn gofidio i'r gyfrinach ga'l 'i datgelu ond diolch i chi, unwaith yn rhagor, am y rhodd. Mi wyddon ni i gyd 'i bod hi wedi bod yn rhodd o'r galon.' Ailgydiodd yn ei waith. 'Ma'r llythyr, hefyd, yn cyfeirio at ffyddlondeb Miss Ambrose i holl weithgareddau'r Deep End Exclusive Evangelical Brethren ac yn nodi fel y bu iddi hi gynnal y safonau moesol ucha' posib yn yr ysgol ac yn yr ardal, mewn byd ac eglwys.'

'Gwahanol iawn i'w thad 'ta,' cwynodd yr Ysgrifennydd, 'mi yrrodd hwnnw fusnas gwerthu gwichia'd 'y nhad i'r wal.'

'Sgiwsiwch fi, Mistyr Wyn, cariad, ond be' ydi gwichia'd? *Pardon me asking.*'

Yn dilyn, caed trafodaeth hir a diflas ynghylch natur a rhywogaeth gwichiaid nes i John Wyn roi'r bennod a'r adnod, 'Rhyw bethau tebyg i falwod ydyn nhw, Cecil, ac mi fydda' 'nhad yn 'u berwi nhw'n fyw mewn boilar. Yna, mi fydda' pobol ddiarth yn 'u tynnu nhw allan o'u cregyn hefo pinnau ac yn 'u byta nhw i swpar.'

'Ych-a-fi!' a thynnu wyneb afal sur. '*But I know what you mean.*'

Teimlai Eilir fod hynny o fendith a gafwyd o bregeth y bore yn prysur egru a bod ei ginio dydd Sul yntau yn hen oeri.

'Ga' i awgrymu'n bod ni'n gadael y llythyr ar y bwr' nes y bydd Miss Ambrose wedi cyrraedd Porth yr Aur. Fedrwn ni mo'i chroesawu hi nes gwelwn ni hi.' Porthodd amryw eu cytundeb. 'Ac yna ein bod ni'n 'i derbyn hi fel aelod ar ddechrau'r flwyddyn newydd, hynny ydi os bydd hi wedi cyrraedd mewn pryd.'

Cododd pawb eu dwylo i bleidleisio o blaid yr awgrym, pawb ond John Wyn. 'Os derbyniwn ni Lisi Fish-fish i'n rhengoedd mi awn ni o'r badall ffrio i'r tân, dyna fydd yn hanas ni fel eglwys, gewch chi weld.'

Gwenodd amryw, wedi gweld doniolwch y ddelwedd – pysgodyn a phadell.

Cododd Eilir a gadael ar hast. Roedd y ddelwedd wedi'i gyffwrdd yntau a'i argyhoeddi y byddai'n rhaid iddo, rhwng hanner dydd a hanner awr wedi pump, newid thema pregeth yr hwyr; brawddeg o eiddo Simon

Pedr oedd y testun arfaethedig – "Yr wyf fi yn myned i bysgota".

Ar bnawn Llun, bythefnos cyn y Dolig, a'r Gweinidog yn ei stydi, canodd cloch y teliffon.

'Helô?'

'Cecil, Siesta *Cecil's Siesta* sy' 'ma,' a swnio'n union fel gwenynen feirch wedi mynd i mewn i botel sos wag ac yn methu â ffendio'i ffordd allan.

'Pnawn da, Mistyr Humphreys.'

'Cyfarchion y tymor i chi, Mistyr Thomas, cariad.'

'Diolch.'

'Dim ond deud wrthach chi fod Miss Elisabeth Ambrose, *late of Kidderminster,* wedi landio a'i bod hi'n setlo i lawr hefo ni'n *beautiful*.'

'Ydi hi wedi cyrraedd yn barod?'

'Ydi, ac ma' hi'n awyddus iawn i ga'l *pow-wow* bach hefo'i Gw'nidog newydd o hyn i'r Dolig, *if convenient* 'te.'

'Fedrwch chi ddeud wrtha' i pa rif ydi'r fflat?'

'*Number two*, siwgr. Wyddoch chi p'run ydi o?'

'Gin i go' fod y canwr gitâr hwnnw yn rhif un. Pedr Flewog ne' rwbath, fel mae o'n galw'i hun.'

''Dach chi wedi taro'r hoelan ar 'i phen, cariad. Y fflat sy'n union uwchben hwnnw, fa'no ma' *dear* Miss Ambrose.'

'Fedra' i ddim meddwl am ieuad llai cymharus.'

'Unwaith eto, cariad?'

'Fedra' i ddim meddwl am ddau mwy annhebyg yn byw mor agos at 'i gilydd.'

'Peidiwch â sôn. Ma'r ddau, Mistyr Thomas bach, yn benna' ffrindiau, fel 'tasan nhw wedi'u magu ar yr un deth. Sgiws y gymhariaeth. Y ddau yn erbyn hela llwynogod a'r bom, ac o blaid ordeinio merchaid a thyfu pethau heb dail gwarthaig.'

'Ia, ond be' am ferch Cwini Lewis yn fflat tri, yn union uwch 'i phen hi, a'r baich plant 'na?'

'Gynnoch chi bwynt yn fan'na, cariad, *I must admit*. Ond ella medra' i berswadio Miss Ambrose i roi gwersi mewn *hygiene* i'r pethau bach. Ma' nhw fel chwain o ddig'wilydd.'

'Mi geisia' i alw i weld Miss Ambrose o hyn i'r Sul, Cecil.'

'Mistyr Thomas, 'dach chi'n rêl angal bach.'

'Hwyl i chi rŵan.'

'Twdwlŵ, Mistyr Thomas! *And many thanks*.'

Roedd yna natur trap llygoden yn nrws electronig y Siesta *Cecil's Siesta* a Ffrancwr oedd o o ran iaith. Wedi i Eilir bwyso'r botymau cywir a byseddu y rhifau cyfrinachol a gafodd gan Cecil Siswrn, agorodd y drws ei geg yn fygythiol araf a sibrwd '*Entrée!*', ond fel roedd y Gweinidog yn camu allan o'r porth i'r cyntedd caeodd yn glep wedyn gan gydio yng ngwar ei anorac a'i ddal yn garcharor. Wedi tynnu a throsi, fel ci wrth dennyn, llwyddodd Eilir i gyrraedd y rhes botymau oedd ar y post oddi mewn ac ailbwyso y rhifau angenrheidiol i'w agor. '*Sortie*', sibrydodd y drws drachefn a gollwng ei afael yn y Gweinidog, fel cath yn gollwng llygoden wedi iddi hi'i llibindio hi'n ddigonol. Sut ar y ddaear roedd hi'n ddynol bosibl i bobl wedi pasio 'oed yr addewid' – a phobl felly, yn bennaf, oedd tenantiaid y *Siesta* – fynd i mewn ac allan o'r adeilad heb gael eu llofruddio yn y fan a'r lle? Roedd hynny'n fawr ddirgelwch.

Cafodd beth trafferth gyda drws Fflat 2. Wedi canu'r

gloch am y waith gyntaf ni chafodd unrhyw ymateb a thybiodd, am eiliad, fod Miss Elisabeth Ambrose wedi picio allan i siopio neu i weld ei brawd. Canodd y gloch eilwaith ac wedi moment o ddistawrwydd llwyr dyma sŵn traed trymion yn trotian yn ôl a blaen ar hyd y lloriau, yna, drysau'n cael eu hagor a'u cau yn gyflym a chi yn cipial cyfarth. Wedi blynyddoedd yn y weinidogaeth, gwyddai Eilir yn dda beth oedd gorfod sefyllian ar garreg drws tra byddai rhai o'r aelodau yr ymwelai â hwy – wedi iddyn nhw sylweddoli mai'r Gweinidog oedd wrth y porth – yn cuddio olion pechodau cuddiedig ond go brin fod gan Miss Ambrose, o Eglwys y Brodyr Efengylaidd Cyfyngedig, sgerbydau i'w gwthio i gypyrddau.

Daeth Miss Ambrose i'r drws yn bum troedfedd o wlân Cymreig, fel erioed, serch y gwres canolog, ac yn edrych fymryn yn gynhyrfus.

'A! Mistyr Thomas, fy ngweinidog newydd i, wedi galw i edrach amdana' i. Mae'n hyfryd eich gweld chi.'

Ond teimlai Eilir fod y gwrid oedd ar ei hwyneb a byrdra ei hanadl yn awgrymu nad oedd hynny'n hollol wir.

'Ydach chi am ddŵad i mewn, Mistyr Thomas, ne' fydda'n well gynnoch chi alw i 'ngweld i rywbryd eto, wedi'r Nadolig, deudwch?'

Gan mai hi oedd wedi'i gymell i alw a'i fod yntau wedi aberthu pnawn ar gyfer y gwaith, penderfynodd dderbyn yr hanner cynnig. 'Mi ddo' i i mewn am funud, Miss Ambrose, os medra' i gamu dros y ci 'ma,' gan gyfeirio at y mymryn *pekinese* a chwyrnai yn ei wddf gan ddangos pinnau o ddannedd miniog.

'Ma' Aneirin yn ddigon diniwad, Mistyr Thomas, ond 'dydi o ddim yn ffond iawn o ddynion. Mwy na minnau o ran hynny. 'Steddwch!'

Eisteddodd hithau ar flaen cadair gyferbyn ag o.

'"Aneirin"? Enw go anarferol ar gi?'

'O barch i *Ganu Aneirin*, Mistyr Thomas.'

'Wela' i.'

'Barddoniaeth y chweched ganrif oedd fy mwyd a'm diod i yn y wlad bell.'

'Tewch chithau.'

'Hynny a diwinyddiaeth,' ac arwain llygaid y Gweinidog â'i llaw i gyfeiriad silff foliog o hen glasuron defosiynol a adbrintiwyd.

'Gwaith Spurgeon a Matthew Henry.'

'Ia, Mistyr Thomas, heb anghofio *Rheol Buchedd Sanctaidd,* Ellis Wynne ac *Yr Ymarfer o Dduwioldeb,* Rowland Vaughan. Be' ydi'ch diwinyddiaeth chi, os ca' i fod mor hy' â gofyn?'

'Holi pa lwybr ydw i'n 'i gerddad yn ddiwinyddol ydach chi?'

'Ia.'

'Canol y ffordd, mae'n debyg.'

'Biti!'

'Pam ydach chi'n deud hynny?'

'Roedd Eglwys yr Exclusive Brethren yn Kidderminster yn geidwadol ddiogel ac yn rhoi canllawiau moesol cadarn i'w haelodau. Mae o'n friw i'r llygad, Mistyr Thomas, i mi weld cyplau ifanc yn caru'n agored ar strydoedd fy hen dre annwyl i, yn wyneb haul, llygad goleuni.'

'Hwyrach bod hynny'n iachach, cofiwch, na bod y peth yn digwydd y tu ôl i ddrysau cloëdig.'

'Wel, mi fydda'r Brethren yn esgymuno am bechodau cyhoeddus. Ga' i wneud 'panad sydyn o goffi i chi, Mistyr Thomas, a mins-pei fach?'

Roedd Elisabeth Ambrose, serch ei phendantrwydd barn, yn dal yn anniddig, anghyfforddus.

'Fydda' i ddim yn byta ac yfad yn nhai'r aelodau ganol pnawn fel rheol, ond gan ma' dyma'r tro cynta' i mi alw yma mi dderbynia' i'ch cynnig caredig chi. Diolch i chi, Miss Ambrose.'

Cyn bod y Gweinidog wedi rhoi'r ordor, bron, roedd hi wedi trotian am gyfeiriad y gegin ac yn dechrau ar y coffi.

'Fydda' i ddim eiliad. Mae yna gopi o'r *Bardd Cwsc* ar y bwrdd bach o'ch blaen chi os hoffech chi gael golwg arno fo.'

'Diolch,' a gadael *Gweledigaethau* Ellis Wynne lle roeddan nhw.

Yn y distawrwydd tybiai Eilir ei fod o'n clywed sŵn llygoden yn symera yn y wardrob, oedd ar y pared gyferbyn, ond gwyddai mai dychmygu roedd o.

'Coffi du 'ta gwyn, Mistyr Thomas?'

'Hannar yn hannar, os ydi hynny'n hwylus i chi.'

Cododd sŵn tuchan o berfedd y wardrob, fel petai rhyw druan yn cael trafferth i anadlu, a dechreuodd Aneirin gyrlio'i wefus uchaf yn rhybuddiol. 'Doedd yr amgylchiadau ddim yn rhai normal, a dweud y lleiaf.

'Fyddwch chi angan llwya'd o siwgr yn ych coffi, Mistyr Thomas?'

'Dwy, os gwelwch chi'n dda.'

'Lisi!' meddai'r wardrob gan ddechrau siglo'n benfeddw. Yr eiliad nesaf roedd *Taith y Pererin* – un clawr lledr a chlasbiau aur iddo – yn araf lithro o'i phen a'r foment wedyn daeth y wardrob i lawr i'w ganlyn a sefyll ar ei thalcen. Neidiodd y Gweinidog o'i gadair a rhoddodd y *pekinese* lam tuag yn ôl, eiliad union cyn iddo gael ei ymestyn yn gi sosej, a chiliodd am y gegin i lyfu'i glwyfau.

Fel roedd Miss Ambrose yn camu o'r gegin i'r ystafell fyw, wedi clywed yr ergyd – hambwrdd o dan ei gên ac arno ddwy gwpanaid o goffi chwilboeth a dwy fins-pei – syrthiodd drws y wardrob yn agored a chododd John Wyn ar ei eistedd, fel un atgyfodedig mewn arch, â sgert wlân ar draws ei war.

'Pnawn braf, Mistyr Thomas,' meddai'n siriol, fel petai bod mewn wardrob ganol pnawn yn hobi wythnosol ganddo ac yn ddigwyddiad cwbl naturiol. 'Ydi Musus Thomas mewn iechyd?'

Roedd y Gweinidog wedi cael gormod braw i feddwl am iechyd ei wraig. 'Ydach *chi* yn iawn, John Wyn, dyna'r cwestiwn.'

''Dw i'n dda iawn, diolch i chi, ar wahân i ychydig o annwyd.'

'Arhoswch chi yn y wardrob, Jac,' meddai Miss Ambrose yn dyner, 'i sadio tipyn. Mi a' innau i'r gegin i chwilio am rwbath i'ch helpu chi i ddŵad dros y sioc. 'Stynnwch chithau at y coffi, Mistyr Thomas, tra bydda' i.'

Wedi cael cefn Miss Ambrose trodd John Wyn at ei Weinidog a sibrwd, 'Sawl gwaith 'dw i wedi gofyn i Elisabeth hongian 'i phethau ar hangars, yn deidi. Fy nhraed i aeth yn sownd mewn rhyw flwmar o'i heiddo hi ac mi gollis fy malans,' ond heb gynnig datgelu pam roedd o yn y wardrob yn y lle cyntaf.

Ymhen hir a hwyr daeth Miss Ambrose yn ei hôl â fflasg fechan o frandi yn ei llaw. 'Ddrwg gin i fod gyhyd, ffrindiau.'

Gwenodd Eilir wrth weld Ysgrifennydd Capel y Cei yn llowcio'r brandi o ddwylo Elisabeth Ambrose, fel rhyw oen llywaeth yn cael ei fagu ar botel. Petai ganddo gynffon diau y byddai'n ei siglo.

Wedi cael John Wyn o'r wardrob a'i roi i eistedd ar gadair uchel, tybiodd Eilir y byddai'n well iddo ymadael yn hytrach nag achosi rhagor o embaras i'r ddau.

''Dw i am 'i throi hi rŵan, gyfeillion. Mi alwa' i yma eto, Miss Ambrose, ar amsar llai . . . m . . . helbulus yn ych hanas chi.'

'Diolch i chi.'

'Ac os ydi popeth yn iawn hefo chi, mi ga' i'ch croesawu chi fel aelod yng Nghapal y Cei Sul cynta'r flwyddyn newydd.'

'Rydach chi'n fwy na charedig, Mistyr Thomas. Diolch i chi.'

Pan oedd Eilir yn troi i ymadael dyma John Wyn yn gwneud cais, 'Taswn i yn medru perswadio'r Blaenoriaid, ddechrau'r flwyddyn 'ma, i roi 'chydig bach mwy o bres pocad i chi, fasach chithau'n fodlon cadw stori'r wardrob o dan glust ych cap? Ofn s'gin i, Mistyr Thomas, i'r hanas fynd i'r papur newydd a fasa'r to hyna' o'r aelodau ddim yn dallt.'

Ffromodd y Gweinidog. Gallai gadw cyfrinachau heb yr abwyd o gael ei lwgrwobrwyo.

''Dydi hi ddim yn fy natur, Mistyr Wyn, i fradychu cyfrinach. A pheth arall, ma' cadw cyfrinachau yn rhan o fy ngwaith i fel gweinidog.'

Wedi cael y sicrwydd y byddai'i groen yn iach, adfeddiannodd John Wyn ei hen anian a throi i fod y cingroen arferol. 'Dyna ni 'ta, mi fydd hynny yn llawar rhatach i ni fel eglwys. Diolch i chi.'

Gan ei bod hi'n dymor ewyllys da, roedd Eilir wedi hanner meddwl rhoi help llaw i'r ddau ailgodi'r wardrob ond, wedi gwrando sylwadau John Wyn cafodd y diafol y llaw uchaf arno a phenderfynodd beidio â chynnig cymorth. Ond o roi addewid i gadw cyfrinach, yna, roedd hi'n deg iddo gael gwybod beth yn union oedd y gyfrinach y gofynnid iddo'i chadw.

'Fedrwch chi, John Wyn, ddeud wrtha' i pam roeddach chi mewn wardrob yn fflat Miss Ambrose ganol pnawn?'

Fe gymerodd hi eiliad neu ddau i'r Ysgrifennydd goinio ateb. ''Cofn bod yna bryfaid yn'i hi.'

'Wel, pam cau'r drysau o'ch ôl 'ta?'

''Cofn i'r pryfaid ddengid.'

'Fedrwch chi, Miss Ambrose, gadarnhau hynny?'

'Y cwbl fedra' i wneud, Mistyr Thomas, ydi dyfynnu o *Ganu Aneirin* – "A gwedi elwch tawelwch fu!"'

'Sut?'

'Y "Gododdin", Mistyr Thomas. Pnawn da i chi rŵan!'

'Nesa'!'

Camodd y Gweinidog i gadair y barbwr.

'*Short back an' sides*, Mistyr Thomas, fel arfar?'

'Diolch i chi.'

''Dydi hi'n fora *beautiful*.'

Yn Siswrn *Cecil's Scissors* yn Stryd Samson y byddai Gweinidog Capel y Cei a'r Capel Sinc yn torri'i wallt a hynny mor anfynych â phosibl. Ychydig o ddynion a fynychai'r parlwr hwnnw – y sentiach a'r siampŵs yn eu pellhau, mae'n debyg – ond gan fod Cecil yn flaenor cefnogol a defosiynol yng Nghapel y Cei roedd yn rhaid i Eilir ganu 'pennill mwyn i'w nain' yn y gobaith y byddai ei nain yn canu pennill iddo yntau.

Fodd bynnag, anfynych, y dyddiau hyn, y byddai Cecil ei hun yn ei barlwr. Roedd ganddo sawl busnes arall yn y dref. Y bore hwn fodd bynnag – oherwydd prysurdeb y Nadolig, mae'n debyg – roedd o'n holl-bresennol. Cerddai yn ôl a blaen gan daflu cyngor i hon a lluchio awgrym caredig i un arall.

'Hayley, cariad,' wrth un o'r lleng morynion oedd ganddo, 'cofiwch roi'r *wet look* i Miss Bersham, ma'i gwallt hi'n anarferol o sych.'

Yna, trotian i roi croeso i un arall o'i gwsmeriaid ffyddlon, 'A! Musus Lewis-Ellis. Bora da i chi. *Feminine crop, as usual*? 'Neith Rosaleen edrach ar eich ôl chi, siwgr.'

Aros ei dwrn yn gwrando ar y mân breblach oedd y baich pennaf ar ysbryd y Gweinidog ac ni bu'r bore hwn yn eithriad.

'Mistyr Thomas, chi sy' 'na?' meddai'r wraig a ddaeth i stemio wrth ei ochr gyda thywel gwyn yn dwrban gylch ei phen.

Arogl pysgod a wnaeth iddo dybio mai Doris neu Dora, 'doedd o byth yn siŵr p'run, 'Siop Glywsoch Chi Hon?' oedd yn arogldarthu wrth ei ysgwydd.

'Bora da, Doris.'

'Dora 'dw i.'

'Mae'n ddrwg gin i.'

'Yma byddwch chithau'n ca'l gneud ych gwallt?'

'Ia.'

'Lle bach drud,' sibrydodd.

'Ydi, debyg.'

'Heblaw ma' cyflogau gweinidogion a bellu wedi gwella llawar fel byddan nhw.'

'Ma' byd pawb ohonon ni wedi gwella, Dora . . . m . . . Doris.'

''Dach chi yn mynd i ga'l pyrm, Mistyr Thomas?'

'Rhy ddrud.' Ond welodd hi mo'r ergyd.

'Richard Lewis, hen w'nidog Capal y Cei, 'dach chi'n 'i gofio fo?'

'Nag ydw.'

'Hefo injian llaw y bydda' fo'n ca'l torri'i wallt.'

'Felly!'

'A 'nhad fydda'n gneud y job iddo fo. Ac mi fydda' nhad yn rhoi pennog wedi mynd yn hen iddo fo, i fynd adra, yn bresant i'w wraig.'

'Fuo 'i wraig o fyw yn hir?'

'Ar 'i ôl o, flynyddoedd. Fydda' Musus Lewis yn enjoio'r pennog. Y . . . biti am John Gwich.'

'Sut?'

'Wrth gwrs, John Wyn fyddwch chi'n ddeud tua'r capal 'na, mae'n debyg. Acw bydd o'n ca'l 'i bysgod.'

'Ydi o ddim yn dda ne' rwbath?'

'Be', 'dach chi ddim wedi clywad?'

'Nag'dw.'

'Well i mi beidio â deud dim 'ta. Pan 'dach chi mewn busnas, taw piau hi.'

'Dora Pysgod!' gwaeddodd un o'r genod.

'Well i mi fynd rŵan, i mi ga'l sychu 'ngwallt cyn cinio.' Ac wrth godi, 'Ma' John Wyn yn dal yn flaenor, 'tydi?'

'Y fo ydi Ysgrifennydd yr Eglwys.'

'Ffansi. Ma'ch gwaith chithau'n ddigon anodd. Bora da rŵan.'

'Bora da, Doris.'

'Dora! Os gwelwch chi'n dda.'

'Ma'n ddrwg gin i.'

Pan oedd 'Glywsoch Chi Hon?' yn ymadael daeth Daisy, gweddw'r diweddar Derlwyn Hughes, heibio, ar ei ffordd allan, yn baent, yn bowdr ac yn berlau i gyd.

'Bora da, Mistyr Thomas. Pwy fyth fasa'n meddwl ych gweld chi yn fa'ma ynghanol yr holl ferchaid 'ma?'

'Ceinwen yn deud bod 'y ngwallt i'n flêr ac yn mynnu 'mod i'n ca'l 'i dorri o cyn y Dolig.'

'Ma'ch gwallt chi, Mistyr Thomas bach, yn ddigon o sioe bob amsar.' Tynnodd fymryn o hances ffansi o'i bag llaw a chwythu'i thrwyn yn boléit, 'Blwyddyn i rŵan y buo Der farw.'

'Oes yna flwyddyn wedi treiglo?'

'Dyna pam rydw i'n dal mewn mowrning. Heblaw, mi ga' i wisgo rwbath bach 'sgafnach at ddechrau'r flwyddyn. Fasa' marŵn yn gweddu i mi, Mistyr Thomas?'

'Fasa' i'r dim i chi,' yn gwbl ddiddiddordeb ac yn gwybod y lleiaf peth am natur lliwiau.

Plygodd Daisy ymlaen a mygu'r Gweinidog yn ei mynwes. 'Dydi hi'n drueni am John Wyn, Mistyr Thomas, yn 'i oed o?'

'Ydi, mae'n debyg.'

'Fedar o ddal y straen, dyna sy' ar fy meddwl i.'

Am foment tybiodd Eilir fod John Wyn, fel y Cynghorydd Derlwyn Hughes o'i flaen, wedi cyfarfod â'i ddiwedd yn llofft y Lingerie Womenswear ac ym mreichiau cryfion Dwynwen Lightfoot ond go brin fod mellten yn medru taro yr un fan ddwywaith.

'Er nag ydw i ddim yn hollol siŵr pa brofedigaeth sy' wedi dod i'w ran o chwaith.'

'O! 'Dach chi ddim wedi clywad yr hanas?'

'Ddim yn llawn.'

'Wel, mi ddeuda' i wrthach chi. Fel y gwyddoch chi . . .'

'Nesa'!'

'Y chi ydi'r nesa', Mistyr Thomas. Ylwch, mi'ch gwela' i chi eto, i chi ga'l rhagor o'r hanas.'

'Mistyr Thomas, siwgr, y tro yma 'dw i am roi *zigzag parting* i chi.'

'Am roi be' i mi?'

'Ma'ch gwallt chi, cariad, fel 'tasa rhywun wedi'i agor o hefo rhaw – un llinell wen, hir, syth, o'r talcian i'r corun – *most* hen ffasiwn. Wedi i mi roi'r *ruffle look* i chi, mi fyddwch fel hogyn ysgol unwaith eto.'

'Iawn, Cecil, cyn bellad ag y bydd gin gynulleidfa'r Sul fwy o ddiddordab yn yr hyn fydd gin i i' ddeud nag mewn rhythu ar 'y mhen i.'

'Mistyr Thomas bach, fasach chi'n pregethu fel angal, hyd yn oed 'tasach chi mewn wig. Gyda llaw, 'dach chi 'rioed wedi meddwl am beth felly? Mi fedra' i werthu . . .'

'Ddim diolch yn fawr i chi, Cecil.'

'Jasmine, cariad,' gwaeddodd ar un arall o'i harîm, 'pasia'r *detangler* i mi, ma' gwallt 'y ngweinidog annwyl i fel nyth cigfran . . . Thenciw.'

Wedi rhai eiliadau o dorri gwallt celfydd, brysiog, a Cecil yn hel clecs i gyfeiliant ei siswrn, penderfynodd Eilir fynd i lygad y ffynnon i gael yr holl wir am y drasiedi a ddaeth i ran Ysgrifennydd Capel y Cei: os am wybod ymhle yn y Beibl i gael hyd i adnod arbennig troi i Fynegair *Cruden's;* os am wybod y sgandal olaf i daro Porth yr Aur, yna, troi i Siswrn *Cecil's Scissors*.

Penderfynodd godi'r peth yn gynnil ac ar ddiarth. 'Ydach chi wedi gweld Mistyr John Wyn yn ddiweddar?'

Peidiodd clipiadau'r siswrn yn y fan. 'Ac ma'r hanas wedi'ch cyrraedd chi.'

'Hanas, Cecil? Pa hanas?'

''Dach chi ddim wedi clywad, Mistyr Thomas?'

'Clywad be'?'

''Well i mi beidio â deud dim 'ta. *Mum's the word*, fel ma'r Beibl yn deud.'

'Beibl?'

Plygodd Cecil ymlaen dros ysgwydd y Gweinidog a sibrwd yn ei glust, 'Ond mi rydw i *yn* gwbod stori'r wardrob.'

'O?'

'Y fi aeth i fyny i'r fflat at Miss Ambrose i' chodi hi. Dyna chi satan drom, Mistyr Thomas.'

'Miss Ambrose?' yn ddiniweidrwydd i gyd, am unwaith. Cymerodd Cecil ei wynt ato i ddangos ei ddiflastod gyda thwpdra'r Gweinidog. 'Y wardrob*, if you please. Solid oak,* Mistyr Thomas – fel Miss Ambrose 'i hun o ran hynny. Mymryn bach o *gel* ar y gwallt, cariad, ac mi fydd y driniaeth drosodd. Ac mi fyddwch yn edrach mor ifanc fel na fydd neb yn eich nabod chi,' a rhwbio pen y Gweinidog yn y modd mwyaf cynddeiriog posibl.

Wedi cribo'r gwallt, lawer gwaith trosodd, tynnodd Cecil y brat oddi am wddf Eilir ac yna brwsio ymaith y manflew oedd yn mynnu dianc rhwng ei grys a'i groen o.

'Degpunt, os gwelwch chi'n dda.'

'Degpunt! Ond fydda' i ddim yn talu . . .'

Â llaw feinwen arweiniwyd llygaid y Gweinidog at y deg gorchymyn a hoeliwyd ar y pared gyferbyn, a'r ysgrifen mewn coch trwm. 'Ma' newid y steil, yn anffodus, siwgr, yn golygu dyblu'r pris. Ac mi fasa'r damej yn ddeuddag, oni bai 'i bod hi'n Ddolig.'

Tynnodd Eilir bapur degpunt o'i law a'i roi yn llaw y torrwr gwalltiau. 'Gewch chi gadw'r newid.'

Daliwyd Cecil, am foment. 'Newid, cariad?' Yna, gwelodd gyfeiriad yr ergyd, ''Dach chi'n rêl rôg bach, Mistyr Thomas, yn tynnu 'nghoes i, o hyd ac o hyd,' a dal llaw y Gweinidog rhwng ei ddwylo am amser hir ac yn anghyfforddus o dynn. 'Cariad, 'dach chi ddim yr un un. *Not the same one.*'

Penderfynodd Eilir roi un cynnig arall ar gael gwybod y gwir. 'Roeddach chi'n cyfeirio gynnau at Mistyr Wyn. Wel, be' yn union . . .?' ond roedd Cecil wedi dawnsio i ben arall ei barlwr erbyn hynny ac yn hel dail gydag un arall o'i gwsmeriaid gwerthfawr, 'Y *Bardotesque look* fasa'n eich siwtio chi, Lobelia, cariad. 'Dydi hi'n fora *beautiful*.'

Gwir y gair, 'doedd Gweinidog Capel y Cei ddim yr un un. Wedi iddo fynd allan i'r stryd fe'i pasiwyd gan ei wraig ei hun heb iddi'i adnabod o. Roedd hi o dan yr argraff iddi weld ei ddwbl – y boi amheus hwnnw o ardal y cei a ddeuai heibio'n fisol i lanhau ffenestri'r Mans ac a dueddai i fynd yn ffres hefo hi.

'Ceinwen!'

'Ia?' yn reit siarp.

'S'mai?'

'Ma'r ffenestri yn iawn fel ma' nhw, diolch i chi.'

'Y fi ydw i.'

'Y?'

'Eilir. Fi sy' 'ma.'

'Bobol!'

Y nos Iau ganlynol Ceinwen a enillodd y ras at y twll llythyrau. Roedd rhifyn y Nadolig o'r *Porth yr Aur Advertiser* wedi cyrraedd. Clywodd y ddau'r celwyddgi yn disgyn yn ysgafn ar lawr teils y cyntedd a dyma'r ddau'n ei gloywi hi am y drws ffrynt ond Ceinwen, fel arfer, a gafodd y blaen.

Dychwelodd y ddau i'w cadeiriau ac ailgydiodd Eilir yng nghroesair y papur dyddiol. Bu tawelwch trwm am rai munudau, Ceinwen yn darllen y papur ac Eilir yn ymgodymu â chliw rhif deg, ar draws.

'Cein, fedri di feddwl am enw canwr roc, deg llythyren?'

'Be' am "Eilir Thomas"?' gan daflu cip chwareus i gyfeiriad gwallt ei gŵr.

Gwylltiodd y Gweinidog. 'Ma' hi'n ddigon i mi fod yn gyff gwawd i'r cyhoedd, ac i blant y Capal Sinc, heb ga'l fy "nghlwyfo yn nhŷ fy ngharedigion".'

Trodd Ceinwen dudalen arall o'r papur, 'Eil! Yli be' sy'n fa'ma.'

'Fedra' i ddim yn hawdd weld be' sy'n fan'na a finnau heb y papur.'

'"Digwyddiad Annisgwyl" ydi'r pennawd. "Ar drothwy'r Nadolig" . . .'

'Cein, mi fedra' i ddarllan fy hun.'

'Un sâl am wrando wyt ti, 'te,' ac ailddechrau arni '. . . "yng Nghapel y Brodyr Efengylaidd Cyfyngedig, Kidderminster unwyd mewn glân briodas" . . .'

'Be'?' a gollwng y croesair fel taten boeth.

'Ro'n i'n meddwl nad oeddat ti ddim am i mi ddarllan i ti.'

'Mae yna eithriadau.'

' . . . "unwyd mewn glân briodas, Miss Elisabeth Ambrose, gynt o'r dref honno, a Mistyr John H. Wyn, Sŵn y Storm, Porth yr Aur" . . .'

'Yr hen gena' iddo fo.'

'Ma' gin pawb hawl i briodi, Eil.'

'Darllan y gweddill.'

'. . . "Gwisgai Miss Ambrose gostiwm glas tywyll o wlân Cymreig a Mistyr Wyn gôt gynffon fain a het i gydweddu. Y gwas oedd Mistyr Huw Ambrose, brawd y briodferch, deintydd lleol, a'r forwyn oedd Miss Ann Wyn, chwaer y priodfab.'

'Wel, ar f'enaid i!'

'". . . Fe'i rhoddwyd ymaith gan Mistyr Cecil Humphreys, perchennog y Siswrn *Cecil's Scissors*, cyfaill agos i'r ddeuddyn hapus ac i nifer o drigolion Porth yr Aur" . . .'

'Y sinach iddo fo.'

'Be'?'

''Dydi'r dwl-al ddim yn gyfaill i mi.'

''Dydi'r papur 'ma ddim yn deud hynny a 'sdim isio mynd i sterics, nagoes?'

'Ddim yn yngan gair wrtha' i.'

'. . . "Treuliodd Miss Elisabeth Ambrose chwarter canrif yn brifathrawes Ysgol y Santes Siarlot, ysgol breifat i ferched, ar gyrion Kidderminster. Arwyddair yr ysgol honno yw – 'Eich pechodau a wneir yn hysbys'".'

'Biti na fasan nhw wedi clywad am y sgerbwd yn y cwpwrdd cyn bathu'r arwyddair.'

'. . . "Treulir y mis mêl yn crwydro Deheudir yr Alban, ardal y Gododdin gynt, a deellir eu bod wedi mynd ag Aneirin, ci Musus Wyn (fel y dymuna hi gael ei hadnabod o hyn ymlaen) yno i'w canlyn".'

'Gobeithio na ddaw 'na yr un wardrob i lawr ar gefn y peth bach.'

'Ma' isio maddau, Eilir Thomas. Ac ma' hi'n dymor ewyllys da.'

''Tasa'r Efengylwyr Cyfyngedig yn Kidderminster ddim ond yn gwbod am saga'r wardrob.'

Taflodd y papur newydd i'w gyfeiriad, 'Yli, darllan y peth ac mi a' i i 'neud panad o goffi i ti.'

'Fydd yn help i mi ddŵad dros y sioc.'

Cododd Ceinwen a chychwyn cerdded am y drws, 'Fel'na baswn innau'n lecio priodi'r tro nesa'.'

'Be', yn Kidderminster?'

'Yn gyfrinachol.'

'Hefo pwy?'

'Matar i mi ydi hynny.'

'Hefo'r boi llnau ffenestri hwnnw?'

'Gan dy fod ti'n mynnu gwbod, ia.'

'O! Pam hwnnw?'

'Well gin i steil 'i wallt o, yn un peth.'

'Cein!' gwaeddodd, pan oedd hi *yn* gadael yr ystafell.

'Ia?'

'Ga' i gitâr yn bresant Dolig?'

Shamus O'Flaherty Mulligan

Yn 1948 yr ymfudodd rhieni Shamus – yr hen 'Fwligan' a'i briod, Brannagh – o Iwerddon i Borth yr Aur, yn dinceriaid.

Eu harfer, ar y dechrau, oedd mynd o ddrws i ddrws i roi min ar gyllyll, gwerthu pegiau, trwsio sosbenni ac ailweirio ambell ambarél. Yna, cysgu allan yn sodlau'r cloddiau o dan shiten o darpwlin – a'u plant i'w canlyn. Ymhen amser, prynwyd trol a mul, a phabell symudol, a chrwydro'r fro i brynu hen haearn i'w ailwerthu.

Bellach, mae 'Shamus O'Flaherty Mulligan a'i Feibion' yn gwmni tarmacio anferth a'r lorïau melynion i'w gweld ar hyd a lled gogledd Cymru. Yn ogystal, gweithreda Shamus fel cyfanwerthwr i'r McLaverty Enterprises, Connemara. Profodd rhai o'r eitemau

a brynwyd gan y Capel yn oreffeithiol; y *Skidshine Floor Sealer* yn ddigon i yrru un o'r Blaenoriaid, Meri Morris, allan drwy ddrws y festri ar ei thin; wedi defnyddio'r farnish seti bu'n rhaid i'r gynulleidfa, y bore Sul canlynol, ganu ar ei heistedd.

Cymraeg ydi iaith gyntaf Shamus a'i deulu. Ond oherwydd colli cymaint o ysgol ni lwyddodd i feistroli'r treigladau na chenedl enwau – mwy na'i ddisgynyddion.

Perthynas 'weithiau cariad, weithiau cas' sydd rhyngddo a'i Offeiriad. Gyda'r blynyddoedd, ymsefydlodd y llwyth mewn gwladfa o garafanau lliwgar uwchben yr Harbwr – heb ganiatâd cynllunio, mae'n wir.

Erbyn hyn mae'r Mulliganiaid yn rhan o hanes datblygiad Porth yr Aur a 'mulliganiaeth' yn fath o isddiwylliant a berthyn i'r dref.

Shamus Mulligan a'r Parot
Harri Parri

'Brady, 'mlodyn i!' iapiodd Cecil, yn ferchetaidd, '*All-day Breakfast* i Mistyr Thomas, fy Ngweinidog i. Mae 'nghariad i'n edrach fel 'tasa fo ar starfio.'

Neidiodd y Gweinidog o'i gadair, nes roedd y bwrdd bambŵ a oedd o'i flaen yn dawnsio'n benfeddw. 'Gwrandwch, Cecil, fedra' i ddim wynebu brecwast arall 'tasach chi'n talu i mi. Newydd godi oddi wrth y bwrdd ro'n i, cyn i mi gychwyn allan. Diolch i chi yr un fath.'

'A be' gaethoch chi i frecwast? *If I may ask*?'

'Tost . . . a marmalêd.'

''Fedrwch 'neud hefo brecwast arall, siwgr. *You are as thin as a dip-stick*. Sgiws y gymhariaeth.' Trodd at y ferch lygatddu a safai yno'n disgwyl cyfarwyddyd pellach. '*One American Brunch* i Mistyr Thomas. A g'newch o'n un mawr, *sweety*.'

'Ond, Cecil!' protestiodd y Gweinidog.

'O ia, a phot mawr o goffi i fynd hefo fo. Thenciw, Brady.'

Disgynnodd Eilir yn ôl i'r gadair wellt, fel troseddwr wedi'i dynghedu i benyd.

'Rhaid i chi f'yta, cariad,' rhybuddiodd Cecil gan roi

llaw fodrwyog dros law y Gweinidog, 'i chi gael mynd yn hogyn mawr.'

Ciciodd Eilir ei hun am iddo fflio i mewn i we pry cop â'i ddau lygad yn llydan agored. Ei unig fwriad y bore Llun hwnnw, wrth gerdded i'r dre, oedd galw yn y Post am stampiau a'i phlannu hi am adref wedyn cyn gynted â phosibl. Ond pwy oedd yn sefyll yn nrws y Tebot Pinc, yn ei ffedog – a honno'n debotiau bach pinc i gyd – ond Cecil Humphreys, yn croesawu cwsmeriaid i'r parlwr coffi roedd o newydd ei agor.

Wedi gorfodi'r Gweinidog i aileistedd, plygodd Cecil ymlaen, yn sent i gyd. Newidiodd y pwnc a dechrau hel sgandal, 'Oeddach chi'n nabod honna, Mistyr Thomas?' a thaflu'i ben i gyfeiriad cegin y tŷ coffi.

'Pwy, Brady?'

'M!'

'Wel, nid un o genod Shamus Mulligan ydi hi? Chwaer Nuala.'

''Dach chi wedi taro'r hoelan *right on the head*. Sôn am un dda am weithio, Mistyr Thomas. Fath â wiwar bach.'

'Fe alla' i ddychmygu hynny. 'Does yna'r un asgwrn diog yn perthyn i'w thad hi chwaith. Arall, am wn i, ydi gwendidau hwnnw,' gan gofio fel roedd dreif Capel y Cei – a darmaciwyd gan y Mulliganiaid – yn dyllau cegrwth cyn i'r tarmac hanner oeri.

Rhoddodd Cecil law dros ei geg, a dechrau sibrwd, 'Ma' nhw'n deud i mi – ond i chi beidio â deud ma' fi sy'n deud 'te, siwgr – bod gynni hi olwg am fabi!' A gwneud siâp wy hefo'i geg i ddangos maint ei gondemniad o unrhyw fath o genhedlu.

'Digon posib,' atebodd y Gweinidog yn ddiofal.

'*So you know then*.'

'Na, na. Ond fel y gwyddoch chi, Cecil, wrth fod y Mulliganiaid yn deulu mor fawr, 'dydi clywad bod yno fabi arall ar landio yn ddim byd newydd.'

'Ma' nhw fath â *rabbits*, Mistyr Thomas bach. Un babi ar ôl y llall, *head to toe*,' a mwytho llaw ei Weinidog. ''Dwn i ddim fasach chi, cariad, pan ddaw hi'n ôl hefo'r pot coffi, yn ca'l golwg arni? *If you don't mind*.'

Bu bron i'r Gweinidog godi o'i gadair, eilwaith, ''Drychwch yma, Cecil. Fedra' i ddim gneud peth fel'na. 'Fydda'n ddigon am fy swydd i.'

'Ond *how would I know*? Heb i rywun fel chi ddeud wrtha' i. *After all*, cariad, 'dach chi wedi rhoi genedigaeth.'

'Do . . . y . . . naddo,' atebodd y Gweinidog yn ffrwcslyd, wedi cymysgu'i rywogaeth ei hun am funud.

'Wel 'dydw i ddim. *Up to now*, beth bynnag,' gan roi pwniad i'r Gweinidog yn ei ais, i awgrymu bod yr amhosibl yn bosibl mewn oes ryddfrydol fel hon.

Gyda chil ei lygaid gwelodd Cecil Brady yn dychwelyd o gyfeiriad y gegin yn cario hambwrdd trwmlwythog a pharatôdd i ffoi. 'Ma'ch brecwast chi wedi landio, siwgr. Mi a' i rŵan i chi ga'l 'i enjoio fo. Twdwlŵ, *for the time being*.'

Cododd yn sbriws a cherdded yn dynn ei lwynau amgylch-ogylch y byrddau, gan gyfarch yfwyr y boreol goffi wrth fynd heibio, '*Top of the morning to you*, Miss Ramsbottom.' (Ymfudwraig i Borth yr Aur oedd Miss Ramsbottom a Chadeirydd y Ceidwadwyr yn y cylch.) 'Bora da, Musus Derlwyn Hughes. 'Dydi hi'n fora *beautiful*?' Yna, diflannodd drwy'r bwlch a wahanai'r siop drin gwallt – y Siswrn *Cecil's Scissors* – oddi wrth y tŷ coffi ond gan ddal i fod yn glywadwy i bawb. 'Cofiwch iwsio'r *detangler*, Jasmine! A! Miss Bersham *dear*, ma'r *wet look* yn gweddu i chi i'r dim!'

'Rhyfedd ac ofnadwy' y gwnaed Cecil. Wyddai neb yn iawn pa gorwynt annisgwyl a'i chwythodd i Borth yr Aur, chwarter canrif ynghynt, yn dorrwr gwalltiau merched. Ar ryw olwg, roedd o fel y brenin Melchisedec gynt 'heb dad, heb fam, heb achau'. O ran oed, gallasai fod yn ddeg ar hugain diweddar neu'n drigain cynnar, a 'doedd neb yn hollol siŵr a oedd y gwallt lliw sinsir yn un naturiol neu'n un a ddeuai allan o botel. Ond roedd o'n ŵr busnes tra llwyddiannus: yn berchennog fflatiau chwaethus ym Mhen 'Rallt, uwchben yr Harbwr – yn ogystal â'r ddau adeilad ar Stryd Samson – ac yn ôl pobl y goets fawr, y fo, a Howarth yr Ymgymerwr, oedd perchnogion cartref preswyl ar gwr y dref o'r enw Y Porfeydd Gwelltog – ond a lysenwyd gan Jac Black yn 'Glyn Cysgod Angau'.

Ond roedd yna wedd arall i'w gymeriad a dyfnderoedd na wyddai'r cyhoedd fawr ddim amdanynt. O dan y merlyn broc roedd yna enaid hynod o sensitif a gŵr tra defosiynol. 'Doedd yna ddim ymborth i neb yn y 'Tebot Pinc' ar Ddydd yr Arglwydd.

A phwy arall ym Mhorth yr Aur i gyd, ond Cecil, a fyddai wedi meddwl am agor drysau tŷ coffi am y waith gyntaf gyda chyfarfod gweddi a sgon.

''Dw i nabod chdi, Bos.' Roedd y llygaid tywyll, y croen lliw coffi-llefrith ac yn arbennig y cynhesrwydd yn y cyfarch, yn profi uwchlaw amheuaeth mai un o'r Mulliganiaid oedd hon. 'Chdi ddaru priodi Nuala, ia?'

'Elvis priododd hi,' atebodd y Gweinidog, yn hanner chwareus, 'ond y fi ddaru weinyddu'r briodas.' Ond roedd y chwarae ar eiriau'n rhy gymhleth i ferch Shamus Mulligan.

'Priodas joli, ia?'

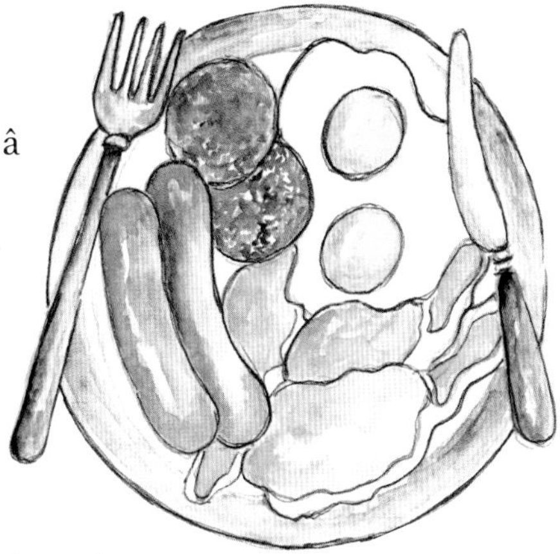

'Ia debyg,' ond heb gredu hynny.

''Ti'n cofio, Bos? O'dd pen Elvis fath â ffwtbol.'

'Fydd hi ddim yn hawdd iawn i mi anghofio'r olygfa,' atebodd Eilir ac annifyrrwch y briodas wyllt honno'n ailddechrau cerdded ei gorff.

''I frawd o, ia, 'di rhoi cythral o stid iddo fo noson stag.'

'M.'

'A Taid Plas Coch yn *sloshed* cyn dechrau byta.'

Plygodd Brady ymlaen i osod y cruglwyth brecwast o'i flaen – yn hanner mochyn a thatws wedi'u ffrio, yn gaws llyffant a ffa cochion, sosejis amryw, wy dau felynwy (a thosturiodd y Gweinidog wrth yr iâr, druan, orfu iddi ddodwy hwnnw), gwadn trwchus o fara saim ynghyd â dwy sleisen hael o bwdin gwaed.

'A 'ti'n cofio Yncl Jo McLaverty'n agor 'i geg yn lle rong? A Tad Finnigan yn rhoi cic yn 'i tin o.'

'Wel ia,' a gwenodd y Gweinidog wrth gofio fel y bu i'r hen ŵr o Ballinaboy – cyfanwerthwr y *Connemara Peat* – yrru'r briodas i gyfeiriad y creigiau cyn iddi gael ei gweinyddu, wrth lefaru cyn pryd, a'r Tad Finnigan yn bygwth purdan arno.

'Fyddi di isio sos coch, Bos?'

'Na fydda'. Diolch.'

Daliodd Eilir ei hun – yn groes i'w ewyllys – yn taflu cip i'w chyfeiriad i weld oedd yna Fulligan bach yn y popty. O gofio'i swydd ataliodd ei hun, gan fflamio Cecil am blannu'r fath chwilfrydedd afiach ynddo.

''Ti'n nabod Tad Finnigan, Mistyr Thomas?'

'Yn dda iawn. Ma' Jim a finnau wedi gneud llawar

hefo'n gilydd ac yn gyfeillion agos.'

''Na foi'n lecio'i *lush*, Bos.'

'Bosib,' a cheisio swnio fel petai syched diarhebol yr Offeiriad yn beth cwbl ddieithr iddo.

'Ond ma' Tad Finnigan yn mynd i chwythu ffiws pan clywith o am Brady,' a chyfeirio ati'i hun.

'Clywad be'?'

Eisteddodd Brady i gael rhannu cwpan ei llawenydd gyda'r Gweinidog, ''Na' i ddeud wrtha' ti, Mistyr Thomas, wrth bod chi'n prygethwr, ac wrth ma' chdi ddaru crisno hogyn bach Nuala.' Edrychodd o'i chwmpas i weld bod y cost yn glir, ''Gin i golwg am fabi, Bos!'

'Wel... m... llongyfarchiadau,' mwmiodd y Gweinidog, bron tagu ar lond ceg o gig moch digon gwydn.

'*Miscue* 'sti, Bos.'

'O!' Bu rhai eiliadau o dawelwch digon annifyr cyn i'r Gweinidog wneud sylw annoeth ryfeddol, 'Go brin 'mod i yn gwbod pwy ydi'r tad.'

'Na finna'.'

'Y?'

'Dyna'r broblam. Ond ma'r nymbyr i lawr i pump rŵan,' ychwanegodd yn siriol fel un ar gyrraedd glan. 'Ond cadw fo'n *hush-hush*, Mistyr Thomas, os gnei di. 'Cofn i Tad Finnigan clywad, a ca'l llwyth o cathod bach.'

'Ddeuda' i yr un gair wrth neb.'

Plygodd Brady ymlaen i wynt y Gweinidog, unwaith yn rhagor, a hanner sibrwd, 'Ga' i ofyn *favour* i ti, Mistyr Thomas?'

'Wel, os medra' i fod o gymorth.'

'Os ma' boi o capal chdi s'di saethu, 'nei di crisno? Fath â hefo Nuala?'

'Wel . . . y,' ac edifarhaodd y Gweinidog am iddo roi

addewid dyn meddw iddi, 'Aros, a gweld, dyna fydda' orau, Brady.'

'*OK*, Bos. 'Na' i 'neud y sym i ddechrau. Ond *ten to one*, boi o capal chdi ydi o.'

'Pam ydach chi'n meddwl hynny?'

'Dim ond un o'r pump sy'n *Catholic*.'

Cododd Brady gan gydio yn yr hambwrdd a chychwyn ymaith. Trodd yn ei hôl, a gweiddi, 'Os byddi di isio *second-helping* o rwbath, Bos, dim ond rhoi showt, ia?'

'Ma' gin i fwy na digon ar 'y mhlât am heddiw – ac am fory hefyd, mae'n debyg. Diolch i chi yr un fath.'

Un rheswm am lwyddiant y Mulliganiaid oedd craffter yr hen Patrick Joseph, taid Shamus, yn sylweddoli y byddai crap ar yr iaith frodorol yn help i werthu'r pegiau ac aeth ati i bupro'i siarad ag ambell air benthyg. Cafodd Shamus, a'i amryw frodyr a chwiorydd, chwarter o ysgol ond, yn anffodus, fu'r un ohonynt yno yn ddigon hir i feistroli'r treigladau. Roedd Cymraeg Brady, fodd bynnag, yn llawer gwell nag un ei mam a'i thad.

Rheswm arall am eu llwyddiant oedd cynnydd cyson yn y gweithlu – a hynny hyd y drydedd a'r bedwaredd genhedlaeth. Roedd hi'n amlwg, bellach, fod Brady, druan, yn ddarn o'r un brethyn ac am barhau'r traddodiad.

Edrychodd Eilir eilwaith ar y plât a oedd yn fwy na llawn o bob rhyw sgrwdj, a hithau fawr mwy na deg o'r gloch y bore, a chofiodd am adnod o'r Testament Newydd: 'Cyfod, Pedr, lladd a bwyta'. Penderfynodd y byddai'n anodd iawn iddo bregethu ar yr adnod honno o hyn ymlaen.

Cododd ei ben, i ddal Musus Derlwyn Hughes, ac eraill o'r yfwyr coffi, yn edrych i'w gyfeiriad a'u llygaid yn ei gondemnio. Dychmygodd eu sgwrs.

''Fasach yn meddwl y bydda' dyn fel'na yn byta'i frecwast gartra.'

'Yn hollol. Be' nesa'?'

'Ond ma' rhaid i ni gofio bod 'i wraig o, druan, yn gorfod mynd allan i weithio.'

''Drychwch faint sy' gynno fo ar 'i blât? Digon i fwydo teulu cyfa' pan o'n i'n ca'l 'y magu.'

'A'r holl newyn sy'n y byd.'

'A'r holl blant bach sy'n starfio.'

'A 'dydi brecwast fel'na ddim i' ga'l am ddim, yn siŵr i chi.'

'Am ddim ddeutsoch chi? Mi fydd raid iddo fo dalu drwy'i drwyn am hwn'na.'

'Dyna fo, ma' nhw yn deud i mi fod cyflogau gweinidogion wedi codi cryn dipyn.'

'A phwy sy'n talu'i gyflog o?'

'Y ni, siŵr iawn.'

'Mewn ffordd, ni sy'n talu am 'i frecwast o.'

Wedi clirio'r rhan fwyaf o'r angenfilod a oedd ar ei blât, cododd y Gweinidog a hwylio i ymadael. Dyna'r foment y daeth Cecil yn ei ôl drwy'r bwlch rhwng ei ddwy ffarm a'i orfodi i eistedd unwaith eto. Roedd o'n ddyn gwahanol y tro hwn.

'Mistyr Thomas, cariad, ydach chi wedi yfad ych coffi i gyd?'

'Naddo. Ma' 'na hannar llond pot ar ôl.'

'Cym'wch lond cwpan arall, cariad. A rhowch ddigon o siwgr yn'o fo, i chi fedru dal y sioc.'

Wedi i'r Gweinidog ufuddhau, cydiodd Cecil yn ei law, a sibrwd, 'Mi 'dw i isio i chi fod yn hogyn mawr rŵan, a pheidio â styrbio'ch hun.'

'Mi 'na i 'ngorau,' a thynnu'i law o ddwylo Cecil. 'Be'n union sy' wedi digwydd?'

'Wel, mi rydach chi'n cofio Mistyr Howarth, 'ngwas i, yn deud nad oedd Miss Camelia Peters, 'i chwaer yng nghyfraith o, *not at all well*?'

'Ma' hi wedi marw, felly,' ebe'r Gweinidog, yn neidio'r gwn.

'*How did you know*?' atebodd Cecil yn siomedig, yn teimlo bod y Gweinidog wedi lladd ei ddrama cyn iddo gael ei pherfformio. 'Dim ond newydd gyrraedd y *Cutting Parlour* ma'r newydd.'

'Wel, 'dydw i ddim wedi bod yn weinidog am yr holl flynyddoedd heb fedru gweld newydd drwg yn dŵad o bell – yn anffodus. Ac mi roedd Mistyr Howarth wedi awgrymu i mi nad oedd yr hen dlawd ddim hannar da.'

'Mi ydach chi'n *paranormal*, Mistyr Thomas bach,' a chydio eto yn llaw ei Weinidog. '*You give me the creeps, dear.*'

Am ychydig, bu'r ddau yn hel atgofion am Camelia a'r teulu'n gyffredinol. Ar wahân i'w henwau, roedd Anemone, gwraig Howarth, a Camelia mor wahanol i'w gilydd â sofren a swllt. Pladres o ddynes gorffol oedd Anemone – yr un hyd a'r un led, bron – ond yn gwisgo'n anghynnes o ifanc; weiren denau oedd Camelia – yn wargrwm fel bachyn – gyda dillad oes o'r blaen yn hongian ar ei hysgwyddau. Addolwraig achlysurol iawn oedd Anemone Howarth ond yn 'llond pob lle' pan fyddai'n bresennol; roedd, Camelia, ar y llaw arall, yn rhan o ddodrefn Capel y Cei. Eto, fel y profodd y Gweinidog sawl tro, ychydig a fyddai wedi sylwi ei bod hi yno. Roedd Anemone, mae'n debyg, yn gwledda'n fras bob dydd a Camelia, druan, yn bwyta gwellt ei gwely ac unrhyw beth arall a oedd wrth law. Ychydig o Gymraeg oedd rhwng y ddwy chwaer ond eu bod wedi hanner llwyddo i gadw wyneb yn llygad y cyhoedd. Achos y pellter, yn ôl rhai a ddylai wybod, oedd fod yr hen Forris Peters, yn ei ewyllys, wedi gadael pob mul i Camelia a'r un i Anemone.

Roedd y ddwy hyd yn oed yn drewi'n wahanol, yn ôl Cecil, 'Anemone, Mistyr Thomas, yn *pure Chanel*. Ond Camelia, *poor dear*, yn drewi o oglau *camphor* a hen ddillad.'

'Ond roedd hi'n wraig grefyddol iawn,' ychwanegodd Eilir yn ceisio achub cam un o'i gefnogwyr selocaf. 'Yn fwy felly na'i chwaer, fyddwn i'n tybio. 'Dach chi'n cofio'r parot hwnnw?'

'Sut medra' i anghofio fo, siwgr?' atebodd Cecil.

'Roedd o'n gwbod llawar iawn o emynau.'

''*Telling me, dear*? Mi es i yno i dorri gwinadd 'i thraed hi i'r *Social Services*. 'Doedd hi ddim yn trystio Howarth hefo siswrn. A fu jyst i'r parot hwnnw gychwyn diwygiad. Dim ond *hymns* ges i gynno fo am dros awr.'

'Mi clyw'is innau fo'n adrodd pwt o sawl emyn.'

Yn sydyn, gwibiodd meddwl Cecil i gyfeiriad cwbl wahanol. Rhwbiodd ei ddwylo modrwyog, gwyn, yn frwdfrydig, '*Boiler* newydd i'r Capel rŵan, Mistyr Thomas, siwgr.'

'Sut?'

'Ac mi gawn beintio'r festri a . . .'

Cododd y Gweinidog ei law a'i atal ar hanner brawddeg. 'Ylwch yma, Cecil. Fedrwn ni ddim trafod pethau fel'na a Miss Peters ddim ond newydd farw, heb oeri wir. 'Dydi peth fel'na ddim yn weddus.'

'Wel, ych lles chi, cariad, o'dd gin i mewn golwg,' brathodd Cecil, yn anifail wedi'i glwyfo '*Your well-being, dear. Not mine.*'

'Wn i hynny. Diolch i chi am feddwl fel'na.'

Erbyn hyn, roedd yna arwyddion fod yr anifail clwyfedig wedi cael digon ac yn awyddus i symud at rywun arall. 'Peidiwch â 'ngadael i'ch cadw chi, Mistyr Thomas. Wn i fod gynnoch chi waith y dylach chi 'neud. *Strike when the iron's hot, as they say.*'

Er y gwyddai'r Gweinidog mai Cecil a'i consgriptiodd i fwyta'r brecwast Americanaidd, teimlai, serch hynny, ei bod hi'n gwrteisi ar ei ran i gynnig talu amdano. 'Faint sy' arna' i i chi, Cecil, am y brecwast mawr yma?'

Cododd Cecil ei ddwylo i'r awyr o glywed am y fath beth, ''Sdim isio i chi feddwl am dalu, cariad. *Not on your nelly*. Er bod *brunch* mawr fel'na yn *five fifty* 'te.'

'Wel, diolch yn fawr i chi. Mi fwynheais i o'n fawr, er nad o'n i mo'i angen o mewn gwirionedd.'

Wrth gamu drwy'r drws, trodd y Gweinidog yn ei ôl a dweud yn ffôl, 'Mi rydw i'n teimlo'n reit euog, cofiwch. Dyma'r tro cynta' 'rioed i mi adal tŷ byta heb dalu.'

'*Cheer up*, Mistyr Thomas bach,' sibrydodd Cecil, a gwasgu'i fraich, 'os na fel'na 'dach chi'n teimlo, mi dynna' i'r bil o'ch costau chi, ddiwadd mis. Twdlŵ rŵan,' a diflannu.

'Ond, Cecil . . .'

Yn anffodus i Eilir, roedd o wedi dawnsio'i ffordd am y siop trin gwallt, ymhell o glyw – rhag ofn bod Jasmine wedi 'anghofio'r *detangler*'.

Howarth a ddaeth â'r newydd drwg i'r Gweinidog rhwng dwy garreg fedd ym mynwent y dref.

'Mistyr Thomas,' sibrydodd Howarth, wedi iddo lwyddo i symud y galarwyr o ymyl y bedd a'u perswadio y byddent yn llawer cynhesach yn eu ceir, 'fe hoffwn i ga'l gair bach hefo chi, yn gyfrinachol fel petai.'

Math o 'angladd wyrcws' a gafodd Camelia Peters, druan. Roedd popeth, rhywfodd, mor dlawd yr olwg. Ni allai Eilir lai na sylwi mor gyffredin oedd yr arch a ddewisodd Howarth ar ei chyfer – yn ffawydd plaen, heb ei gaboli. Angladd hollol breifat a gafwyd hefyd, yn ôl ei dymuniad – y teulu agosaf yn unig, a John James, ei chyfreithiwr. Ceisiodd y Gweinidog dalu teyrnged fer iddi am ei ffyddlondeb i'r Capel – yr eglwys lle y'i maged – a chydymdeimlo ag Anemone, ei hunig chwaer, yn ei cholled. Yr unig ormodedd yr aeth Howarth ar ei gyfyl oedd prynu un rhosyn coch i'w wraig, iddi ei daflu i'r bedd unwaith y byddai'r gwasanaeth drosodd.

Anemone Howarth oedd yr olaf i adael. Gyda chryn seremoni cydiodd yn y rhosyn coch a'i luchio'n ysgafn ar gaead yr arch, cyn beichio wylo a syrthio i freichiau amharod Jac Black.

'Dowch tu ôl i'r golofn yma, Mistyr Thomas,' ac arwain y Gweinidog i gyfeiriad y garreg farmor uchel a godwyd i gofio hen deulu mawreddog Gogerddan. 'Ma' hon yn un go lydan ac yn saff fel banc. Lle drwg ydi mynwant am gychwyn sgandal.'

'Be' sy' ar ych meddwl chi, Mistyr Howarth?'

''Dydach chi ddim wedi prynu boelar i'r capal eto, gobeithio.'

'Naddo, a ddim yn bwriadu gneud hynny heb ymgynghori ymhellach â chi, y Blaenoriaid.'

'Diolch am hynny,' a chododd yr Ymgymerwr ei het gladdu drom, a chyda hances wen ac iddi ymylon du sychodd y chwys a oedd yn berlau ar ei dalcen – serch ei bod hi'n fore niwlog, oer. 'Gyda llaw, diolch i chi am arwain angladd fy niweddar chwaer yng nghyfraith â'r gweddustra arferol. Mi fydd yn chwith ryfeddol i Musus Howarth a minnau ar 'i hôl hi,' a chynilo'r gwirionedd nes ei fod o'n ddim. 'Ond ma' gin i ofn ma' cludo newyddion drwg rydw i.'

'O?'

'Mi ddigwyddis i daro ar Hopkins y Banc neithiwr,' ac fe dybiai Eilir, hyd at sicrwydd, mai tu ôl i ddrysau cloëdig y lodj y bu hynny, 'ac er mawr sioc i mi, mi ddeudodd bod fy chwaer yng nghyfraith mor dlawd â ll'godan eglwys. Wel, yn dlotach a deud y gwir.'

''Chithau 'di deud, wrth bawb ohonon ni, 'i bod hi uwchben 'i digon. Digon o arian, medda' chi, i brynu sawl boelar ac arian dros ben wedyn.'

'Y teulu agosa', Mistyr Thomas bach, ydi'r ola' i ga'l gwbod,' ac anadlu'n ddwfn wrth geisio adfer y ddaear oedd yn chwalu o dan ei draed. 'Y banc biau'r tŷ ac i Hopkins y bydda' hi'n talu rhent. A deud y gwir, y cwbl a adawodd hi ar 'i hôl i'r capal oedd dylad.'

'Dylad ddeutsoch chi?'

'Ei dymuniad ola' hi, mae'n debyg, oedd i'r eglwys dalu'r costau claddu drosti.'

'Ma' hynny yn mynd dipyn yn hafing, ydi o ddim?'

'Ddylan ni ddim siarad yn sarhaus am y marw, Mistyr Thomas,' ebe Howarth yn ddwys, yn teimlo'i fod yn ennill daear unwaith yn rhagor, 'dim ond parchu'u dymuniadau nhw.'

'Deudwch chi.'

'Mi welwch pam, felly, na fedra' i ddim talu i chi am y c'nebrwng.'

'Talu, ddeutsoch chi?'

'Ne' mi fasach, mewn ffordd o siarad, yn talu i chi'ch hun.'

Roedd rhesymeg yr Ymgymerwr yn d'wllwch dudew i'r Gweinidog. 'Ond, Mistyr Howarth, fydda' i byth yn derbyn dim am gladdu aelodau, fel y gwyddoch chi.'

'Dim ond deud, Mistyr Thomas annwyl, 'cofn bo' chi wedi digwydd newid ych meddwl yn y cyfamsar.'

Cafodd y Gweinidog ei demtio gan ddiafol, 'Mi gofiodd amdanoch chi a Musus Howarth, debyg? Y teulu agosa'.'

'Ni gafodd y dodran.'

'Ma' hynny'n gysur mawr i chi. Mi fydd gin Musus Howarth a chithau rwbath i gofio am Miss Peters.'

'Peidiwch â cha'l ych twyllo, frawd. 'Dw i newydd ofyn i'r Mulligan hwnnw'u troi nhw'n goed tân, i mi ga'l rwbath am betrol yr hers. Fûm i yno ddwywaith, yn 'i mesur hi.'

Gyda chil ei lygad gwelodd Howarth Jac Black mewn deufor gyfarfod, 'fel gŵr ar ddyfroedd hunlle'n methu cyrraedd glan'. Roedd o wedi llwyddo i agor drws y Mercedes ag un llaw, ond roedd Musus Howarth, a oedd o dan ei fraich arall, wedi troi drwy'i gesail nes ei bod hi bellach â'i thin at y drws roedd Jac yn ceisio'i ddal yn agored. 'Well i mi roi hand i Jac hefo Musus Howarth, wrth 'mod i wedi arfar gafa'l amdani. Pan oeddan ni'n fengach.'

Wedi cychwyn ymaith trodd Howarth yn ei ôl, 'O ia, rhag ofn i mi anghofio deud, ma' ein diweddar chwaer wedi gadal yr hyn oedd ganddi i' adal i chi a Musus Thomas. Diolch am hynny.'

'Be'?'

'Gwerth ychydig gannoedd, os nad mwy. Mi ddaw

James, y Twrna', i gysylltiad â chi, mae'n debyg, y dyddiau nesa' 'ma.'

'Be', wedi gadal arian i ni ddeutsoch chi?'

'Well i mi fynd, ne' mi fydd Musus Howarth 'cw yn dinnoeth,' gan gyfeirio at ei wraig a'i sysbensions hi, bellach, i gyd yn y golwg.

'Ond, Mistyr Howarth, pam gadal arian i ni?'

Ond roedd Howarth yn tuthio'n fflat-wadn am y Mercedes, a'i Hush Puppies duon yn suddo at eu topiau i'r pridd meddal. Fel roedd o'n cyrraedd, sylwodd Eilir ar Anemone'n llithro'n araf i'r borfa wleb, fel sach datw, a Jac yn disgyn drosti nes bod ei ben rhwng ei choesau. Am unwaith, penderfynodd y Gweinidog fynd 'heibio o'r ochr arall', dros y gamfa ym mhen isa'r fynwent, a'i throi hi am adref.

Disgynnodd dau lythyr ar fat y drws ffrynt. Un oddi wrth ffyrm James James, James John James a'i Fab, Cyfreithwyr a'r llall mewn amlen blaen. Penderfynodd y ddau gadw'r gwin da hyd yn olaf ac agor yr amlen arall.

'Bil ydi hwn, Ceinwen.'

'Bil?'

'Oddi wrth Shamus O'Flaherty Mulligan. Am drwsio boelar Capal y Cei.'

'Faint ydi o?'

''Sgin ti rwbath i gydio yn'o fo?' A chydiodd Ceinwen mewn cadair. 'Pum cant o bunnau.'

'Be'? Wel, 'dydw i ddim yn gweld y Blaenoriaid yn talu'r swm yna.'

'Nefyr in Iwrop. Ond mi fydd yn ofynnol i rywun 'i dalu o.'

'Pwy?'

'Y ni, ma'n debyg.'

'Y ni!'

'Wel, mi fedra' i glywad y ddadl o bell.'

'Be' 'ti'n feddwl?'

'Wel, y fi 'nath y trefniadau. Heb ofyn am amcangyfrif. Felly, y fi ddyla' gyfarfod â'r gofyn.'

'Ia, debyg.'

Daeth yr ail lythyr â llawenydd, brau, i'r ddau ohonynt. Roedd hwnnw, fel roedd y ddau wedi rhagdybio, yn cyfeirio at ewyllys Camelia Peters ac yn gofyn i'r Gweinidog neu'i wraig alw yn swyddfa'r Cyfreithiwr y cyfle cyntaf posibl. Dechreuodd Ceinwen, yn arbennig, gyfrif cywion cyn bod yna un wy yn y nyth.

''Taswn i'n galw yn siop Ffred Carpedi ar fy ffordd o'r gwaith i weld be' s'gynno fo mewn stoc. Fel gwyddost ti, Eil, ma' carpad y grisiau yn dangos 'i ddannadd ers tro byd. 'Doedd o ddim yn un newydd pan gaethon ni o gynta'.'

'Ond be' am y car, Ceinwen? Ma' 'na bedwar ugain mil da ar gloc hwnnw. Mi fydd raid meddwl am 'i newid o, yn hwyr neu'n hwyrach. Hwyrach mai hwn fydd yn cyfla ni.'

'Twt, mi 'neith injian fel'na gan mil a mwy. 'Dydi'r llofftydd yn gweiddi am i rywun 'u papuro a'u peintio nhw. A be' am ga'l grât newydd yn y rŵm ffrynt?'

'Ond, Ceinwen.'

'Be'?'

''Sgynnon ni ddim obadeia be' ydi maint y 'wyllys eto.'

''Chydig gannoedd, o leia'. Dyna ddeudodd Howarth, medda' chdi. Ac mi fedar 'chydig gannoedd fod yn gannoedd lawar.'

'Do, mi ddeudodd hynny.'

'Yli, Eilir,' a rhoi cusan ar ei dalcen cyn rhuthro allan i fynd i'w gwaith, 'os bydd o ymhell dros fil gei di fy ffonio i, awr ginio, ac mi ordra' inna' well carpad grisiau. Os byddi di heb ffonio, yna, mi sticia' i i rwbath rhatach . . . Hwyl, rŵan!'

Serch y gadwyn enwau, ffyrm un dyn oedd James James, James John James a'i Fab, Cyfreithwyr a'r John James presennol yn ŵyr i'r 'James' cyntaf. Yr unig un arall a weithiai yno oedd Miss Phillips, a gyflogwyd yn nyddiau'i dad pan oedd hi'n hogan ysgol, i lenwi potiau inc, rhoi blaen ar bensiliau a manionach felly. Erbyn hyn, roedd hi wedi croesi oed pensiwn ac yn wargam fel banana am iddi fod yn ei phlyg yn rhy hir uwchben sawl cenhedlaeth o deipiaduron.

Prif ffyn bara John James oedd gwneud ewyllysiau a gweithredoedd, trosglwyddo tai ac ychydig o fân lwch y cloriannau. Yn wahanol i'w dad, ni bu erioed yn gweithredu mewn llys – ar wahân i'r un tro yr aeth yno i'w amddiffyn ei hun wedi iddo gael ei gyhuddo o yrru'n rhy araf. Os bu erioed gerddwr ar wyau heb eu torri, John James oedd hwnnw; dyn yn mesur deirgwaith er mwyn cael torri unwaith. Fel hen lanc, trigai ar ei ben ei hun mewn tŷ mawr, braf, ar gyrion y dref o'r enw Cyfarthfa. (Roedd yr enw yn un digon addas gan fod gan y Cyfreithiwr ddau neu dri o gŵn a gyfarthai'n ddi-baid ddydd a nos.) Roedd o'n aelod yng Nghapel y Cei – 'anhyglyw ac anamlwg yn y cwrdd', mae'n wir – ond yn ddigon parod i agor ei law i gyfrannu at gynnal yr adeilad yn ôl y galw.

Wedi siarad yn ddyrchafol am y ddiweddar Miss Peters am ychydig funudau, aeth y Cyfreithiwr at fater yr ewyllys. Wedi canu salm foliant arall iddi yn cyfeirio at ei haelioni, pwysodd fotwm i alw ar Miss Phillips i mewn. Daeth hithau yno cyn gynted ag y gallai'i thraed blinedig ei chario.

'Os ewch chi, Miss Phillips, i gyrchu ewyllys ola' Miss Peters ar gyfer Mistyr Thomas a'i briod.'

'Gyda phlesar, Mistyr James.'

Dychwelodd Miss Phillips, ymhen ychydig funudau, yn cario anferth o gaets crwn a pharot llwyd a phluen goch yn ei gynffon yn swingio'n feddw ar un o'i ffyn. Gyda help y Cyfreithiwr, llwyddodd i godi'r llwyth a'i roi ar gongl y ddesg. Yna, ymadawodd yn dawel.

'Diolch, Miss Phillips.'

'Diolch, Mistyr James.'

Wedi dod dros ei feddwdod, sodrodd y parot un llygad milain ar y Gweinidog a dweud yn hollol glir, 'Haleliwia!'

'Dyma, Mistyr Thomas, ewyllys a thestament ola' Miss Peters.'

'Y parot 'ma?' holodd y Gweinidog mewn sioc ac wedi cael siom.

'Dyna oedd dymuniad ein diweddar chwaer.'

'Ond be' oedd ar 'i phen hi?' holodd y Gweinidog, wedyn, yn flin.

'Meddwl am gysuron y parot roedd ein chwaer, mae'n fwy na thebyg. Fel y gwyddoch chi, mae o wedi'i fagu yn sŵn emynau.'

'Draw, draw yn Tsieina,' ebe'r parot, fel pe i ategu hynny.

‘Ond dda gin y wraig ’cw ddim adar o unrhyw fath. Ma’ hi ofn hyd yn oed robin goch.’

‘Ond mi rydach chi’ch dau, Musus Thomas a chithau, yn dra hoff o emynau.’

‘Ydan.’

‘’Dw i’n siŵr, Mistyr Thomas, y bydd o’n addurn i’ch aelwyd chi. Petai o’n gorfod mynd i aelwyd lle ma’ cryn dipyn o regi fe allai hynny fyrhau’i oes o.’

‘Hoffwn i ddim deud wrthach chi pa eiriau fydd ar dafod Ceinwen ’cw pan welith hi hwn yn landio.’

Erbyn hyn, roedd John James yn rhy awyddus i gael y parot oddi ar ei ddwylo i wrando ar unrhyw amddiffyniad pellach. ‘Os byddwch chi, Mistyr Thomas, mor garedig ag arwyddo yn y fan yma, i gadarnhau fy mod i wedi cyflawni ewyllys olaf ein diweddar chwaer. Gyda llaw, mae’r cawell hardd yma, yn ogystal, yn mynd hefo’r deryn.’

Wedi i Eilir arwyddo, agorodd James drôr yn ei ddesg a thynnu bag o gnau allan. ‘Chi biau’r cnau yma, yn ogystal. Mi roedd yna ddau fag, ond mi gliriodd un bag neithiwr. Mi ddylwn i’ch rhybuddio chi ’i fod o’n drwm ar gnau ac yn gwastraffu cryn dipyn.’

Cyn ymadael, penderfynodd Eilir wneud un ymdrech arall i gael gwared â’r parot. ‘Fasach chi, Mistyr James, ddim yn hoffi’i gadw o, a’i hongian o yn y ffenast? Ella basa fo’n help i ddenu busnas. Ma’ parot, rhywfodd, bob amsar yn tynnu sylw pobol.’

Gwenodd John James wên na allai neb ond cyfreithiwr ei gwenu. Cododd o’i gadair, i awgrymu y dylai’r Gweinidog wneud yr un peth. ‘Mi rydach chi’n rhyfeddol o garedig, Mistyr Thomas. Ond mi adawa' i y bendithion a ddaw i ganlyn parot i chi a Musus Thomas. Gyda llaw, cofiwch fi ati hi, yn rhyfeddol o gynnes.'

Dechreuodd y Twrnai wthio'r Gweinidog a'r deryn i gyfeiriad y drws allan, 'Bydd, mi fydd y ddiweddar Miss Peters yn gorffwyso'n dawelach o wybod bod ei hewyllys a'i thestament ola' wedi eu gwireddu . . . Bora da, rŵan, Mistyr Thomas. Bora da . . .'

Pan ddaeth Ceinwen adref o'i gwaith a gweld y parot, a'r parot yn ei gweld hithau, aeth y ddau, am y cyntaf, i dop y caets.

Ceisiodd Eilir ddadlau achos Livingstone ond i ddim pwrpas.

'Waeth i ti un gair mwy na chant, Eilir Thomas. Ddaw yna'r un parot i'r tŷ, tra bydda' i yma,' a stampio llawr y gegin fel dafad yn wynebu ci.

'Ond, Ceinwen, ni biau'r parot erbyn hyn.'

'Y fo, ne' fi. Gei di ddewis.'

'Ella ma' nid fo ydi o. Ella ma' hi ydi o. Fedar neb fod yn siŵr.'

''Sa waeth gin i 'tasa fo'n rhwbath rhwng y ddau, ddaw yr un o'i 'denydd o dros riniog y tŷ yma.'

'Mae o'n gwbod llawar iawn o emynau, ma'n debyg.'

'A finna'. Mwy o bosib.' Dechreuodd Ceinwen ymresymu â'i gŵr, 'Eilir, mi wyddost pethau mor afiach ydi parotiaid – os oes 'na'r fath beth â lluosog ohonyn nhw – yn lluchio hadau a chnau i bob twll a chornel a'u baw nhw'n un streips hyd bob peth. 'Dydi'r ast ddefaid 'ma s'gin ti yn baeddu digon ar y lle – yn bwrw'i blew ymhob man.'

Taflodd Brandi ddau lygad meddal ar ei meistres gan

wybod, o brofiad, bod cyfarthiad Ceinwen, fel sawl gast arall, yn llawer gwaeth na'i brath hi.

'Ond, Ceinwen, dyna oedd ewyllys a thestament ola' Camelia Peters yn ôl John James. Mi roedd o'n deud 'i bod hi'n ddyletswydd arnon ni dderbyn y rhodd yn ddiolchgar ac y bydda'r parot, o gofio'i fagwraeth, a'i wybodaeth o'r *Llyfr Emynau*, yn addurn i'r aelwyd.'

'Yn addurn i'r aelwyd ddeudodd o? Mi geith John James fynd i ganu, ac mi geith William Howarth fynd hefo fo – i 'neud deuawd.'

'Ond be' fedrwn ni 'neud hefo fo? Fedrwn ni mo'i ollwng o allan i'r ardd.'

'Medrwn.'

'Y?'

'Ond 'nawn ni ddim. Ne' mi geith oerfal a marw.'

'Be' 'nawn ni hefo fo 'ta?'

''I werthu o.'

'I bwy? Pwy brynith barot?'

Am foment, cafodd Ceinwen ei hun mewn congl gyfyng. Yna, cafodd syniad a fedrai fod yn iechydwriaeth i'r parot ac yn waredigaeth iddi hithau, 'Mi wn i be' 'nawn ni.'

'Be'?'

'Mi wyddost am y Lloches anifeiliaid ac adar? Ar y darn tir 'na tu cefn i'r hen Stesion.'

'Mi wn i am yr adeilad ond fûm i 'rioed â fy nhroed dros drothwy'r lle.'

'Tra bydda' i'n rhoi'r tatws i godi berw, mi gei di ffonio'r lle a gofyn faint ro'n nhw i ni amdano fo. I mi ga'l prynu carped grisiau.'

'Reit. Ond faint ofynna' i amdano fo?'

'Howarth yn deud 'i fod o'n werth cannoedd lawar.'

Gyda chil ei llygaid, sylwodd Ceinwen ar Livingstone yn chwalu cawod o blisg cnau i bob cyfeiriad, 'Wel sbia, ma'r gwalch yn sbrianu'i fwyd i bob man!' Cydiodd Ceinwen yn y lliain bwrdd a'i daflu dros y caets.

'Arglwydd, mae yn nosi,' meddai'r parot, mor glir â chloch, nes syfrdanu'r ddau.

'Reit. Mi a' i i ffonio. ''Sgin i ond gobeithio y caiff o garta crefyddol.'

'Iâr 'ta ceiliog s'gynnoch chi, Mistyr . . . m . . . Thomas?'

''Sgin i'r un o'r ddau.'

'O!'

'Parot s'gin i.'

Daeth saib i'r sgwrs a awgrymai fod y ferch a oedd ar ben arall y ffôn ar fin chwythu ffiws.

'Ond ma' gynnoch chi barot?'

'Oes, un parot.'

'Wel, fedrwch chi ddeud wrtha' i p'run ai iâr parot 'ta ceiliog parot s'gynnoch chi?'

'Ma' 'na wahaniaeth, felly?'

Ochneidiodd y ferch ochenaid drwmlwythog a holi, 'Oni bai am hynny, sut 'dach chi'n meddwl y byddan nhw'n medru ca'l cywion? 'Dw i'n cymryd yn ganiataol eich bod chi wedi priodi, Mistyr . . . m . . . Thomas.'

'Ydw.'

'Mi fyddwch yn medru deall, felly, o brofiad, be' s'gin i mewn golwg.'

'Bydda', debyg.'

'Rŵan, Mistyr . . . m . . . Thomas,' a dechrau siarad

yn araf gan bwysleisio pob gair, fel petai hi'n egluro i blentyn, 'deudwch chi wrtha' i, a chymwch ddigon o amsar i feddwl, ai ceiliog parot 'ta iâr parot s'gynnoch chi? Peidiwch â rhuthro, er 'mod i'n anarferol o brysur.' Un ffiaidd oedd y ferch.

Taflodd y Gweinidog gip i gyfeiriad Livingstone, yn crafu'i blu yn haul y bore. 'Ceiliog . . . 'Dw i'n meddwl.'

Aeth y ffiws yn siwrwd. 'Yn meddwl? Pam 'dach chi'n deud hynny, Mistyr . . . m . . . Thomas?'

''Dydw i ddim wedi gweld sein o wy o gwbl.'

'Ac ers faint o amsar ma'r parot yn eich meddiant chi?'

'Ma' o yma ers deuddydd rŵan.'

Bu bwlch hir arall yn y sgwrsio; y ferch ar ben arall y ffôn yn cyfri deg cyn ateb.

'Mistyr . . . m . . . Thomas, be' am ymgyfarwyddo mwy â byd natur? Mynd am dro i'r wlad. Sylwi ar yr adar a'r gwenyn a gweld sut ma' nhw'n paru ac yn codi teulu. Rŵan, un cwestiwn bach arall i gwblhau'r ffurflen 'ma – oes gan y parot rif neu enw?'

'Livingstone.'

'Pardwn?'

'Livingstone. Dyna ydi enw'r parot.'

Daeth asbri newydd i lais y ferch ym mhen arall y ffôn. Dechreuodd wenu siarad, 'Ac mi rydach chithau, Comred, yn Sosialydd fel finnau. Yn Drotscïad sy' am i'r proletariaid yn ein plith ni ga'l eu hurddas a'u hawliau, ga'l tegwch a chwarae teg.'

'Be' 'dach chi'n feddwl?'

'Wel, Comred, fedrwch chi fod yn ddim ond Sosialydd os ma' Livingstone ydi enw'ch parot chi.'

Aeth y Gweinidog i fwy o dywyllwch fyth, 'Rhaid i chi danlinellu'r peth i mi, ma' gin i ofn. Ychydig o goleg ges i,' a dweud celwydd gwyn.

'Wel, Livingstone! Ken Livingstone. Red Ken.'

'Na, na. Nid y Livingstone yna.'

'O!'

'Wedi'i fedyddio ar ôl cenhadwr ma' hwn. David Livingstone, un ddaru agor Affrica i Gristnogaeth.'

'Felly!' a sychodd diddordeb y ferch yn y fan. Daeth yr haearn yn ôl i'w llais, 'Ma' gin i ofn, Mistyr . . . m . . . Thomas, na fedrwn ni ddim prynu'r parot. 'Dydi rheolau'r Gymdeithas ddim yn caniatáu hynny.'

'Ond mae o'n werth rhai cannoedd.'

'Digon posib. Cannoedd lawer, ma'n debyg. Serch hynny, mi fedrwn ni, mae'n debyg, ei gymryd o'ch dwylo chi a cheisio'i ailgartrefu o. Os dowch chi â fo aton ni i'r Lloches.'

'Wedi meddwl 'i werthu o roedd y wraig.'

Anwybyddodd y ferch y sylw. 'Mi wyddoch ble'r ydan ni?'

'Gwn.'

'Dowch â fo yma, fory. Rhywbryd rhwng deg a hannar awr wedi pump.'

'Reit.'

'A dod â'r caets yn ogystal.'

'Wela' i.'

'Gyda llaw, mi fydd yn ofynnol i'r fet 'i archwilio fo wrth gwrs, a'i inociwleiddio fo rhag y gwahanol afiechydon sy'n taro adar o wlad dramor. Ond ddyla' hynny ddim costio llawar iawn i chi.'

'Be' 'dach chi'n feddwl?'

'Rhyw drigain punt hwyrach. Dim mwy na phedwar ugain ar y mwya'.'

'Felly.'

'Dyna fo, mi'ch gwelwn ni chi, felly.'
'Dibynnu be' ddeudith y wraig.'
'Yn naturiol. Fydda' i'n sylwi ma'r wraig sy'n gwisgo'r trowsus yn y rhan fwya' o gartrefi. Cofiwch fi ati, er nad ydw i ddim yn 'i nabod hi,' a rhoi'r ffôn i lawr yn glep.

Ar ei ffordd i'r Lloches, a Livingstone yn ei gawell yn y sedd gefn, penderfynodd Eilir barcio am foment mewn stryd ochr i gael picio i'r banc i godi arian i dalu am dystysgrif iechyd i'r parot. Wedi troi'r gongl, daeth ar draws Shamus Mulligan yn llygadrythu i ffenest siop Ebsworth, y gemydd, lle roedd yna sioe ddigon o ryfeddod o fodrwyau, watsys, clustdlysau a'r cyffelyb.
'Sudach chi, Shamus?'
'Giami, Bos bach.'
'Ddim yn dda ydach chi?'
'Shamus yn *OK*.'
'Ydi Musus yn cwyno 'ta?'
'Ma' iechyd fo'n iawn. Byta fath ag eliffant 'sti.'
'Wel, ma'n dda gin i glywad ych bod chi'ch dau mewn iechyd.'
'Ond ma' fo'n ypsét, Bos.'
'Pwy? Kathleen?'
'M.'
'Pam hynny?'
''Ti'n nabod Brady, Bos?'
'Ydw.'
'Hogan da, Brady, Bos.'
'Ydi, mi wn. Hogan annwyl iawn. Ddim yn dda ma' hi?'
'Ma' fo'n disgw'l babi, cofia.'
'Mi wn i,' ebe'r Gweinidog yn gwbl ddifeddwl.
Camddeallodd Shamus Mulligan yr ateb. Daeth fflach

o obaith i'w lygaid. Holodd yn sionc, 'Chdi daru saethu, Bos?'

'Bobol mawr, nagi! Clywad 'nes i. Wel, y hi ddeudodd wrtha' i, yn y Tebot Pinc.'

O glywed hynny, machludodd y gobaith yn llygaid y tincer a chiliodd y sioncrwydd o'i lais, 'Biti am hynny, ia? 'Sa'n neis ca'l chdi yn *son-in-law* i fi. Ond ma' Musus fi yn ypsét, Bos.'

'Alla' i ddychmygu.'

'A ma' Shamus am prynu present i codi'i calon o.'

'Be' 'dach chi am brynu iddi, Shamus?'

'Dim *idea*. Ma' fo'n lecio *jingles*, w'sti.'

'*Jingles*?'

''Ti'n gwbod, Bos, y pethau 'ti'n hongian wrth dy clustiau.'

'O.'

'Ond ma' gynno fo llond trol ohonyn nhw yn *caravan*. A dim ond dau clust sy' gynno fo.'

Yn sydyn, cofiodd y Gweinidog am ddiddordeb rhyfeddol y Mulliganiaid mewn adar o bob math, ac am y sw adar, fwy neu lai, a oedd am y pared â'r garafán, a chafodd weledigaeth annisgwyl. 'Ddaru chi 'rioed feddwl am brynu parot yn anrheg iddi?'

'Parot, Bos?'

'Ma' hi wrth 'i bodd hefo adar.'

''Di mopio, Bos bach.'

Sylwodd Eilir ar y tincer yn yfed y syniad a phenderfynodd fynd am y bibell wynt tra roedd cyfle, 'Mi fedra' i werthu parot i chi, Shamus.'

'Wir yr, Bos?'

'Wir.'

'Ond ma' parot yn deryn drud.'

'Mi wn i hynny.'

'Un llwyd, hefo pluan goch yn 'i gynffon ydi o.'

'*African Gray*,' ebe'r tincer yn deffro drwyddo.

'Dowch hefo mi at y car, i chi ga'l golwg arno fo.'

Lluchiodd Mulligan stwmp sigarét i'r palmant a'i sathru â'i sawdl. 'Gin ti *sideline* bach handi, Bos.'

Agorodd y Gweinidog ddrws y car i Shamus gael gweld y deryn. Syllodd y parot i fyw llygaid y tincer a dweud, mewn cyn ddyfned llais â Paul Robeson, '*Ol' Man River!*'

Chwibanodd Mulligan ei ryfeddodd, 'Whiw! *Psittacus erithacus*,' gan roi'r enw gwyddonol i'r deryn.

''Dach chi'n lecio fo?'

'*Beauty*, Bos bach. A ma' gin Shamus iâr 'sa'n gneud *champion* o gwraig iddo fo.'

'Y fo ydi o, felly?'

'*Indeed*. Be' 'ti isio amdano fo, Bos?'

'Pum cant o bunnau.'

'Shamus yn dlawd, cofia,' a dechrau gwneud sŵn crio. 'Tarmacio 'di mynd yn *dead loss* 'sti.'

'Ac ma'r caets yn mynd hefo fo . . . Be' amdani 'ta?' A daliodd y Gweinidog ei law allan fel y gwelodd Shamus yn gwneud.

'*Deal*, Bos,' a rhoi eithaf slap i'w law.

Tynnodd Shamus Mulligan waled foldew ryfeddol o boced ei ofarôl a dechrau cyfri. Efallai mai crap ar ddarllen a oedd gan y tincer ond gallai gyfri papurau punnoedd â chyflymdra bancer.

'Dyna i ti pum cant, Bos.'

'Diolch.' Yna, gwthiodd y Gweinidog y bwndel punnoedd yn ôl i ddwylo Shamus. 'Dyna finnau'n talu'r bil i chithau am drwsio'r foelar.'

'Y?'

Tynnodd Eilir y bil allan, a'i roi i Shamus, ''Newch chi sgwennu 'talwyd' ar hwn i mi?'

Daeth gwên hyfryd i wyneb tywyll Shamus Mulligan, 'Boi od ti, Bos. 'Ti ddim isio fo yn pres *lush*?'

'Na.'

Gyda phensel, a'i min fel blaen trosol, sgriblodd Mulligan un frawddeg derfynol ar y tamaid papur: '*Paid by parrot*'.

Pan oedd Shamus yn tynnu'r parot allan o'r car teimlai'r Gweinidog y dylai sôn rhyw ychydig am ei bedigri, 'Gyda llaw, well i mi egluro ma' Livingstone ydi'i enw fo.'

'Enw od, ia.'

'O barch i ddyn fuo'n pregethu yn Affrica, math o genhadwr.'

Roedd hanes y genhadaeth yn faes tywyll i Shamus. 'Ella 'neith Musus galw fo'n Finnigan, o parch i *Father*.'

'Iawn.'

'Ond ma' fo'n prygethwr giami, Bos.'

'Ac un peth arall, Shamus. 'Dydi o ddim yn rhegi.'

''Ti dim wedi'i dysgu o 'ta?'

'Nag ydw.'

'Biti.' A chafodd Shamus ei weledigaeth, 'Paid ti â colli cysgu am hynny, Bos. 'Neith Patrick Joseph 'i dysgu o i ti. Ma' fo'n *champion* am rhegi.'

'Ydi o wir?'

'Hogyn da, Patrick Joseph, Bos.'

Wedi cychwyn ymaith yn cario'r caets, trodd Shamus yn ei ôl a holi, ''Nei di rhoi *discount* i fi, Bos?'

'Disgownt?'

'Os ma' boi o capal chdi daru saethu, 'nei di bedyddio i Brady ar y *cheap*?'

'Peidio â chyfri cywion, Shamus, cyn deor. Dyna fydda' orau.'

''Na' i roi gwbod i ti, *anyway*, pan daw o.'

Wedi gwerthu'r parot aeth y Gweinidog ymlaen ar ei rawd fugeiliol gan deimlo fod atlas o faich wedi disgyn oddi ar ei ysgwyddau. Nid pob dydd y bydd dyn yn codi'n gynt na Shamus Mulligan, a theimlai iddo, am unwaith yn ei oes, ladd dau dderyn ag un ergyd. Ei falchder pennaf, fodd bynnag, oedd fod ewyllys a thestament olaf Camelia Peters – petai ganddi'r arian – wedi'i sylweddoli.

Bettina Pringle

Mae blynyddoedd, bellach, er pan ddaeth Miss Bettina Pringle i Borth yr Aur a gollwng angor yn rhif 3 Llanw'r Môr, am y pared â Jac Black – sy'n dal i'w galw yn 'Tingle'.

Yn ei phedwardegau cynnar roedd hi bryd hynny, yn fain fel weiren ffiws, â gwallt wedi gwynnu'n gynnar yn gynffon merlen i lawr ei chefn. Agorodd siop bwyd iach yn yr Harbwr yn gwerthu cawsiach a chnau, siocled heb siwgr a halen heb heli. Mae'n hysbyseb wael i'r busnes, yn llwyd fel lludw ac yn edrych yn union fel petai'r 'bwyd iach' yn rhedeg drwyddi.

Ar y dechrau, addolai yn y 'Capal Saesnag' ym mhen draw'r Harbwr. Ond perthynai i sect efengylaidd â'i phencadlys yn America, The Fish Fellowship. Dywedir y gall 'lefaru â thafodau' er na chlywodd neb mohoni'n ymarfer y ddawn. Wedi dysgu Cymraeg, i berffeithrwydd bron, trosglwyddodd ei theyrngarwch i Gapel y Cei. O gael neges at ei dant, bydd yn porthi'r addoliad, yn dyrchafu'i breichiau a chlapio'n llawen i rythmau'r tonau a genir. A phan ledir tôn fwy jasaidd na'i gilydd sigla i rythmau'r dôn honno ac ysgwyd tambwrîn. Yn 2007 fe'i hetholwyd yn flaenor yng Nghapel y Cei, ac nid oes ei ffyddlonach. Ond erys y *camaraderie* sydd rhyngddi a'i chymydog, Jac Black, yn ddirgelwch i bawb – ond yr Anfeidrol.

Cecil Humphreys

Yn 1994 y daeth Cecil Humphreys i Borth yr Aur, yn ddwylo i gyd â chloch ar bob dant, yn dorrwr gwalltiau merched gan agor y Siswrn *Cecil's Scissors* yn Stryd Samson.

Ar y pryd, gyda'r gwallt hir lliw sinsir, edrychai'n ddeg ar hugain diweddar neu'n drigain cynnar. Bellach, o dan yr unto, mae'r Tebot Pinc, tŷ coffi eithriadol o boblogaidd, a Fy Heulwen I, parlwr tatŵio wedi'i rannu ar gyfer tair goruchwyliaeth: brownio cyrff, tyllu clustiau (a mannau eraill) a thatŵio. O'r un safle gweinydda dri busnes arall: Kneesup.com – asiantaeth i henoed ddarganfod partneriaid yng ngwledydd Ewrop; Siesta *Cecil's Siesta*, fflatiau uwchben yr Harbwr; a'r Porfeydd Gwelltog, cartref preswyl sy'n eiddo i William Howarth ac yntau.

Math o fwngleriaith ydi ei Gymraeg o hyd; cyfeiria at wryw a benyw fel '*me dear*', a'r Gweinidog, druan, fel '*my one and only*'. O dan y merlyn broc ceir enaid hynod sensitif a gŵr tra defosiynol; yn flaenor 'yr ail filltir' yng Nghapel y Cei. Fel organydd, hwyrach ei fod yn fwy o wledd i'r llygad nag i'r glust ond mae yno ar bob achlysur. Fel y maferig ag ydi o, mae'n gyrru Ferrari Spider F430, lliw coch, a'i do'n agored ar law a hindda. Gan ei fod yn 'Sabothwr' mae'r Tebot Pinc ar gau ar Ddydd yr Arglwydd, ac agorodd ei barlwr tatŵio gyda chyfarfod gweddi a sgon.

Miss Pringle a'r Tatŵ
Harri Parri

'Glywsoch chi?' holodd Meri Morris, y wraig ffarm gydnerth, a lluchio sachaid hanner can cilo o flawd gwartheg o lwyfan-llwytho warws Amaethwyr Arfon i drwmbal y pic-yp a gwneud hynny mor ddidrafferth â phetai hi'n handlo paced o greision.

'Clywad be'?' holodd y Gweinidog.

'Am Jac Black.'

'Naddo.'

''Dydi'r hen dlawd ddim yn fo'i hun, o bell ffordd,' meddai Meri, yn dosturiol. 'Roedd Cliff Pwmp – Clifford Williams felly – yn deud wrtha' i, chwartar awr yn ôl, ma' prin y basa neb yn 'i nabod o erbyn hyn.'

Cerddodd hen ias annifyr i lawr meingefn y Gweinidog wrth glywed y fath newydd annisgwyl. Wedi'r cwbl, roedd y ddau ohonyn nhw yn dipyn o lawiau. 'Ydyn nhw wedi mynd â fo i'r 'sbyty?'

'Na. Yn ôl Cliff, fydda' lle felly fawr o help i rywun yn 'i gyflwr o.'

Aeth yr ias yn gryndod. 'Deudwch i mi, Meri Morris, pryd digwyddodd hyn i gyd?'

'Rhyw naw d'wrnod yn ôl. Ne' felly roedd Cliff yn recno.' A lluchiodd Meri un sachaid boliog arall yn falast ar gefn yr hanner dwsin neu well a oedd yno'n barod.

'Ydi pobol yn ca'l galw i'w weld o?'

'Rhaid i chi faddau i mi', meddai Meri gan sboncio i lawr yn ysgafndroed o'r llwyfan-llwytho, sychu'i dwylo yn ei jyrsi a thynnu'i hun i fyny i gab y pic-yp. 'Mi fydd yn rhaid i mi 'i throi hi rŵan, ne' mi fydd Dwalad 'cw wedi mynd i chwalu slyri a 'sgin innau ddim goriad i fynd i'r tŷ.' A rhai blêr felly oedd Meri a Dwalad Morris, Llawr Dyrnu.

'Ond pa afiechyd yn union sy' ar Jac?' Mygwyd cwestiwn y Gweinidog a'i guddio yntau mewn cwmwl o fwg dulas wrth i Meri danio'r Daihatsu rhydlyd a'i ramio i'w gêr. Pan lwyddodd Eilir i ffeindio'i ffordd allan o'r cwmwl, roedd y pic-yp yn tisian ei ffordd i fyny stryd fawr Porth yr Aur a rhuban o fwg ecsôst afiach yn dolennu o'i ôl.

Wrth fynd ymlaen ar ei daith bu Eilir yn ddigon ffodus i daro ar Oli Paent, cydbotiwr â Jac, yn camu allan o'r Fleece wedi'i lymaid awr ginio; *beret* glas ar ei ben, ofarôl gwyn wedi'i orolchi, rholyn o bapur papuro o dan un gesail a thun litr a hanner o baent yn hongian wrth y fraich rydd.

'Ydi Jac, Jac Black felly, yn well?' holodd, yn cymryd arno'i fod yn hen gyfarwydd â'r stori.

'Gwell ddeudsoch chi?'

'Ia.'

'Gwaeth o beth cythral 'swn i'n ddeud.'

''Ddrwg gin i glywad hynny.'

'A finnau. 'Does yna'r un o'i draed o wedi bod dros drothwy'r Fleece 'ma ers dros bythefnos. Ma' MacDougall,' a chyfeirio at berchennog y dafarn lle'r arferai Jac ac yntau dorri'u syched, 'ofn drwy'i ben ôl i'r hwch fynd drwy'r siop. Roedd rhywun yn deud, gynna', 'i bod hi'n cysgu neithiwr wrth ddrws O'Hara'r Bwci. 'Dydi'r ddau le, fel medrwch chi ddychmygu, wedi colli un o'u cwsmeria'd gorau.'

'Deudwch i mi, Olifyr Parri, be' yn union sy' wedi taro Jac?' holodd y Gweinidog yn awyddus i ddod o hyd i galon y gwir. 'Wedi ca'l annwyd mae o?'

'Annwyd?' wfftiodd y peintiwr. 'Gwaeth lawar na hynny. Ond ma' MacDougall yn weddol siŵr nag ydi'r peth ddim yn catshin.'

'Wel, ydi hi'n ddiogel i mi alw i'w weld o?'

'MacDougall felly? Ydi'n tad. Piciwch i mewn rŵan am un bach. Chewch chi ddim peint â llai o ffroth ar 'i ben o yn y dre 'ma i gyd.'

'Na. Galw i weld Jac o'n i'n feddwl.'

'O! Galw heibio i Jac oedd gynnoch chi mewn golwg? Cwbl saff, faswn i'n ddeud. Effeithith o ddim ar rywun fel chi. Mi rydach chi bownd o fod yn imiwn i'r peth.'

'O?'

'Y peryg mawr ydi i chi 'i roi o i rywun arall. O ran hynny, hwyrach ma' chi cariodd o i Jac yn y lle cynta'.'

Ceisiodd Eilir ddwyn i gof yn gyflym pryd ac ymhle y trawodd ar Jac Black ddiwethaf a cheisio dyfalu, yr un pryd, pa bla heintus a gariai yn ei gorff. 'Be'? Y fi wedi rhoi afiechyd i Jac?'

'Er, deud ma' nhw, ma'r ddynas sy'n byw drws nesa' iddo fo gariodd y jyrm.'

'Miss Pringle.'

'Bosib. Ylwch, rhaid i mi'ch gadal chi. Mi wn i bod gynnoch chi ddigon o amsar ar ych dwylo. Ond wedi i mi ga'l sac gin y cownsil, a mynd yn breifat, ma' pob eiliad yn cyfri.' Cerddodd ymaith hefo'r tun paent a'r papur papuro. Wedi mynd gam neu ddau, trodd yn ei ôl a gweiddi, 'Os gwelwch chi'r hen Jac, deudwch wrtho fo bod Oli Paent yn holi'n ddiawledig amdano fo.'

'Mi 'na' i, Olifyr Parri.'

'Thenciw.'

Wedi bustachu i agor clicied dôr gefn 2 Llanw'r Môr, disgyn i lawr tri gris wedi'u smentio'n beryglus o anwastad, camu dros y Suzuki a oedd ar hanner ei drin a chroesi'r hances boced o goncrit a alwai Jac yn ardd gefn, cyrhaeddodd y Gweinidog at y drws cefn. Rhoddodd gnoc ar y drws, un ystyriol o gofio gwaeledd y tenant.

Wrth ddisgwyl am ateb taflodd gip i gyfeiriad y ffenest a chafodd sioc. Ar sil y ffenest, yn union o dan rwydwaith o we pry cop, ac wedi'i lythrennu mewn coch rhybuddiol ar ddarn o gardbord roedd yr arwydd: 'Dim Rhegi yn y Tŷ Hwn'. Rhaid, felly, bod Jac yn beryglus o wael. Rhoddodd gnoc arall, ysgafnach, rhag ofn styrbio'r claf yn ormodol.

Lluchiwyd y drws yn llydan agored a safodd Jac yn y ffrâm, yn bum troedfedd a hanner sgwarog, yn ei fest ac yn nhraed ei sanau ac yn edrych yn bictiwr o iechyd. 'Diawl, chi sy' 'na? Ro'n i'n meddwl 'mod i'n clywad rhywun yn waldio'r drws. M? Dowch i mewn. Os oes gynnoch chi'r amsar.'

'Wel, am eiliad.'

'Sgiat!' a disgynnodd cath lliw sinsir o'r gadair freichiau a cherdded yn deigr i gyd i ailorwedd yn hamddenol ar y garreg aelwyd.

''Steddwch.'

'Diolch i chi.'

'Ma' Cringoch yn ddigon glân.'

'Ydi, debyg,' ac eistedd.

'Ond bod o'n gythral am golli'i flew.'

Ar un gongl i'r bwrdd roedd yna blât ac arno damaid o dost wedi'i orgrasu, llond mẁg o de llugoer iawn yr olwg a chlamp o dun syrup a chyllell yn hwnnw wedi suddo at ei charn.

'Rhaid i chi esgusodi'r llanast. Wrthi'n ca'l fy mrecwast ro'n i.'

'Brecwast?' holodd y Gweinidog gan esgus edrych ar ei wats. 'Ond ma' hi wedi troi dau.'

'Sut medrwn i 'i ga'l o'n gynt? 'Dydw i wedi bod mewn cwarfod gweddi drwy'r bora.'

'Cyfarfod gweddi?'

'Hefo Miss Tingle.'

'Pringle.'

'Y?'

'Miss Pringle 'dach chi'n feddwl? Hi sy'n byw drws nesa' i chi.'

'At honno 'dw i'n cyfeirio 'te,' atebodd Jac yn dechrau tynhau. 'Dew, dyna i chi be' ydi dynas agos i'w lle.'

'Ia . . . debyg.'

Roedd moesau Miss Pringle, mae'n amlwg, yn apelio mwy at Jac Black nag at y Gweinidog. 'Doedd neb yn siŵr iawn pa wynt croes a chwythodd Bettina Pringle i Harbwr Porth yr Aur flwyddyn neu ddwy ynghynt, a pheri iddi ollwng angor yn rhif 3 Llanw'r Môr, am y pared â Jac. Gwraig yn ei phedwardegau cynnar oedd hi ond yn edrych yn llawer hŷn na hynny, yn fain fel weiren ffiws, gyda gwallt wedi gwynnu'n gynnar yn gynffon merlen i lawr i hanner ei chefn a bob amser yn gwisgo gwlân. Un o argyhoeddiadau Miss Pringle oedd y dylid adfer y greadigaeth a gwneud hynny cyn gynted â phosibl. Yr argyhoeddiad hwnnw, mae'n debyg, a'i gyrrodd i agor nyth llygoden o siop bwyd iach ym mhen draw yr Harbwr yn gwerthu cawsiach a chnau, yn bennaf, a siocled heb siwgr a halen heb heli. O ran ymddangosiad, hysbyseb wael iawn i'w busnes oedd Bettina ei hun, yn llwyd fel lludw ac yn edrych yn union fel petai'r caws gafr y credai gymaint ynddo yn rhedeg drwyddi fel dŵr drwy beipen.

Yn fuan wedi landio yn y dre, ymunodd â'r ddiadell fechan, frwdfrydig a gyfarfyddai yn y 'Capel Susnag' ym mhen draw yr Harbwr a chynyddu brwdfrydedd yr achos hwnnw gan gradd neu well – a hynny dros nos. Porthai'r addoliad gydag arddeliad, dyrchafai ei breichiau i entrych nef pan gynhyrfid hi i wneud hynny a chlapiai'n llawen i rythmau'r tonau sionc a genid yno. Clywodd Eilir fod ganddi'r gallu i 'lefaru â thafodau' er na chlywodd mohoni'n ymarfer y ddawn honno. O ran enw, 'doedd hi ddim yn aelod yn y 'Capel Susnag'; rhoddai'i theyrngarwch, a chryn symiau o arian, yn ôl hwn ac arall, i sect efengylaidd â'i phencadlys yn America – The Fish Fellowship.

'Deudwch i mi, Jac,' holodd y Gweinidog, wedi gweld bod y claf mewn symol iechyd, 'be'n union sy' wedi digwydd i chi? Ma' pawb yn sôn amdanoch chi.'

'Wedi ca'l tröedigaeth ydw i, 'te.'

'Wedi ca'l tröedigaeth?' a thôn y llais yn awgrymu anghrediniaeth. 'Sut?'

'Trwy'r post.'

'Trwy'r post?'

'Wel, a thrwy Miss Tingle. Dyna i chi be' ydi ledi,' broliodd Jac, eilwaith, yn ailgydio yn y salm foliant. 'Dynas nobl. Hi, ylwch, rhoth fi mewn cyffyrddiad hefo fy nghyd-Gristnogion yn y Merica. 'Pobol y Pysgod' fel bydda' i'n cyfeirio atyn nhw.'

'Be', dyna ydi'r llun pysgodyn 'na s'gynnoch chi ar y silff ben tân?' a phwyntio.

'Ia siŵr. Mi fuo yn y ffenast ffrynt gin i am gyfnod. Ond 'doedd yna ryw fisitors diawl yn curo ar 'y nrws i, bob pishiad, yn gofyn o'n i'n gwerthu ffish.' (Ac roedd hi'n amlwg nad oedd y dröedigaeth ddim wedi cyrraedd tafod Jac Black.)

'Yr ichthws ydi'r pysgodyn yna,' eglurodd Eilir yn dangos mymryn ar ei blu diwinyddol.

'Naci, pennog 'di o,' cywirodd Jac yn siarp.

'Na, na. Ichthws oedd yr arwydd fydda'r Cristnogion cynnar yn 'i ddefnyddio . . .'

'Bosib iawn,' ebe Jac ar ei draws, 'ond penogyn ydi hwnna, yn saff i chi. 'Dydw i wedi torri pennau ac agor boliau heigiau ohonyn nhw yn f'amsar.'

Penderfynodd y Gweinidog beidio â dadlau ymhellach ynghylch rhywogaeth y pysgodyn papur. Trodd ffroen y sgwrs i gyfeiriad arall, 'Fedrwch chi sôn am ych profiad wrtha' i?'

'Na fedra'. Ond mi fasa' Miss Tingle, 'tasa hi yma, yn medru 'i adrodd o fel ruban.'

'Ond ych tröedigaeth chi ydi hi, Jac. Nid un Miss Tingle . . . y Miss Pringle felly,' a chafodd y Gweinidog ei hun yn merthyru'r enw.

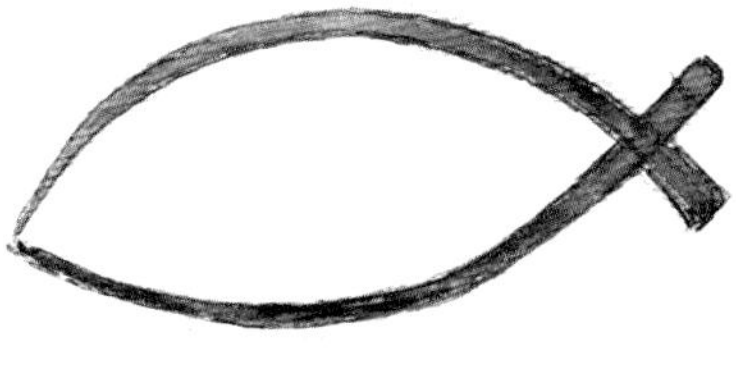

'Wn i hynny,' cytunodd Jac, yn gweld ei hun yn mynd i'r wal. 'Mae o gin i yn rwla ac mi faswn i'n 'i ddangos o ichi oni bai 'mod i ar ganol byta 'mrecwast. Mi ces i o o'r Merica ar damad o bapur. Ond mi gostiodd sawl *tia maria* i mi i dalu amdano fo,' ychwanegodd a syched llo newydd ei ddyfnu yn ei lygaid. 'Heblaw fydda' i ddim yn yfad rŵan.'

'Ma'ch byd chi wedi newid felly, Jac?'

'O yn gythral. Wedi'i droi â'i din am 'i ben a deud y gwir. Dim ond caws a chnau fydda' i'n f'yta.'

'Tewch chithau.'

'Ac ma' hi'r un fath yn union ar Cringoch 'ma,' a phwyntio at y gath. ''Dydi'r hen dlawd ddim wedi gweld tamad o sgodyn er y dydd y landiodd fy nhröedigaeth drwy'r twll llythyrau.'

'Ond ydi hynny'n deg â'r gath?' gofynnodd y Gweinidog yn dechrau poeni am iechyd yr anifail.

'"Tydi a dy holl dylwyth" ma'r Beibl yn 'i ddeud,' pwysleisiodd Jac, wedi dysgu'r iaith yn gyflym. 'A Chringoch ydi'r unig deulu s'gin i.'

'Wela' i.'

'Ac ar y Sul mi fydda' i'n 'i gau o yn y lle chwech.'

'Cringoch, felly?'

'Ia siŵr. 'Cofn iddo fo dorri'r Sabath 'te.' O weld y niwl ar wyneb y Gweinidog brysiodd Jac Black i roi'r bennod a'r adnod iddo, 'Wel, 'tydi'i ddisgynyddion o fel chwain hyd y dre 'ma. Ac ar y Sul, pan ma' 'na lai o geir o gwmpas, mae o'n gneud y damej mwya'.'

Dyna'r pryd y sylwodd Eilir ar yr anferth o Feibl Pulpud hynafol a oedd yn agored ym mhen arall y bwrdd. Daliodd Jac y Gweinidog yn edrych i'r cyfeiriad ac aeth ati i egluro, 'Yn 'y Meibl 'rydw i rŵan o fora gwyn tan nos.'

'Wel ardderchog.'

'Ond 'mod i'n ca'l strygl garw i' ddallt o.'

Cododd y Gweinidog i gael cip ar y gyfrol, 'Ond mi rydach chi'n dechrau mewn lle anodd, Jac, Llyfr Cynta' Cronicl. Dim ond plastar o enwau brenhinoedd gewch chi mewn lle fel'na.'

'Dechrau ddeutsoch chi?' meddai Jac, yn flin. 'Diawl, wedi cyrraedd i fan'na 'dw i 'te! Deudwch i mi,' holodd, yn meirioli peth, 'be' 'di ystyr Gwaf? Mae o yma sawl tro.'

"Gwaf"?' Craffodd y Gweinidog ar y tudalennau. 'O! Gwas. Yn yr hen orgraff ma' hwn, Jac. Ma' pob 's' yn debyg i 'f'. Gwas, dyna ydi'r gair.'

'Biti gythral na fasa' rywun wedi deud wrtha' i, dridiau ynghynt.'

'Ylwch, mi ddo' i ag argraffiad mwy diweddar i chi.'

'Diolch i chi am y cynnig ond mi fydd yn well gin i stryglo hefo hwn.'

'Pam hynny? Ma'r un newydd yn ganmil haws i'w ddallt.'

'Nain, yr hen garpan, oedd piau fo.'

'O! Wela' i,' ac roedd calon y Gweinidog yn cynhesu o feddwl am barch un o hynafiaid Jac i'r Ysgrythur a'i barch yntau i dduwioldeb ei nain.

'Hwn fydda'r hen dlawd yn roi yn erbyn y drws ffrynt, ylwch, pan fydda' hi'n benllanw a'r môr yn debyg o ddŵad o dan y rhiniog.'

Wedi cyrraedd yn ôl i'r llain concrit a chlywed yr un a gafodd y fath dröedigaeth ebrwydd yn dal i regi fel milwr ar farch, penderfynodd Eilir y dylai, o leiaf, ei gyfeirio at yr arwydd yn y ffenest. 'Falch o weld hwn gynnoch chi, Jac.'

'Y sein yna 'dach chi'n feddwl?'

'Ia.'

'Gin i un arall yn y ffrynt. Mewn print mwy . . . ac yn Susnag.'

'Ond ma' isio pig glân i ganu,' mentrodd y Gweinidog.

'Oes, debyg,' ond heb weld yr ergyd. 'Diawl, dda gin

innau, mwy na chithau o bosib, glywad neb yn rhegi.'

'Ond 'dach chi newydd 'neud!'

'Na, na, 'dach chi'n 'ngham-ddallt i rŵan. Clywad pobol er'ill yn rhegi, dyna sy' gas gin i.'

Gwyddai'r Gweinidog na fyddai waeth iddo bregethu wrth y wal ddim a hwyliodd i ymadael. 'Dyna fo, os medra' i fod o ryw help i chi yn ych bywyd newydd dowch i 'ngweld i.'

'Diolch i chi. Hwyrach y bydd raid i mi ddŵad i chwilio amdanoch chi 'tasa Miss Tingle 'ma'n digwydd mynd ar 'i holides.'

'O! Gyda llaw, mi welis i Olifyr Parri. Mae o'n dymuno ca'l 'i gofio atoch chi.'

''Rhen Oli,' a daeth hiraeth am y wlad bell i wyneb Jac Black. 'Welsoch chi ddim gwell peintar, 'tasa fo'n digwydd bod yn sobor. Ond mi eith yn chwil dim ond clywad oglau'r corcyn.'

Wrth gerdded yr Harbwr, ofnai Eilir yn ei galon mai tân siafins o dröedigaeth oedd yr un a gafodd yr hen longwr. Dros y blynyddoedd roedd yna sawl chwilen wedi mynd i ben Jac ond yr un ohonynt wedi aros yno'n hir iawn. Wfftiodd at y fath dröedigaeth arwynebol – un a brynwyd ag arian ac a ddaeth iddo drwy'r post – a bu bron iddo droi i mewn i siop Miss Pringle i ddweud hynny wrthi. Eto, gwyddai yn ei galon, o hir brofiad, mai trwy ddirgel ffyrdd roedd yr Hollalluog yn dwyn ei waith i ben. Hwyrach y byddai'r profiad papur a gafodd Jac Black o'r Merica, er mor amrwd yr ymddangosai pethau, yn gyrru'i gwch i borthladd gwahanol ac i well byd.

Prysurodd ymlaen. Byddai Ceinwen uwchben ei digon yn gwrando'r saga am Jac Black ar ffordd Damascus ac yn ei gyhuddo, fel bob amser, o orliwio pethau. A dyna fyddai'r gwir. Unig ddihangfa'r Gweinidog pan fyddai pethau'n drech nag o, ac yntau yn gweld y byd yn gam, oedd chwilio am ochr ddigri'r sefyllfa a mynd am y bocs paent.

Pan ofynnwyd y cwestiwn roedd pen Eilir – yn groes i'w ewyllys a heb ei ganiatâd – at y gwddw mewn llond basn molchi o ddŵr a ffroth. 'Mistyr Thomas, siwgr, *what's it going to be*?' holodd Cecil, 'Calon ar ych pen ôl 'ta llun capal *on your chest*?'

Chwythu bybl bwerus drwy'r ffroth oedd yr unig ateb posibl a chymerodd Cecil Siswrn yr ateb fel un cadarnhaol, 'Calon *it will be* 'ta ac mi ro' i enw Musus Thomas, ych cariad chi, *underneath, at a discount*.'

Gydag ymdrech, cododd y Gweinidog ei ben i fyny o'r bowlen, a'i ysgwyd fel sbaniel newydd neidio allan o lyn, nes oedd y lle'n ddŵr i gyd. 'Dim o'r fath beth Cecil. Mi rydw i yn erbyn yr holl fusnas tatŵio 'ma, fel y gwyddoch chi.'

'Ych collad chi fydd o, del,' meddai Cecil yn siort, 'a chollad Musus Thomas.' Gwthiodd Cecil ben ei Weinidog yn ôl i'r basn molchi, yn ddigon brwnt, nes bod diferion o ddŵr yn goferu dros ymyl y bowlen ac i lawr rhwng ei wddw a'i goler.

'Gyda llaw, 'dach chi wedi meddwl, 'rioed, am ga'l *facelift*?'

''Rioed!' chwythodd y Gweinidog a'i geg dan y dŵr.

'Wel, *just think*. Mi fydda'n help mawr i ga'l mwy i'r oedfa.'

Halen y ddaear oedd Cecil Humphreys, ar lawer cyfri, ac fe wyddai y Gweinidog hynny'n well na fawr neb. Roedd yn flaenor lliwgar yng Nghapel y Cei ac o dan y merlyn broc roedd yna berson gwir ddefosiynol. Er ei fod yn ferchetaidd ryfeddol ei ffordd ac yn mwngrela'r iaith Gymraeg hyd at frifo'r glust, 'doedd dim o'r llwfrgi yn 'Cec Sis', fel y'i gelwid. Yn wir, roedd yna gryn ddur yn ei waed ac o ddisgyn ar egwyddor glynai ati fel gŵr at ei gleddau. Dyna pam, mae'n debyg, y llwyddodd mor rhyfeddol mewn busnes wedi iddo gyrraedd Harbwr Porth yr Aur – fel o unlle. Fel torrwr gwalltiau merched y gwnaeth enw iddo'i hun ond roedd y siop, erbyn hyn, yn un ddeuryw ac yntau'n cyflogi harîm o lefrod ifanc i siapio a siampwio, i byrmio neu i sychu'n-sych yn ôl ei alwad. Roedd y Tebot Pinc, y tŷ coffi a oedd dan yr unto, yn ffyniannus ryfeddol – y lle derbyniol ym Mhorth yr Aur i foreol goffi neu bryd ysgafn ar awr ginio – a Cecil fel rhyw binocio wrth linyn yn dawnsio'i ffordd rhwng y ddau le. Bellach, roedd ganddo barlwr tatŵio o'r enw Fy Heulwen I (*You Are My Sunshine* oedd yr enw Saesneg) o dan yr unto â'r ddau fusnes arall gyda bwlch ychwanegol i gysylltu'r lle hwnnw eto gyda gweddill y gweithgareddau. A phwy ond Cecil a fyddai wedi agor parlwr tatŵio, fel ei ddau fusnes arall, gyda the a sgon a hanner awr o gyfarfod gweddi.

Erbyn sychu gwallt y Gweinidog a'i gribo roedd Cecil Siswrn wedi dod at ei goed. Chwipiodd y brat plastig oddi ar gefn Eilir a dal drych o'r tu cefn iddo, iddo gael gweld y wyrth o'r tu ôl ac o'r tu blaen. 'Be' 'dach chi'n feddwl, cariad?'

Wedi methu ag adnabod y boi diarth a rythai i fyw ei lygaid trodd Eilir ei ben i'r dde i chwilio amdano'i hun, ac yna i'r chwith.

'*Well, what's the verdict*?'

''Dw i'n gweld pawb ond fi fy hun.'

'Yn union o'ch blaen chi, siwgr.'

'Y? . . . Fi ydi hwn?' mewn anghrediniaeth.

'*The one an' only. As I well know.*' Dw i wedi rhoi'r *mohican cut* i chi, cariad. A 'dach chi'n edrach flynyddoedd yn fengach, os ca' i ddeud. Fydd Musus Thomas ddim yn ych nabod chi.'

'Dyna'r peryg',' atebodd y Gweinidog yn dawel ond yn berwi o'r tu mewn. 'Os nag o'n i yn nabod fy hun, go brin y bydd hi. A 'nes i ddim gofyn i chi gneifio 'mhen i a gadal dim ond crib ceiliog yn union ar hyd y corun. Dim ond ca'l hyd i bluan eto ac mi fydd rhywun yn meddwl ma' fi ydi'r *Last of the Mohicans*.'

Ond canu crwth i fyddar oedd rhoi pregeth felly i Cecil. Cydiodd hwnnw'n dyner yn llaw ei weinidog a'i godi o'r gadair, 'Gewch chi dalu am y siampŵio a'r *styling on the way out*. Ac os penderfynwch chi ga'l tatŵ bach ar y *backside, just ring*.'

Wedi talu pagan o fîl wrth y ddesg yn y Tebot Pinc am gymwynas nas gofynnodd amdani, cychwynnodd am adref.

O glywed y gnoc, daeth Ceinwen i'r drws cefn, a'i agor. 'Peint dydd Gwenar a dau dydd Sadwrn,' ebe honno yn reit siarp, yn tybio mai'r hogyn llefrith, trendi, oedd wedi galw.

'Ceinwen, fi sy' 'ma, cariad.'

'Ia? Wn i hynny, Jason,' ond yn teimlo'r hogyn ifanc flewyn yn ddigywilydd.

'Eilir!'

'Sut?'

'Eilir ydw i. Dy ŵr di.'

'Ond be' ar wynab y ddaear sy' wedi digwydd i dy wallt di?'

'Cecil sy' wedi'i dorri o.'

'Hefo rhaw?'

'Siswrn.' Yna, cafodd y diafol y llaw uchaf arno. 'Ac ma' gin i datŵ'n ogystal,' a bygwth codi cwr ei grys. A bu rhaid i Eilir roi'i droed yn y drws cyn i hwnnw gael ei gau yn ei wyneb a chyda grym.

Cododd Eilir y ffôn a chlywed sŵn ffrio. Tybiodd i ddechrau mai un o'r galwadau codi dychryn ydoedd. Derbyniodd ddwy neu dair o'r rheini'n ddiweddar, gan amlaf yn hwyr y nos; y ffôn yn canu, yntau'n ateb, cryn sŵn ffrio ac yna mudandod llwyr.

'Helô!' Yr unig ateb oedd sŵn rhywun yn taflu llond powlen o tsips newydd eu plicio i sosbennaid o saim berwedig.

'Pwy sy' 'na?' gwaeddodd.

'Diawl, fi 'te!' a rhagor o tsips yn cael eu lluchio i'r sosban.

A sylweddolodd Eilir pwy oedd ar ben arall y ffôn, 'Jac. Chi sy' 'na?'

'Ia'n tad.'

'Ond o ble'r ydach chi'n ffonio?' yn disgwyl iddo ddweud Ushuaia gan mor bell y swniai'r llais.

'O dŷ Miss Tingle.'

'Miss Pringle,' cywirodd y Gweinidog, i ddim pwrpas.

'Ydach chi'n medru 'nghlywad i?' holodd Jac, uwch y ffrio.

'Ydw . . . wel, a nag ydw. Ddim yn glir. Ma' 'na ryw sŵn ffrio yn y cefndir.'

'Dyna sy'n digwydd 'te,' meddai Jac.

'Sut?'

'Miss Tingle sy'n ffrio pennog imi i de.'

'Wela' i.' Ond yn teimlo bod y te yn un hwyr ryfeddol.

'Ac un i Cringoch.'

'Ydi hi 'di symud i fyw atoch chi?' holodd y Gweinidog, yn hanner tynnu coes.

'Cringoch? Na, wedi ca'l gwadd yma i swpar ma'r hen dlawd, fel finnau.'

'Na, Miss Tringle . . . m . . . Miss Pringle 'dw i'n feddwl,' ac roedd y Gweinidog yn dechrau camenwi unwaith yn rhagor. 'Ydi *hi* wedi symud i fyw?'

Gwylltiodd Jac Black, 'Diawl, 'dydw i newydd ddeud wrthach chi 'i bod hi ar ganol ffrio pennog. Pam 'dach chi'n gofyn peth mor wirion?'

'Wel ych clywad chi'n bell ydw i.'

'Isio i chi weiddi mwy sy',' oedd yr ateb sorllyd. 'Mewn picil 'dw i, ylwch,' eglurodd Jac, yn dechrau ymbwyllo peth. 'Deudwch i mi, be' ydi . . .' ond daeth cawod arall o ffrio a boddi cynffon y cwestiwn.

'Deud eich bod chi mewn helynt oeddach chi, Jac?'

'O! Diawledig.'

'John! *Language*,' a chlywodd Eilir lais cefn-gwddw Miss Pringle, serch y ffrio, yn ceryddu'r dychweledig am lesni'i iaith. Fel amryw o'r Saeson a ymfudodd i Borth yr Aur a dysgu pupraid o Gymraeg, geiriau drwg oedd y rhai mwyaf cyfarwydd iddi hithau, serch ei chrefyddolder. Y rheini, mae'n debyg, a glywai hi amlaf ar y stryd a thros gownter ei siop.

Wedi i'r ail bennog gael ei luchio i'r trochion berwedig, daeth Jac Black yn nes at ei neges. 'Roeddach chi'n deud wrtha' i, pan ddaru chi alw acw a finnau ar ganol

’y nghinio, y basach chi’n fodlon rhoi help imi hefo fy mywyd newydd, ’taswn i’n digwydd gofyn i chi.’

‘Wel, os medra’ i.’

‘Be’ ydi ‘prês bi’ yn Gymraeg?’

‘Sut?’ Ond daeth sŵn ffrio eithafol i’w glust a boddi’r sgwrs yn llwyr am funud. ‘Pennog arall yn mynd i’r badall,’ awgrymodd, wedi i’r ffrio dawelu.

‘Nagi’n tad. Miss Tingle oedd yn codi’r cynta’ o’r badall i’r plât.’

‘Be’ ydi be’ yn Gymraeg, ddeudsoch chi?’ yn ceisio crynhoi sgwrs a oedd yn mynd i bobman ac i unman.

‘Prês bi.’

Clywodd Eilir Miss Pringle, yn amlwg wedi codi’r pennog i’r plât, yn gweiddi’r ymadrodd allan yn acen Rhydychen, ‘*Praise be, John.*’

‘O, ’dw i’n deall be’ s’gynnoch chi rŵan, Jac. Holi ydach chi be’ fydda’ *praise be* yn Gymraeg.’

‘Ia siŵr.’

‘Wel . . . be’ am “molwch ef”. Na, be’ am “molwch o”? Swnio’n fwy ystwyth.’

‘Thenciw-feri-mytsh i chi.’ Bu eiliad neu ddau o dawelwch, a Jac yn ymlafnio i gopïo cyfieithiad y Gweinidog ar ddarn o bapur. Yna, holodd, ‘Deudwch i mi, sawl ‘l’ sy’ yn y gair “molwch” ’ma, dwy ’ta tair?’

‘Un.’

‘O!’ a mynegi syndod. ‘Fydda’r hen Fiss Thomas, yn yr inffans, ’stalwm, yn deud bod ’na bedair.’

Wedi cael ei faen i’r wal, roedd Jac Black yn awyddus i roi pen ar y sgwrs a chael mynd i ymosod ar y pennog. ‘Dyna ni, diolch i chi am roi hand i mi.’

Ond cyn i Jac roi’r ffôn i lawr arno roedd y Gweinidog yn awyddus i gael gwybod beth oedd pen draw hyn i gyd.

Yn amlach na pheidio, byddai gan Jac ryw is-gymhelliad ac aeth Eilir i ddŵr poeth, fwy nag unwaith, am iddo dderbyn pethau ar yr wyneb a pheidio â mynd at wraidd pethau.

'Ga' i ofyn i chi, Jac, pam roeddach chi'n gofyn i mi gyfieithu'r ymadrodd i chi?'

'O, mi ddeuda' i wrthach chi, er bod 'y mhennog i yn oeri. "Pobol y Pysgod", a chyfeirio at y sect Americanaidd yr aeth i'w crafangau. 'Nhw sy' am i mi 'neud fy nhröedigaeth yn fwy amlwg, ylwch.'

'Wela' i.'

'Ac mi rydw i am roi 'prês bi' ar 'y mrest, ond yn Gymraeg.'

'Be'? Ar ddarn o bapur?'

'Diawl na. Fasa' peth felly'n para dim. Na, ma' Miss Tingle wedi trefnu i'r Siswrn 'i roi o ar fy nwyfron i, mewn inc. Hwyl i chi rŵan.'

'Rhoi tatŵ?'

Ond roedd Jac wedi mynd. Y peth olaf a glywodd Eilir oedd Miss Pringle yn gweiddi 'John! *Language*', a Jac yn gollwng llw arall, un Cymraeg.

Y bore hwnnw o Fai cynnes roedd y Gweinidog â'i ben i lawr yn chwynnu yn yr ardd ffrynt a Brandi, yr ast ddefaid, yn y border arall yn twnelu'i ffordd i Awstralia, yn bridd i gyd, ac yn creu llanast. Daeth ergyd fel o wn. Cychwynnodd Brandi am Awstralia, ond dros dir, a chododd Eilir ei ben i weld Jac Black yn rhoi'r Suzuki i orffwyso ar wal yr ardd.

'Jac, chi sy' 'na?'

'Ia.'

'Mynd am sbin 'dach chi?'

'Wedi bod yn y Porfeydd Gwelltog ydw i,' eglurodd y beiciwr, 'yn carthu dipyn,' a chyfeirio at y Cartref Preswyl, eiddo William Howarth a Cecil, lle roedd yn fath o ofalwr rhan-amser. 'Ond welis i mo'r Siswrn chwaith, gwaetha'r modd. Fedra' i ga'l gair bach hefo chi?'

'Wrth gwrs,' ond yn flin ei fod o'n gorfod rhoi'r gorau i arddio a hithau'n fore mor braf.

'Yn breifat.'

'Wel, os hynny, dowch i mewn.'

Cododd Jac ei law i fygu'r fath awgrym, 'Ddim yn siŵr i chi ond diolch am y cynnig.' Roedd hi'n amlwg nad oedd y bywyd newydd yn tawelu dim ar ysbrydion y gorffennol. 'Unwaith y bûm i dros y trothwy.'

Ac aeth y Gweinidog ati i adrodd y stori drosto, gan iddo'i chlywed gynifer o weithiau o'r blaen, 'Pan oedd Richard Lewis yma yn Weinidog.'

'Ia siŵr.'

'A chithau'n hel at y genhadaeth.'

'Naci' (ac roedd amcan ymweliad Jac â mans Capel y Cei yn ystod ei blentyndod yn medru newid o dro i dro). 'Dŵad yma ro'n i ofyn iddo fo seinio i Mam ga'l leisans gwn.'

'Leisans gwn? I be'?'

'I saethu gw'lanod o ffenast llofft, pan fydda' hi'n dymor mecryll.'

'Bobol!'

'Roedd yr hen wraig yn medru handlo pistol yn well na Butch Cassidy.'

'Ac mi gaethoch gic yn ych pen ôl gin Richard Lewis am ych trafferth,' ychwanegodd, yn awyddus i gladdu'r hen, hen stori.

'Do, ac ma'r peth yn mynd at fy nghalon i bob tro y bydda' i'n ista ar sêt y Jacwsi,' a phwyntio at y moto-beic.

'Suzuki.'

'Ia siŵr, at y Jacwsi 'dw i'n cyfeirio. Ond matar arall sy'n peri 'mod i yma bora 'ma.'

'Ia?'

'Wedi fy mrifo ydw i.'

'O?'

'Mewn man arall,' a phwyntio y tro hwn at ei frest. 'Ac os na fedrwch chi ga'l mymryn o gompo imi mi fydd raid imi droi cefn ar y bywyd newydd 'ma' gin i ofn.'

'Ca'l iawndal? Dyna s'gynnoch chi mewn meddwl?'

'Ia, debyg.' Taflodd Jac gip brysiog i gyfeiriad y tŷ a holi, 'Ma'ch gwraig chi'n dal yn 'i gwely?'

'Wedi mynd i siopio.'

'Fasach chi mor garedig ag edrach ar 'y nwyfron i, 'tawn i'n codi fy jyrsi?'

Wedi i Jac godi godreuon y jyrsi llongwr hyd at ei ên, llwyddodd Eilir i gael golwg ar y tatŵ roedd Cecil wedi'i gerfio ar frest Jac Black. Serch fod brest Jac yn gig-noeth mewn mannau, lle roedd peiriant tatŵio Cecil wedi methu'r marc mae'n debyg, a bod y llythrennau yn dal yn wrymiau llidiog yr olwg, llwyddodd i ddarllen y geiriau.

'Ia, ardderchog.'

'Welsoch chi'r sglyfath?'

'Wel, hwyrach bod y tatŵ heb lawn fendio eto ond ma'r sgwennu'n ddigon clir ac ma'r lliw glas yna'n siwtio lliw ych croen chi i'r dim. A phan ddaw hi'n well tywydd, a chithau'n dechrau stripio fel y byddwch chi, mi fydd pawb ym Mhorth yr Aur yn medru gweld ych bod chi'n ddyn newydd ac yn moli hefo chi.'

'Moli?' arthiodd Jac. 'Diawl, fedrwch chi ddim darllan?'

'Sut?'

'Darllenwch y peth eto, yn ara' deg,' a chododd Jac ei jyrsi am yr eildro.

Dyna'r foment y sylweddolodd Eilir fod yr hyn roedd wedi'i gyflyru i'w ddisgwyl wedi peri iddo gamddarllen. Yn fwriadol, neu'n ddamweiniol, yr hyn a gerfiodd Cecil Siswrn ar frest Jac Black oedd 'Molchwch o'.

'Wel, sut ar y ddaear ma'r fath gamgymeriad anffodus wedi bod yn bosib?' holodd y Gweinidog ond yn cael trafferth enbyd i guddio'i wên. 'Molwch o, dyna oedd y gwreiddiol.'

'Gwreiddiol? Diawl, chi awgrymodd y peth,' gwylltiodd Jac, yn dechrau lluchio baw.

'Cyfieithu'r peth 'nes i, ar ych cais chi. A chithau'n 'i gopïo fo, dros y ffôn. A Cecil yn torri'r geiriau. Ydi'r darn papur hwnnw gynnoch chi?'

'Nag ydi, yn anffodus. Ma' Miss Tingle wedi'i bostio fo i'r Merica, fel tystiolaeth,' ac roedd Jac yn hen gynefin â chuddio'i lwybrau a gyrru rhai oddi ar y trywydd. 'Ylwch yma, 'dw i wedi diodda' digon pan oedd y Siswrn yn gwnïo'r peth i 'mrest i heb i mi fynd yn destun gwawd wedyn. Dyna i chi be' oedd dioddefaint. Fûm i heb gysgu am bythefnos. A dim ond ar wastad fy nghefn y medra' i gysgu rŵan.'

'Pryd gwelsoch chi'r camgymeriad 'ta?'

'Wedi i'r Siswrn ddarfod pwytho, yn anffodus. Mi 'drychis ar 'y mrest yn y glàs, un min nos, i weld oedd y peth yn dechrau mendio ond fedrwn i ddim dallt y llythrennau.'

'Na fedrach, debyg. Roedd y sgwennu o chwith.'

'Mi bicis i mewn i'r Fleece wedyn, yn groes i f'wyllys, cofiwch.'

'O!' a sylweddoli fod Jac yn dechrau llithro i'r hen lwybrau'n barod.

'Mynd yno i dystio ro'n i ac i ofyn fasa'r hogiau mor garedig â cha'l golwg ar 'y mrest i – y rhai sy'n medru darllan felly. A phan ddarllenodd Oli Paent y sgwennu i'r gweddill, sy' ddim yn medru darllan, mi fuo bron i MacDougall luchio pwcad o ddŵr am 'y mhen i. Wedi cym'yd y peth yn llythrennol, ylwch.'

'Ond mi ddaethoch o'r Fleece heb syrthio i demtasiwn?'

'Do'n tad. Ond mi fuo raid i Oli a Llew Traed,' gan gyfeirio at y plisman lleol, 'ga'l prynu sgotyn neu ddau i mi, i mi ga'l dŵad ataf fy hun wedi'r fath sioc. A do'n innau ddim yn lecio gwrthod cymwynas.'

Serch mai Miss Pringle a oedd wedi talu am y tatŵio brwnt, yn ôl y medrai Eilir ddeall, roedd Jac yn daer am iddo fynd ati i droi braich y tatŵydd iddo gael 'compo' am y camsbelio anffodus.

'Y cwbl fedra' i 'neud ydi mynd i' weld o, a gofyn. Dyna'r cwbl,' ac yn edifarhau cyn darfod y frawddeg iddo addo cymaint â hynny.

'Diolch yn fawr i chi,' meddai Jac yn mynd ati'n syth i danio'r moto-beic. 'Ond deudwch wrth y Siswrn na fydda' i ddim yn derbyn siec gynno fo, wrth na 'sgin i ddim cyfri banc.'

Gyrrodd yr ail daran, pan oedd Jac yn aildanio'r Suzuki, yr ast ddefaid i ben draw eitha' Awstralia ac roedd ei meistr, un rhy barod ei addewidion, wedi darfod chwynnu'r ardd ffrynt cyn iddi ddod yn ôl i Gymru.

Pan soniodd Eilir wrth ei wraig, fore trannoeth, ei fod am bicio i lawr i'r dre i weld Cecil cafodd ei grogi cyn cael ei wrando. Bu Ceinwen yn ffyrnig wrthwynebus i'r parlwr tatŵio o'r dechrau un. Ystyriai'r corff yn deml i'w pharchu a bod anharddu honno drwy'i haddurno â chroenluniau yn bechod o'r mwyaf. Ond drwg Ceinwen oedd neidio i gasgliadau carlamus ar yr esgus lleiaf, 'Os dychweli di o'r lle haul 'na hefo tatŵ ar dy ben ôl a modrwy yn dy drwyn, paid â meddwl am ddŵad yn ôl yma. Mi fydd y drws ar gau . . . ac wedi'i gloi.'

'Ond nid mynd yno fel cwsmar ydw i, Ceinwen.'

'Ond mi est yno i agor y lle.'

'Do, am fod Cecil wedi gofyn imi arwain y cyfarfod gweddi.'

'A'r peth nesa' oedd y Rojero Goganzalis 'na wedi tynnu dy lun di ynghanol haid o ferchaid cryfion o Blackburn.'

'Blackpool.'

'Blackpool 'ta. A'r rheini'n blastar o datŵs, hyd yn oed yn y mannau mwya' dirgel.'

'Welis i mo'r rheini.'

'Y merchaid?'

'Na. Y tatŵs.'

'A'r llun hyll hwnnw, wedyn, ar dudalen flaen *Porth yr Aur Advertizer*, a thitha'n 'u canol nhw yn edrach fel rhyw Robinson Crusoe mewn colar gron. A 'ti'n cofio'r pennawd, Saesneg?'

'Ddim yn union,' ond y gwir oedd fod y peth wedi'i lythrennu ar lech ei galon.

''Dw i yn cofio. *Bottoms Up at Porth yr Aur*.'

'Ond nid fi sgwennodd hwnnw.'

'Ti oedd yr achos i'r peth ga'l 'i sgwennu 'te? Fuo 'na 'rioed dda o frwela hefo'r Jac Black 'na.'

Os mai un hawdd i'w brynu oedd y Gweinidog, roedd ei wraig yn un wytnach ei natur. Roedd ei 'ie' hi yn 'ie' a'i 'na' yn 'na'. A pheth arall, roedd ganddi'r reddf i weld corsydd, o bell. Drwg ei gŵr, ar y llaw arall, oedd ceisio bod yn ben a chynffon i bawb, heb weld ymhellach na'i drwyn na chyfri'r gost ymlaen llaw. Blynyddoedd o geisio datrys llinynnau rhwydi y drysodd ei gŵr ynddynt a barai fod Ceinwen, mor aml, â'i llaw ar y brêc ac yn edliw iddo'i gamgymeriadau cyn iddynt ddigwydd. Ond, os oedd Eilir wedi rhoi ei addewid, boed honno'n addewid dyn mewn diod, fe'i cadwai faint bynnag y gost. Dyna pam y bu iddo wyrdroi ei chyngor y bore hwnnw a chychwyn am y parlwr tatŵio.

''Dw i'n mynd 'ta, Ceinwen.'

'Iawn, ond dy botas di fydd o, cofia.'

'Wn i.'

'A gyda llaw, deud fod gwraig y Mohican,' a chyfeirio'n ddychanol at steil gwallt ei gŵr, 'yn cofio ato fo.'

'*Come right in*, cariad,' meddai Cecil wrth weld y Gweinidog yn sefyll wrth y ddesg yn y cyntedd a chan dybio'i fod, o'r diwedd, wedi penderfynu cael y 'galon' honno ar ei grwper. '*Strip right down to the waist* ac mi fydda' i hefo chi *in a jiffy*.'

'Isio ca'l gair hefo chi ydw i, Cecil. Yn breifat.'

'Dowch hefo mi siwgr, i'r *back room*, ac mi fedra' i weithio a gwrando arnoch chi *at the same time*.' Cydiodd yn ei arddwrn a'i arwain drwy'r bwlch a wahanai y tair siop i gyfeiliant cerddoriaeth o ddyddiau'r Ail Ryfel Byd, 'You are my sunshine, my only sunshine'.

Roedd y parlwr wedi ei rannu ar gyfer tair goruchwyliaeth: cornel i frownio cyrff, hyd at eu rhostio;

congl ar gyfer tyllu'r corff, ac yna, ymhen pellaf yr ystafell, yr 'Heulwen', yr adran datŵio a Cecil ei hun a wnâi y gwaith hwnnw. Wrth fynd heibio, fel ci anfoddog yn cael ei arwain wrth dennyn, sylwodd ar ddwy neu dair o ferched yn gorwedd ar wlâu haul isel, yn araf felynu yn y gwres eithafol. Clywodd rywun yn galw'i enw a chyda chil ei lygad gwelodd Freda Phillips, Plas Coch, gwraig yr adeiladydd, yn clertian yn yr haul cogio a'i chroen yn crebachu yn y gwres. Am y pared â hwy, roedd yna nifer o gybiau ifanc: un newydd gael modrwy yn ei glust, un arall yn ei drwyn ac un arall yn ei wefl a'r tyllau a dyllwyd i groen pob un o'r tri yn dal i waedu.

Yn y gilfan lle digwyddai'r tatŵio gorweddai merch ifanc ar wely, ei chefn at y byd a heb fawr ddim i guddio'i noethni.

'Ydach chi'n 'i nabod hi, Mistyr Thomas?'

''Dw i ddim yn meddwl,' atebodd y Gweinidog yn teimlo'n groen gŵydd i gyd. 'O leia', 'sgin i ddim co' i mi'i gweld hi fel hyn o'r blaen.'

'*I should think so*,' meddai Cecil a gwneud siâp wy â'i geg.

'Neis gweld chdi, Bos,' ebe'r ferch ifanc, wedi nabod llais y Gweinidog, 'Musus chdi'n iawn?'

'Ydach chi'n cofio'i henw hi?' holodd Cecil yn frwd.

Gwyddai Eilir oddi wth ei hacen, a'r croen lliw hufen, mai un o amryw ferched Shamus Mulligan, y tarmaciwr, oedd hi, ond p'run?

'*Have a closer look*, 'ta cariad,' cymhellodd Cecil yn pwyntio at gefn y ferch ifanc, '*just above the hip*.'

Plygodd y Gweinidog ymlaen a chraffu. Ar un glun roedd yna haul melyn, newydd godi, ond bod ei belydrau yn sobr o anwastad a'r enw 'John' wedi'i lythrennu oddi tano, mewn coch. Ar yr ystlys arall, roedd y gair 'James' a rhimyn o leuad tywydd drwg ar ganol cael ei bigo allan. Yna, ymsythodd i'w lawn sefyll, yn beio'i hun am iddo ufuddhau i Cecil a chraffu felly.

'Musus James, sudach chi?' mentrodd, wedi nabod yr enwau a chan gofio y briodas anghymharus a weinyddwyd rhwng Coleen a John James, y Cyfreithiwr, ddwy flynedd ynghynt.

'Gwallt chdi'n *groovy*, ia?' meddai hithau yn troi'i phen ac yn paratoi i godi ar ei heistedd.

'Wel, cofiwch fi at y gŵr, pan welwch chi o,' ebe'r Gweinidog yn teimlo'n hynod o annifyr.

Wedi llwyddo i godi ar ei heistedd, roedd gwraig ifanc y Twrnai'n barod iawn am sgwrs, noethlymun neu beidio. 'Ma' Cecil 'di rhoi'i enw fo ar cefn fi, ia, jyst fath â sypréis. Ceith o 'i gweld o pan fydd hi'n Dolig.'

'And it's only Easter,' sibrydodd y tatŵydd o dan ei wynt.

'Wel . . . m . . . 'sgin i ddim ond dymuno Nadolig llawen i chi, pan ddaw o.'

'Gwranda, Bos. 'Ti isio gweld llun sy' ar bol fi?' a bygwth troi reit rownd.

Neidiodd Cecil fel dyn wedi'i drywanu ac arwain y Gweinidog allan o'r parlwr tatŵio ar gryn hast, yn gyflymach nag y gwnaeth ar y ffordd i mewn. '*Not fit for general viewing*, Mistyr Thomas bach,' sibrydodd wrth gerdded, 'er ych bod chi wedi priodi. Peidwch byth â mynd i Blackpool.'

Wrth y ddesg yn y cyntedd, ceisiodd Eilir ymliw â Cecil ar ran Jac ond i ddim pwrpas. Roedd y tatŵydd yn dadlau iddo gerfio mewn inc annileadwy ar frest Jac Black yr union eiriau a roddwyd iddo ar ddarn o bapur. Dyna ddysgwyd iddo yn ystod y cwrs undydd y bu arno yn

Leeds, yn dysgu'i grefft, a dyna reol aur rhyw ffederasiwn neu'i gilydd y perthynai tatŵyddion iddi. A pheth arall, honnai iddo wneud gwaith ychwanegol am ddim. Ar gefn Jac, yn ôl Cecil, roedd yna datŵ'n barod; un roedd Jac, yng ngwres ei dröedigaeth, am gael ei ddileu.

'*Voluptuous lady*, Mistyr Thomas bach, o'r Caribbean.'

'O'r dyddiau pan oedd Jac ar y môr, debyg.'

'*Possibly*. Ond fel ma' Mistyr Black wedi mynd yn lletach roedd y ddynas wedi mynd yn dewach, a'i *dress* hi'n dynnach. *Very voluptuous if I can say so*. Ond mi lwyddis i i rwbio peth ohoni hi i ffwrdd hefo *scourer* a *Vim*. Dim ond 'i phen hi a *little bit* o'i thraed hi sydd i'w gweld rŵan.'

Ceisiodd y Gweinidog egluro i Cecil y dolur seicolegol a achoswyd i enaid Jac a dyna pryd daeth y llew allan yn Cecil, y llew sydd ymhob gŵr neu wraig fusnes arbennig o lwyddiannus. 'Mistyr Thomas bach, *if you don't mind me saying so*, ma' 'molchwch o' yn fwy *fitting* o lawar. 'Dwn i ddim pa mor amal bydd o'n molchi. Fuo raid i mi wisgo *mask* i 'neud y job. A pheth arall, Mistyr Thomas, ma' gin i flys gyrru bil ychwanegol iddo fo.'

'Be', bil mwy eto?'

'*Can't you count*, *dear*? Am y gair 'molwch' ro'n i wedi tendro ar y ffôn a fuo raid i mi dorri un lythyran yn *extra*, a honno'n lythyran ddwbl. Rŵan, siwgr, *if you'll excuse me*, ma'n rhaid i mi fynd yn ôl ne' fydd y lleuad ar *backside* Coleen wedi machlud,' a chwerthin yn enethig ar ben ei ddigrifwch ei hun. 'Gwela' i chi yn cyfarfod gweddi nos Fawrth, cariad, *God willing*.' A dyna un addewid y byddai Cecil, serch ei holl odrwydd, yn sicr o'i chyflawni – os Duw a'i myn.

Llithro i'w hen ffyrdd fu hanes Jac Black yn fuan wedyn. Ymddangosodd unwaith neu ddwy yn y Capel Sinc, yr achos cenhadol ar yr Harbwr, lle cynhelid ambell wasanaeth ar bnawn Sul. Sylwodd Eilir ei fod yn ymuno'n frwdfrydig yn y canu – serch ei fod wythfedau yn is na phawb arall ac yn mwrdro rhai o'r geiriau mwyaf cysegredig. Ond pan ddechreuai'r Gweinidog draethu, a sôn am rai pethau a fyddai'n anadl einioes i bob dychweledig, collai Jac bob diddordeb. Edrychai 'fel gŵr ar ddyfroedd hunlle'n methu cyrraedd glan'. 'Doedd yr adeilad, chwaith, mo'r lle mwyaf manteisiol i hen forwr fel Jac gael gafael ar y 'bywyd newydd'; gwres yr haul ar y sinc tu allan, ar bnawn braf, yn troi'r ystafell glòs yn bopty, sŵn llepian y tonnau ar y traeth, trwy'r ffenestri cilagored, yn porthi galwad y môr yn yr hen forwr, ac iaith y Gweinidog, serch pob ymdrech o'i eiddo i fod yn syml, yn swnio'n 'fforin' i un a ddihangodd ar long a mynd i forio cyn diwedd ei chwarter ysgol.

Dros y blynyddoedd, bu dilysrwydd tröedigaeth Jac Black yn bysl i'r Gweinidog. Ddaeth yna 'ryw awel hyfryd o'r gororau pell' i chwythu ar enaid Jac ynteu dim ond grym ewyllys Miss Pringle a'i charedigrwydd yn ffrio ambell bennog iddo, ac i Cringoch, a'i cafodd i dir – wel, am gyfnod? Gydag amser, llithro'n ôl i'r hen ffyrdd fu hanes Jac, yntau – er mawr gysur i Oli Paent ac elw i MacDougall – a gwaniodd llythrennau'r tatŵ a gerfiodd Cecil ar ei ddwyfron, hyd at fod yn aneglur i rai heb sbectol (dyna sy'n digwydd, mae'n debyg, o brynu inc rhad), ond glynu at ei phroffes fu hanes Miss Pringle.

Ond yn ôl hogiau'r Fleece, gydag amser fe ddaeth y wraig fronnog o'r Caribî, a datŵiwyd ar ei gefn, yn ôl i'w llawn ogoniant, yn lletach nag erioed ac yn fwy beiddgar yr olwg.

Wedi blynyddoedd o gerdded strydoedd Porth yr Aur gwyddai Eilir mai'r peth anoddaf o dan haul y greadigaeth oedd nabod cymhellion pobl ac roedd dirnad cymhellion Jac Black, bob amser, yn anoddach na hynny. Dysgodd hefyd, o wylio'r hil ddynol yn chwarae eu gwyddbwyll, mai y profiadau hynny a ysgrifennwyd 'nid ag inc' ond 'ar lechau'r galon' oedd y tebycaf o gadw eu lliw. Ond pa inc gwyrthiol, tybed, a ddefnyddiodd y tatŵydd hwnnw o'r Caribî?

Sut mae hyn yn mynd i weithio ar y bocs?

Gwen Griffith

Mae'n anodd meddwl y buasai ffilmio dyn yn sefyll yn ei unfan yn adrodd stori yn gwneud rhaglen deledu ddifyr. Neu felly y buasai rhywun yn tybio, falla. Wedi'r cwbl, 'does 'na fawr yn digwydd, nac oes? Dyn ar y podiwm yn adrodd, cynulleidfa yn eistedd a gwrando. Sut mae hyn yn mynd i weithio ar y bocs, tybed? Ac a fuasai'r gynulleidfa adref yn sicr o ddod 'nôl i wylio am wythnos arall wrth i'r storïwr agor ei lyfr unwaith eto a chychwyn ar stori newydd?

Ond nid unrhyw hen straeon mo'r rhain, wrth gwrs – nac unrhyw hen storïwr. A dyna pam y bu'r profiad o ffilmio cyfres deledu *Straeon Harri Parri gyda John Ogwen* o gwmpas Pen Llŷn un gwanwyn yn 2010 yn brofiad mor gofiadwy. Wrth i'r garfan gyntaf dyrru i mewn i'r ganolfan gyntaf un, yn awchu yn eu seti am y wledd oedd o'u blaenau, wrth i John Ogwen gamu ar y set ac agor ei lyfr, hyd yn oed cyn ynganu'r gair cynta, roedd hi'n amlwg fod yna brofiad arbennig o'n blaenau. Ac yn wir, fe wnaeth yr addewid o hwyl a hiwmor straeon trigolion Porth yr Aur lenwi pob sêt ar y daith ar draws y Penrhyn a lledu ganwaith wedyn i ddiddanu cynulleidfa'r sgrin fach ar draws Cymru pan ddarlledwyd y gyfres dros yr

'Roedd 'na ddagrau yn powlio i lawr y gruddiau ar adegau . . .'

Lluniau: Cwmni Da

haf. Os oedd rhaglenni teledu difyr i'w gwneud o ddyn yn adrodd straeon, John Ogwen yn adrodd straeon Harri Parri oedd y rheini!

Mae apêl y straeon yn amlwg, wrth gwrs. Dyma fyd smâl, llawn cymeriadau yr ydan ni eisoes yn rhyw hanner-adnabod, cymeriadau sy'n dod yn fyw ac yn fwy yn eu holl ddoniolwch dan chwyddwydr a disgrifiadau tafod-ym-moch Harri Parri. Yng nghrombil eu cymuned glòs, o Jac Black i Shamus Mulligan, Meri Morris i Dwynwen Lightfoot, John James i Cecil Siswrn, mae'r natur ddynol yma yn ei holl ogoniant. A phan mae rhai o droeon trwstan trigolion Porth yr Aur yng ngofal dawn dweud Harri, 'does ond gwledd o hiwmor i'w disgwyl. O ymgais Jac Black i gael tatŵ wedi ei dröedigaeth i ail-greu Stori'r Geni dan ofal artistig Cecil Siswrn, dyma greu comedi pur sydd cystal ag unrhyw standyp.

Mae'r sefyllfaeoedd digri yma yn aros yn y cof fel lluniau llachar. A 'does neb gwell i ddod â'r lluniau hynny'n fyw ar lwyfan nag actor dawnus. Mae paru

John Ogwen yn cosi'n gynnil wrth arwain at y *punchline*.

cymeriadu ffraeth Harri efo crefft anghymharol y storïwr John Ogwen wedi troi'r straeon, a thrigolion Porth yr Aur, yn brofiad byw i gannoedd o'u dilynwyr, rhywbeth sydd wedi ei brofi dro ar ôl tro dros y blynyddoedd mewn Pabell Lên dan ei sang mewn sawl Eisteddfod Genedlaethol.

Ac felly'n union y bu eto ar y daith o gwmpas Pen Llŷn – cyfle i weld y lluniau hyn yn dod yn fyw o'r newydd a chyfle wedyn i rannu'r cwbl efo cynulleidfa ehangach drwy'r sgrin deledu. Ta waeth faint o weithiau rydach chi wedi clywed hanes Jac Black a thanc y Baptismal tra bo Ifan Jones yn ceisio'i orau i beidio taro'r dôn ar yr organ cyn pryd, 'does neb all arwain at y *punchline* fel John Ogwen. Roedd 'na ddagrau yn powlio i lawr y gruddiau ar adegau, a'r un oedd yr ymateb o ganolfan i glwb golff neu neuadd bentref – y stori yn ddoniolach eto fyth o'i chlywed am y degfed tro a disgwyl unwaith eto am yr uchafbwynt.

Aeth y daith o Nefyn i Sarn Mellteyrn, o Bwllheli i Fynytho, o Roshirwaun i Nant Gwrtheyrn gydag un amcan, i gael noson o *hwyl*. A dyna'r allwedd hudol wnaeth sicrhau llwyddiant i'r daith ac i'r gyfres: profiad lle nad aeth 'na neb adra wedi eu siomi ond yn hytrach wedi cael llond bol o chwerthin.

Peth braf ydi cael troedio Porth yr Aur o bryd i'w gilydd drwy lyfr, radio neu deledu. Roedd hi'n bleser cael gwneud hynny ar daith o gwmpas Llŷn – o weld ymateb y dorf roedd hi'n amlwg fod gan rai eu hoff stori, a phawb eu ffefryn. 'Dw i'n siŵr fod eich ffefryn chithau ymysg y straeon hyn.

'Harri Parri ydi'r unig awdur Cymraeg sy'n gallu gwneud i mi floeddio chwerthin – crio hyd yn oed. Mae ganddo ddawn anghyffredin, rhyfeddol o brin, i ysgrifennu deialog sy'n gwbl naturiol ond eto'n clecian efo digrifwch.'
— *Bethan Gwanas*

Kathleen (neu Caitlin) Mulligan

Cael ei mewnforio – ond o'i gwirfodd – o Lettermullan ar arfordir y Connemara i Gymru fu hanes Caitlin O'Donnell. Talodd Shamus docyn unffordd drosti o Galway i Gaergybi. McLaverty Enterprises a wnaeth y trefniant. Wrth ei chyfarfod oddi ar y llong sylweddolodd iddo gael gwerth ei arian: pladres o ferch ifanc, dywyll yr olwg, yn fodrwyau i gyd gyda chlustdlysau seis giatiau. Y Tad Finnigan a'u priododd a bu'n briodas ffrwythlon.

Fel ei theulu yn y Gaeltacht mae'r Offeren Sanctaidd yn fwyd a diod iddi. Yn y garafán lanwaith mae delw o'r Forwyn Fair a phenlinia wrthi hwyr a bore. Gyda geni'r holl blant, ben wrth sawdl, ni chafodd siawns i ddysgu'r Gymraeg – er bod ganddi beth Gwyddeleg. Caiff y Gweinidog yr un croeso ganddi â phetai'n Offeiriad, *'Do come in, Father. Will ye 'ave a wee drop of Uncle Jo's Poteen?'* Hi sy'n gwisgo'r trowsus ym Mhen y Morfa a'i gair yn fath o 'ddeg gorchymyn' i'r teulu. Mae Shamus bob amser yn fawr ei bryder amdani, 'Coesau fo'n giami, cofia, a ma' faricos feins fo fath â grêps, ia? 'Ti 'di gweld nhw *recently*?' A'r Gweinidog yn syrthio i'r un trap bob tro: 'Do . . . m . . . naddo.' Ond, mae cryn barch i Kathleen Mulligan ym Mhorth yr Aur.

Dŵr o Ballinaboy
Harri Parri

Serch ei bod hi'n noson braf o Fehefin, cafodd y Gweinidog a'i wraig gryn sioc o weld ambiwlans o goets babi wrth y drws ffrynt am un ar ddeg o'r gloch y nos a sioc ychwanegol o weld mai John James, perchennog ffyrm James James, James John James a'i Fab, Cyfreithwyr, oedd wrth y llorpiau.

'Chi sy' yma, Mistyr James?' holodd Ceinwen, serch bod hynny'n amlwg.

'Sudach chi?'

'Yn rhyfeddol o dda, a chysidro. A diolch i chi am holi.' Un boneddigaidd oedd John James, gyda phopeth ond ei filiau, a hael ryfeddol hefo'i sebon.

'Dowch i mewn ych dau,' cymhellodd hithau er ei bod yn teimlo yn ei chalon ei bod hi'n greulon o hwyr i fynd â babi i dŷ diarth yr awr honno o'r nos.

'Mi rydach chi'n rhyfeddol o garedig, Musus Thomas. A diolch i chi.' Llais yn hymian yn undonog oedd gan John James fel cacwn mewn potel sos a hwnnw wedi colli'i fap ordnans.

'Eil! Yli pwy sy' 'ma.'

Gyda medrusrwydd dyn yn parcio lorri artic ar wyneb hances boced, llwyddodd John James i lywio'r pram heibio i droed y grisiau ac i mewn i stafell ffrynt Tŷ'r Gweinidog.

'Croeso mawr i chi'ch dau,' rhagrithiodd yntau.

Wedi tynnu'r brêc, disgynnodd John James i bantle yn y soffa a llacio mymryn ar ei dei, ''Doeddwn i erioed o'r blaen wedi meddwl bod gwthio pram yn waith mor drwm.'

''Dydi Coleen ddim hefo chi?' holodd Ceinwen, yn annoeth.

'Nag'di, yn anffodus,' ebe'r Cyfreithiwr mewn llais fflat fel crempog. 'Ma' Musus James,' a chyfeirio at ei wraig ifanc fel petai hi'n wraig i rywun arall, 'wedi picio i'r Fleece. Ma' hi'n noson y cari-on yno.'

'*Karaoke*,' awgrymodd Ceinwen ond yn ofni y gallai'r gair arall fod yn well disgrifiad o'r hyn a allai ddigwydd yng nghynteddoedd y Fleece unwaith y byddai olwynion y Mulliganiaid wedi'u hoelio.

'Ia siŵr, y peth hwnnw oedd gen i mewn meddwl.'

Bu bron i Ceinwen awgrymu y byddai'n rheitiach i'r genawes fod gartref gyda'i theulu; yna, sylweddolodd y byddai y rhan fwyaf o'i theulu hefo hi, p'run bynnag, yn dawnsio i gyfeiliant rhyw *jig* Wyddelig neu'i gilydd ymhell cyn amser clirio'r gwydrau. Roedd priodas anghymharus John James a Coleen Mulligan, ugain oed, yn dal yn ddirgelwch llwyr i Ceinwen, fel i'w gŵr, ac yn destun siarad cyson i bobl Porth yr Aur.

'Noson drymaidd i wthio pram,' ebe'r Gweinidog, er mwyn dweud rhywbeth.

'Noswaith drymaidd ryfeddol,' ebe'r Cyfreithiwr yn sychu chwys oddi ar ei dalcen â'i hances boced. ''Nes i 'rioed ddychmygu chwaith, dan heno, fod yna gymaint o strej rhwng Cyfarthfa acw a'r tŷ yma. Mae o'n fwy na chwartar milltir, mae'n siŵr gen i.'

Clamp o dŷ trillawr gyda seler ac atig oedd Cyfarthfa

yn sefyll yn ei libart ei hun ar y ffordd uchel a droellai allan o Borth yr Aur i gyfeiriad y wlad. James James, taid John James, a'i cododd, rywbryd cyn diwedd teyrnasiad Victoria. Wedi colli'i rieni bu John James yn byw yno wedyn, fel adyn, hyd ei briodas annisgwyl â merch Kathleen a Shamus Mulligan.

''Dydi o'n bram mawr,' sylwodd Ceinwen, er mwyn cadw'r stori i droi. ''Sgin i ddim co' imi fawr 'rioed weld pram mwy.'

'Yn wreiddiol,' esboniodd y perchennog, 'mae o wedi'i 'neud i gario dau.'

'Tewch chithau.'

'Heblaw ma' Musus James wedi trefnu i ga'l un bach arall. Mi ddeudodd gymaint â hynny wrtha' i neithiwr, pan o'n i'n llnau 'nannadd.' Ac roedd John James, a oedd wedi hen basio'i drigain, yn swnio fel petai cenhedlu plant yn job i un.

Daeth gwên lydan i wyneb y Gweinidog wrth weld y geiriau '*Home Made*' – enw'r math o bram, mae'n debyg – wedi'i italeiddio mewn llythrennau aur ffug ar ochr y goets. Yn achos Coleen, druan, go brin fod hynny'n wir. Daeth i'w gof iddo weld yn swyddfa James James, James John James a'i Fab, Cyfreithwyr, ychydig dros flwyddyn ynghynt, enwau ymhell dros ugain o dadau tebygol. 'Doedd enw John James ddim ar y rhestr honno, dim ond ar waelod homar o fíl a oedd wedi'i binio i'r rhestr.

''Dydw i ddim wedi'ch gweld chi er dydd y briodas, Mistyr James,' meddai Ceinwen. 'Ble buoch chi eich dau ar eich mis mêl? Disney Land?' (Ac roedd hwnnw yn gwestiwn ac yn awgrym gwirion.)

'Bangor Land,' oedd yr ateb. 'Ysbyty Gwynedd, a deud y gwir . . . Adran Mamolaeth.'

Am foment gallai'r Gweinidog ystyried crogi'i wraig am iddi arwain y sgwrs ar hyd y fath lwybr pengoll. Roedd hi i wybod mai prin amser i wthio'i thusw blodau i ddwylo un o'r morynion a gafodd Coleen druan cyn i'r babi fygwth rhoi'i ben allan i weld pwy oedd y gwahoddedigion a wahoddwyd i briodas ei fam a thebyg i beth oedd y gŵr a gofrestrwyd fel ei dad.

'Be' 'di enw'r plentyn hefyd?' holodd Eilir i geisio newid llwybr y sgwrs. 'Mi ddylwn wbod ond 'mod i'n methu â chofio.'

'Joseff, a James ar y diwadd. Ond bod ni yn 'i alw fo'n Jo.'

Yn ôl arfer rhai a fu'n famau 'u hunain unwaith, cododd Ceinwen a cherdded ar flaenau'i thraed i gyfeiriad y pram. Cododd ychydig ar y bargod a dechrau siarad babi hefo'r plentyn, 'Wel, dyma 'ogyn mawl.' Dechreuodd hymian, 'Ji ceffyl bach yn calio ni'n dau . . .'

O weld wyneb diarth, llais allan o diwn a golau bylb can wat yn brifo'i lygaid, neidiodd y bychan ar ei golyn. Tynnodd ei dafod allan ar Ceinwen, hyd y llinyn, a chodi dau fys arni wedyn, i danlinellu'i ddiflastod o gael ei styrbio ar ganol ei gwsg.

Aeth y lle yn dawel fel y bedd a John James, druan, yn gwasgu'i hun at ei gilydd fel ci ar ganol cael ei weithio i geisio dal yr annifyrrwch. Roedd hi'n amlwg fod Jo yn giw o frid. O un ochr i'r teulu o leiaf.

'Ylwch,' meddai Ceinwen mewn ymdrech i lacio'r awyrgylch, 'mi a' i i 'neud panad i'r tri ohonon ni. Be' fydd hi, Mistyr James, te ne' goffi? Mi wn i ma' te gymith Eilir.'

'Coffi, Musus Thomas, os gwelwch chi'n dda. Mi rydach chi'n rhyfeddol o garedig.'

'Coffi du, os 'dw i'n cofio'n iawn, a dim siwgr.'

'Mi rydach chi'n cofio'n rhyfeddol, Musus Thomas, yn rhyfeddol. Ia siŵr, a hwnnw mor ddu ag y daw o drwy big y pot, os gwelwch chi'n dda. A diolch i chi.'

'Be' am Joseff?' holodd Ceinwen wedyn, ond yn gofalu cadw o fewn hyd braich i'r pram wedi iddi dderbyn y fath arwyddion annymunol. 'Fedra' i dw'mo 'chydig o lefrith iddo fo?'

Fel petai o'n ymateb i'r cwestiwn dechreuodd y bychan ffureta o dan y plancedi. Tynnodd allan botel blastig, seis maro, ac anferth o deth wen ar ei blaen a dechrau sugno'i hochr hi nes roedd yna sŵn fel rhywun yn pwmpio teiar tractor.

''Dydi o'n siarp o'i oed,' sylwodd y Gweinidog wedi rhyfeddu at y fath ddeallusrwydd ond yn anghynefin, bellach, â'r cynnydd posibl yn natblygiad plant. 'Ydi o'n siarad dipyn gynnoch chi, Mistyr James?'

'Amball air,' ebe'r Cyfreithiwr yn ochelgar. 'Mae Musus James yn mynd ag o i fyny'n ddyddiol bron i weld Taid Shamus, a phan ddaw o gartra o'r fan honno mae ganddo fo air newydd bron bob tro . . . yn anffodus.'

'Wela' i.'

'Musus Thomas yn dal i gadw'i siâp yn rhyfeddol,' meddai'r Cyfreithiwr pan oedd Ceinwen allan o glyw.

'Ydi debyg,' mwmiodd y Gweinidog, yn credu mai mater domestig oedd peth felly.

'Yn rhyfeddol felly,' ebe'r Twrnai a gwenu'i ddychymyg. Roedd yna sôn erioed fod gan John James lygad ifanc wrth edrych ar ferched, ac roedd hi'n amlwg nad oedd ei briodas wedi pylu dim ar graffter y llygad hwnnw.

Pan oedd Ceinwen wrthi'n llenwi cwpan y Cyfreithiwr hefo'r coffi 'mor ddu ag y daw o drwy big y pot', ni fedrai'r Gweinidog lai na sylwi mai gŵr wedi colli'i raen oedd

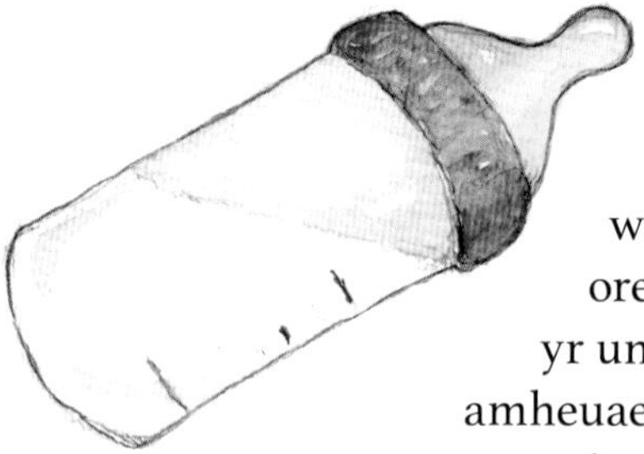

John James ei hun – y sgidiau duon wedi mynd yn denau'u gwadnau a'i drowsus yn grwn yn y ddau ben-glin. Yr un siwt bin-streip ag a wisgai bob amser, mae'n wir, ond roedd y pâr socs oren – chwaeth Coleen, mae'n debyg – yn cyfarth; yr un crys gwyn, ond roedd y tei – dewis Coleen heb amheuaeth – gyda llun hanner uchaf Madonna wedi'i stampio arno yn udo.

Wrth iddo orsugno, llithrodd y botel blastig drwy ddwylo Jo a disgyn rhwng ei bengliniau. 'Damia!' meddai hwnnw cyn gliried â chloch eglwys ond yn llai persain.

Aeth y lle fel y bedd am yr eildro. Brysiodd Ceinwen i dorri ar y tawelwch, 'Rŵan, Mistyr James, dowch i mi ail-lenwi'ch cwpan chi.'

'Mi rydach chi'n garedig ryfeddol, Musus Thomas. A diolch i chi.'

Bu eiliad neu ddau o saib yn y sgwrsio, y tri yn yfed eu paneidiau a'r bychan, wedi trychfila am y botel a chael hyd iddi, yn ailddechrau pwmpio'n ffyrnig bob yn ail â thorri gwynt. Roedd John James yn amlwg annifyr, ac arno ofn, mae'n debyg, i Jo ollwng y botel unwaith eto a gollwng rheg arall o ganlyniad. Daeth at ei neges. 'Meddwl ro'n i, Mistyr Thomas, y byddai hi'n beth da petaen ni'n bedyddio'r bychan 'ma.'

'O, ia,' atebodd y Gweinidog yn ddigon oer.

'Pan fydd hynny'n gyfleus i chi 'te. Mi rydach chi'n dal hefo'r arfar o fedyddio, mae'n debyg?'

'Ydan, wrth gwrs.'

Ar wahân i'w briodas annisgwyl ei hun, roedd yna flynyddoedd meithion wedi mynd heibio heb i John James fod mewn oedfa. Roedd yn ddigon parod i roi gair o gyngor i'r Capel yn ddi-dâl dim ond iddynt nodi ar yr

Adroddiad blynyddol mai y ffi y byddai wedi'i chodi am ei gymwynas oedd ei gyfraniad at yr achos. Ar bapur, roedd o'r cyfrannwr trymaf yng Nghapel y Cei; yn ariannol, pensiynwyr tlodion yr eglwys a dalai'r swm gorfodol drosto i goffrau'r enwad.

'Ond aelod o'r Eglwys Gatholig ydi Coleen,' pwysleisiodd Eilir yn ceisio taflu'r baich i gyfeiriad arall, 'ac mae'r Pabyddion, fel rheol, yn awyddus iawn i'r plant ddilyn y fam yn hyn o beth.'

Aeth John James i fymryn o ddeufor-gyfarfod. 'Wel . . . m . . . sut y gosoda' i'r peth?' Yna, daeth y cyfreithiwr ynddo i'r adwy. 'I fod yn onast hefo chi, fe wnaeth Musus James gais i'r Tad Finnigan am fedyddio.'

'Ardderchog,' brysiodd y Gweinidog yn gweld llwybr dianc. 'Mi ddo' innau yno i gynnal 'i freichiau fo.'

'Ond wrth bod Musus James fymryn yn . . . yn be' ddeudwn i . . . yn drwmlwythog yn dŵad at yr allor, ddydd y briodas, gwrthod wnaeth o.' Cyn belled ag roedd cyflwr Coleen yn y cwestiwn y bore gwyn hwnnw, roedd hynny'n wir. Dim ond ar yr ail dac y llwyddodd hi i fynd drwy'r adwy i'r sêt fawr, a chofiai Eilir yn dda mai wysg ei chefn y cafwyd hi allan – y gwas a'r forwyn yn tynnu a'r Cofrestrydd yn gwthio. 'Ac ma' ewythr i'r wraig, o Connemara, yn llwyr fwriadu bod yn bresennol yn y bedydd.'

Gwyddai Eilir mai at y Jo McLaverty hwnnw y cyfeiriai John James. O ddeall hynny, a dwyn i gof rai o fedyddiadau *risqué* y Mulliganiaid yn y gorffennol, ceisiodd roi rhagor o rwystrau yn ffordd y Cyfreithiwr. 'Ma' rhaid i mi ofyn i chi, Mistyr James, am ych cymhellion chi'ch dau dros ofyn am fedydd. Wedi'r cwbl, chi fel rhieni sy'n dewis dros y plentyn.'

'Cytuno gant y cant,' ebe'r Twrnai'n frwd. 'Ond rhyw feddwl roedd Musus James a minnau y bydda' rhoi ychydig o ddafnau o ddŵr ar 'i dalcian o yn help i buro'r iaith.' O glywed am y 'dafnau dŵr', a hwnnw'n ddŵr oer, mae'n debyg, tynnodd Jo y deth o'i geg a thaflu un llygad bolwyn at ei dad, fel y tybiai. Teimlodd Ceinwen ias sinistr yn cerdded ei meingefn. Roedd yna rywbeth yn fygythiol yn edrychiad y bychan fel petai'i grebwyll yn hŷn na'i oedran.

Ofergoeliaeth y Cyfreithiwr oedd yn oeri'r Gweinidog, 'Ond 'neith Dŵr Cymru wahaniaeth yn y byd i foesau'r plentyn, Mistyr James bach. Coel gwrach ydi peth fel'na.'

'Na,' cytunodd Ceinwen, 'neith y dŵr ar 'i ben 'i hun ddim gwahaniaeth.'

'Yn hollol,' ategodd ei gŵr, wedyn, yn tybio bod ei wraig yn ei gefnogi.

'Ond pwy a ŵyr na all awyrgylch yr oedfa 'neud gwyrth. Mi fydda' Nain, 'stalwm, yn arfar â deud y bydda' plant yn dŵad yn 'u blaenau fel cywion gwydda' unwaith y byddan nhw wedi'u bedyddio.'

'Dyna be' ydi ofergoel gwirion arall,' chwyrnodd ei gŵr, yn gweld y tir o dan ei draed yn cael ei dynnu. 'Nid magu cywion gwydda' ydi gwaith eglwys.'

'Musus Thomas,' meddai'r Cyfreithiwr, yn cydio mewn angor, 'mae'n meddyliau ni'n dau yn mynd i gyfeiriad rhyfeddol o debyg. Ma' gin i go byw am William Howarth, yr Ymgymerwr,' ac aeth John James yn atgofus am funud. 'Roeddan ni'n dau, yn anffodus, yn yr un dosbarth yn yr Inffants. Yn bedair oed, chlywsoch chi ddim rhegwr nobliach yn ych dydd na Wil Baw Mul, fel byddan ni'n cyfeirio'n annwyl ryfeddol ato fo. Ond wrth fod yna ryw ansicrwydd ynglŷn â phwy oedd 'i dad o mi fu rhaid oedi cyn iddo fo gael ei fedyddio. Ond unwaith y rhoddwyd dŵr ar 'i dalcian o roedd 'i iaith o mor lân â swllt – ac mae hi'n dal felly. Chwara c'nebrynau y bydda' fo bob dydd wedyn. Na, mi rydw i am gefnogi Musus Thomas yn hyn o beth.'

'A pheth arall,' ategodd Ceinwen yn rhoi rhagor o lo ar y tân. '"Gadewch i blant bychain ddyfod ataf fi" ma'r Beibl yn 'i ddeud. Sut medar neb wrthod bedydd i blentyn bach?'

'Dyna fo,' ebe'r Gweinidog wedi'i yrru i gongl, 'mi fydd raid inni felly feddwl am 'neud trefniadau.'

'Gyda llaw,' ychwanegodd John James, wedi cael ei faen i'r wal, 'mae Musus James yn awyddus ryfeddol i'r dŵr, ar gyfer y bedydd felly, ddŵad o gorsydd Connemara lle ma'i gwreiddiau hi a'i theulu, fel y gwyddoch chi.'

Pan oedd y Gweinidog ar chwalu'n briciau o orfod gwrando ar ofergoel ffôl arall, daeth Ceinwen i mewn i'r sgwrs a gwneud y pwll yn futrach fyth, 'Call iawn, ddeuda' i. Yn un peth, mi fydd yn rhatach lawar na dŵr tap ac yn iachach, hwyrach.'

'Ond, Ceinwen . . .'

'Panad bach arall o goffi, Mistyr James?'

'Mi rydach chi'n garedig ryfeddol, Musus Thomas. A diolch i chi.'

Wedi dwy gwpanaid arall o goffi 'mor ddu ag y daw o drwy big y pot' y cododd John James, ffyrm James James, James John James a'i Fab, Cyfreithwyr, o'r soffa a hithau rhwng un a dau; Ceinwen yn pendwmpian cysgu ond bob hyn a hyn yn deffro gyda jyrc ac Eilir, o eistedd yn ei unfan gyhyd, mor stiff â chwrcath wedi bod ar sifft nos. Erbyn hyn roedd y bedydd wedi'i drefnu – popeth hyd at y dyddiad – ac Eilir, yn groes i'r graen, wedi cytuno i weinyddu cyn belled â bod y Tad Finnigan yn dal cannwyll iddo. Gwyddai y byddai presenoldeb hwnnw o leiaf yn help i gadw plant y Mulliganiad rhag mynd dros ben llestri, a thros ben y seti.

Sleifiodd Ceinwen am ei gwely pan oedd y cloc newydd daro un a gadael i'w gŵr hebrwng y lorri artic heibio i droed y grisiau a thrwy'r drws ffrynt.

'Nos da rŵan, Mistyr James. Ac ewch â'n cofion ni at Coleen,' ebe'r Gweinidog wedi meirioli erbyn hyn.

'Diolch i chi. Diau y bydd hi gartra o'r cari-on o hyn i'r bora.' Gan ei bod hi mor drybeilig o hwyr penderfynodd Eilir beidio â'i gywiro.

'Nos da.'

Cerddodd John James o ffyrm James James, James John James a'i Fab, Cyfreithwyr y llwybr cul o ddrws ffrynt Tŷ'r Gweinidog i'r ffordd fawr yn gwthio'r pram o'i flaen a Jo, erbyn hyn, yn cysgu fel angel o dan ei gwrlid. Wedi cyrraedd y giât trodd yn ei ôl a siarsio, 'A chofiwch finnau at Musus Thomas, yn gynnas ryfeddol.' (Serch ei fod wedi bod yn sgwrsio â hi ddeng munud ynghynt.) 'Yn gynnas ryfeddol. A nos da.'

O glywed sŵn injian diesel yn cnocio troi, yn colli'i gwynt ac yna'n ailanadlu, cododd y Gweinidog o'i gadair wrth ei ddesg a mynd i sbecian rhwng stribedi y llenni rholer ar ffenest y stydi. Yn y ffordd fawr, gyferbyn â'r ffenest, roedd yna glamp o fan felen, hir, yn bagio'n araf at y giât ffrynt. Gwelodd y geiriau 'Shamus O'Flaherty Mulligan a'i Feibion' mewn du trwm ar ochr y fan a gwyddai pwy oedd y gyrrwr. Gwaeddodd i gyfeiriad y gegin, 'Cein!'

''Dw i'n brysur ar hyn o bryd, Eilir,' ebe'r llais o ben draw y gegin, yn ddigon siort.

'Ma' Mulligan yma.'

'Wel dos i atab y drws 'ta.'

''Dw i'n mynd,' a chychwyn cerdded at y drws ffrynt.

'A deud 'mod i wedi mynd i Ostrelia.'

'Iawn,'

'Ac Eilir!'

'Ia?'

'Paid â phrynu dim gynno fo.'

'Reit!'

'Nac addo dim iddo fo . . . Na deud dim.' Gwyddai Ceinwen yn well na neb fel y bu i Shamus Mulligan anfon ei gŵr i lawr sawl ffordd pengaead yn y gorffennol ac iddo yntau orfod talu'n ddrud am siwrneion seithug o'r fath.

Wedi agor y drws, sylweddolodd y Gweinidog nad Shamus ei hun oedd yno ond un o'i amryw ferched.

'Lwcus ca'l chdi yn tŷ, Bos,' gwaeddodd y ferch ifanc wrth rowlio cerdded o ddrws y cab at gefn y fan. Merch y Mulliganiaid oedd hon yn ddiamau; yr un gwallt du'r frân, yr un croen lliw coffi, yr un anwyldeb ac, fel roedd yn amlwg, yr un epilgarwch. Ond p'run?

'Brigid, ia?'

'Lala, Bos.'

''Dach chi'ch dwy mor debyg i'ch gilydd.'

'Ma' fo yn hosbitol, cofia.'

'Brigid?'

'Ia.'

''Ddrwg gin i glywad.'

''Sdim isio i chdi, Bos. Ca'l babi arall ma' fo, ia?'

Ciciodd Eilir ei hun am na fyddai wedi rhagweld hynny, o gofio arfer y llwyth, ond dim ond wedi iddi agor

drysau cefn y fan ac iddi droi i'w gyfeiriad y sylweddolodd mai yn yr un ysbyty y dylasai Lala, druan, fod. Wrth ei gweld yn stryglo i dynnu clamp o focs cardbord, anhylaw yr olwg, o gefn y fan cychwynnodd i lawr llwybr yr ardd i roi cymorth iddi ond roedd Lala, erbyn hyn, wedi cael y bocs i'w hafflau ac yn prysuro i'w gyfarfod.

'Rhowch o mi, Lala. A' i â fo i'r tŷ, ylwch.'

'Na, ma' fo'n iawn, Bos.'

''Dach chi'n siŵr?'

Ond bu llwyth ar ben llwyth yn ormod i Lala. Gollyngodd y bocs ar step uchaf y drws ffrynt a chlywodd y Gweinidog sŵn poteli'n cusanu'i gilydd wrth gael eu styrbio. ''Na' i gadal o i chdi yn fa'ma, ia? Gei di cario fo i mewn.'

'Iawn. Ond deudwch i mi be' sy' yn y bocs?'

'Dŵr, ia?'

'Dŵr? Wel, oddi wrth bwy mae o 'ta?'

'Yncl Jo McLaverty. Tad fi sy' 'di gyrru fo i chdi. O Ballinaboy.'

'Wela' i.'

'Wrth bo' chdi isio fo i roi o ar pen 'ogyn bach Coleen pan 'ti'n bedyddio fo.'

Edrychodd y Gweinidog i lawr mewn rhyfeddod ar y bocs cardbord brau gan synnu at ei faint a synnu mwy na fyddai'i waelod wedi rhoi gyda'r fath bwysau, 'Ond bobol, fydda' i ddim angan cymaint â hyn o ddŵr i fedyddio un babi.'

''Ti byth yn gwbod, ia? Ond gneith peth sbâr i chdi i roi ar pen plant bach er'ill. Achos ma' Brigid a fi yn ca'l babis jyst rŵan. A ma' Maggie ym meddwl bod fo yn y *family way* ond bod o dim yn *dead cert, just yet*.'

Penderfynodd y Gweinidog beidio â dilyn trywydd

y sgwrs. ‘’Dach chi am ddŵad i mewn, Lala? Mi fydda’ Ceinwen yn falch o roi croeso i chi.’ Er y gwyddai yn ei galon nad oedd hynny’n gwbl wir.

‘Dim diolch iti, Bos. Os gnei di sgiwsio fi. Rhaid i fi picio i gweld Tad Finnigan rŵan.’

Dyna’r foment y sylweddolodd y Gweinidog ei bod hi’n nos Sadwrn, ‘Wrth gwrs, mae o’n gwrando cyffesion heno, ar nos Sadwrn. Peidiwch â gadal i mi ych cadw chi eiliad yn hwy.’

‘Na, dim hynny, Bos. Bydda’ i dim yn cyffesu ond *once a year*, ia? A ma’ Tad Finnigan yn maddau cwbl o pechods fi *at one go*.’

‘Hwylus iawn,’ ac yn methu â pheidio â gwenu wrth wrando’r fath ddiniweidrwydd syml.

‘Ma’ Yncl Jo ’di anfon bocs ’run fath i Tad Finnigan.’

‘Wel, ’sgin i ond diolch yn fawr i chi am ddanfon y dŵr i mi.’

‘Ma’ i chdi croeso, siŵr. Hwyl i chdi, rŵan.’

‘Nos da, Lala. A diolch i chi.’

Arhosodd Eilir ar garreg y drws nes roedd Lala wedi cael y fan i disian tanio. Yna, fe’i gwyliodd yn gyrru’n ofalus yn ôl am y dre ac i gyfeiriad tŷ’r Offeiriad.

Wrth godi’r bocs cardbord oddi ar step y drws bu bron i’r Gweinidog dorri’i ddwy lengid. Roedd hi’n syndod sut roedd Lala, o gofio’i chyflwr, wedi medru handlo’r bocs o gwbl. Ond, dyna fo, roedd merched Shamus Mulligan yn rhai cryfion ryfeddol o dan bob math o amgylchiadau.

‘Cein!’ gwaeddodd wrth ollwng y bocs trwm ar fwrdd y gegin a’r poteli’n protestio unwaith yn rhagor.

‘Be’?’

‘Y dŵr ar gyfer y bedydd wedi landio.’

‘Hefo Shamus?’

'Lala. 'I ferch o.'

'Ar gyfer un bedydd?' holodd Ceinwen yn cyrraedd at y bwrdd a hithau'n rhyfeddu o weld y fath focs mawr. 'Be' wyt ti am ddefnyddio, Eil? Hôspeip?'

'Na. *Jetwash*,' a rhwygo caead y bocs yn agored â'i ddwylo. 'Ma' yma ddwsin o boteli, ne' ragor.' Tynnodd y Gweinidog un botel allan o'i gwely a dal ei chefn at y golau.

'Am liw brown afiach,' meddai'i wraig.

'Be' 'ti'n ddisgw'l, a hwnnw'n syth o gorsydd mawn Connemara. Mi fydda'n od iawn petai o'n loyw fel dŵr tap.' Ond pan drodd fol y botel at y golau y gwelodd ei gamgymeriad. 'Nid dŵr ydi hwn, Ceinwen.'

'Be' ydi o 'ta?'

'Wisgi, siŵr gin i. 'Drycha.'

Darllenodd Ceinwen y sgwennu ar y label, '"*McLaverty's Poteen. Straight from the Bogs of Ballinaboy. Home-brewed under Licence*". Ac ma' 'na ryw rif ar y gwaelod.'

'Rhif y drwydded, ma'n debyg.'

'Ac yli, ma' rhywun wedi sgwennu ar waelod y lebal, hefo beiro, '"*To be taken no more than twice a day. Children under supervision*".'

'Faswn i'n meddwl. Llawysgrifan yr hen McLaverty'i hun ydi hon, dybiwn i.'

'Ond Eilir bach, fedri di ddim bedyddio mab y Twrna' hefo wisgi, er mor reglyd 'di'r bychan.'

'Ddim yn hawdd iawn.'

'A fedri di mo'i yfad o.'

'Na fedra'. Ne' fyddwn i ddim digon sobor i dorri pen wy.' Yna, disgynnodd y geiniog i'w lle. 'Ond, Cein, parsal i'r Tad Finnigan ydi hwn.'

'Be' 'ti'n feddwl?'

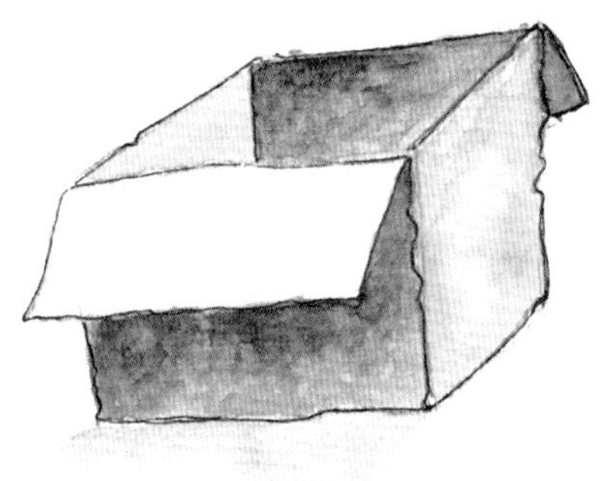

'Wel, roedd gin Lala focs arall yn y fan.'

'Ac ma' dŵr McLaverty wedi mynd i'r Tad Finnigan.'

'Dŵr Ballinaboy felly.'

'Dyna 'dw i yn feddwl,' meddai Ceinwen, yn flin am iddi gael ei chamddeall. 'Ac ma' potîn y Tad Finnigan wedi dŵad i'n tŷ ni.'

'A 'dydi Jim Finnigan ddim yn ddyn dŵr.'

'Ddim o bell ffordd.'

Ar yr union foment, bron, roedd y Tad Finnigan wrthi'n rhwygo caead ei barsel yntau. Daeth i gegin ei dŷ drwy'r pasej a gysylltai'r tŷ wrth yr eglwys, yn ddigon blinedig ei gorff a lluddedig ei ysbryd. Y nos Sadwrn honno, fel pob nos Sadwrn arall o ran hynny, dau neu dri o Gatholigion y dref a ddaeth ato i fwrw'u boliau a'r olaf i benlinio yn y blwch – a hynny gyda chryn ymdrech i benlinio o gwbl – oedd Kathleen Mulligan. Yr unig un o deulu'r Mulliganiad a ddeuai i gyffesu gyda chysondeb cloc oedd Kathleen – mam y llwyth. Serch y gril a'u gwahanai, gwyddai y Tad Finnigan oddi wrth y tuchan wrth benlinio mai hi oedd am y pared ag o. Yr hyn a flinai y Tad Finnigan yn fwy na dim oedd fod Kathleen yn mynnu cyffesu ar ran y teulu cyfan, a chan fod y teulu'n un enfawr, a chymaint o bechodau i'w cyffesu, âi'r sesiwn yn y blwch yn un hirfaith a diflas ryfeddol. Ei arfer, wedi'i gwahodd i gyffesu, oedd troi tudalennau rhifyn cyfredol o'r *Catholic Herald* a brigbori drwy hwnnw yn yr hanner gwyll, yna, ei roi heibio fel y deuai'r gyffes ganghennog at ei phenllanw.

Y noson hon, fel sawl tro o'r blaen, bu raid iddo ymyrryd a hithau ar ddod i'w chamre, *'But my daughter, have I not told you a thousand times to make out a list beforehand?'*

'Indeed ya have, Father. And I have done so.'

'Bless you my daughter. Do read from this list so that we can all go home.'

Dechreuodd Kathleen Mulligan ddarllen y rhestr hirfaith yn yr hanner tywyllwch, *'Five pack Irish Butter, ten dozen Irish Free Range Eggs . . .'* a daeth i stop ar hanner brawddeg.

'Do proceed,' cymhellodd y Tad Finnigan o rhwng tudalennau canol y *Catholic Herald* a heb fod yn gwrando.

'You must forgive me, Father. I must have left my confessions at Tesco.'

'You should be roasted, woman,' meddai hwnnw'n ffyrnig. *'How many times have I told you that they do not forgive sins at Tesco?'*

'Indeed ya have, Father.'

Fe gymerodd hi gryn chwarter awr arall i Kathleen Mulligan gofio holl gamweddau tair cenhedlaeth o'i theulu a'r Tad Finnigan, erbyn hynny, wedi mynd yn rêl sowldiwr.

Ar ôl llwyddo i agor y parsel a gweld gyddfau bataliwn o boteli'n sgleinio yn y golau trydan, cododd calon yr Offeiriad sawl cufydd ac aeth ati i ddechrau siarad gydag ef ei hun – ei unig gwmni yn y tŷ llwm y trigai ynddo. Ac mewn Saesneg Gwyddelig y cynhaliai y Tad Finnigan sgwrs felly, fel gyda'r Mulliganiaid. Tynnodd botel allan o'r parsel a dal ei gwynder anarferol i'r golau, *'Jo McLaverty, may the good Lord preserve your soul. 'Tis the real stuff. 'Tis indeed.'* Fel Gweinidog Capel y Cei, ychydig funudau ynghynt, trodd yntau fol y botel at y golau a darllen, '"*Ballinaboy Pure Spring Water, with a hint of turf. It Refreshes the Soul*".' Craffodd, a darllen ar waelod y label yr hyn a ysgrifennwyd â'r un feiro, '"*Christenings Only. Fatal by Mouth*".' Lluchiodd y Tad Finnigan y botel ddŵr yn ôl i'w gwely, a rhegi, *'Damn you, Jo McLaverty. You know I never touch water. 'Tis bad for my constipation. 'Tis indeed.'*

Pan gyrhaeddodd Eilir Dŷ'r Offeiriad fore trannoeth, a mynd ati i gyfnewid diodydd Jo McLaverty, cafodd groeso mab afradlon. 'Gymerwch chwi goffi, Eilir?' Roedd hwnnw, fel rheol, o gael ei orfragu yn ddu fel triog ac mor stiff â thar – yn fwy stiff, a dweud y gwir, na'r tar a daenai ffyrm 'Shamus O'Flaherty Mulligan a'i Feibion' ar gefnffyrdd y fro.

'Mi gymra' i banad, Jim, i gadw cwmni i chi. Coffi gwyn, os ca' i, ac un rhan o dair ohono fo yn ddŵr.'

'Dŵr, Eilir?' Un o gasbethau'r Tad Finnigan oedd diodydd gweinion. 'Siwgr?'

'Pedair, os gwelwch chi'n dda.' Yr oedd coffi'r Offeiriad yn anyfadwy heb ei wanhau'n eithafol a'i felysu i'r eithaf.

Wedi i'r coffi dywallt mor araf â thriog i ddau fwg, ac i un gael ei wanhau a'i felysu yn ôl y cais, bu'r ddau yn sgwrsio'n ddiddan am hyn ac arall. Fu erioed ŵr eglwysig siriolach na Finnigan, ac roedd Eilir ac yntau'n gyfeillion agos. O ran ei syniadau, roedd yn Babydd gwarcheidiol ac eithafol o uniongred; un a fyddai'n gwbl barod i fynd i'r stanc dros ei ffydd ac yn ddiolchgar am gael cerdded y llwybr hwnnw.

Wedi pwl o sgwrsio, taflodd yr Offeiriad lygad sychedig i gyfeiriad y poteli, 'Gŵr bucheddol, Jo McLaverty, Eilir Thomas.'

'Ia, debyg.' Nid ei fod erioed wedi cael ei argyhoeddi o hynny.

'Duw gadwo'i enaid. Mae o'n cofio gyda chysondeb am syched yr Offeiriad.'

'Ydi, mi wn.'

'Rwy'n mawr hyderu y dyrchefir o i fod yn Sant, ddydd a ddaw. McLaverty Connemara Peat yw'r peth mwyaf llesol i'n gerddi ni, ac mae'r ddiod a fregir ganddo yng nghorsydd gwlybion Ballinaboy yn clirio'r pen ac yn llawenhau'r galon.' Cafodd syniad carlamus, 'Fynnwch chi ddafn neu ddau yn eich coffi, Eilir?'

''Ddim yn siŵr. Ond diolch i chi am y cynnig.'

'Mae hi'n ddoethach, mae'n debyg, i beidio â dechrau ben bore. Tua thri y prynhawn yw'r amser cymeradwy, yn ôl fy mhrofiad i. Hylif cryf, Eilir Thomas. Effeithiol iawn, a dweud y gwir, at godi hen farnis. Ond ei fod yn rhy werthfawr, wrth gwrs, i'w ddefnyddio i amcanion felly.'

Uwchben y wermod cafodd Eilir gyfle i drafod y Sacrament o Fedydd a oedd i'w chynnal fore Sul. 'Fel deudais i Jim, ar y ffôn, mi fydd Coleen yn fwy na balch o'ch gweld chi yn y gwasanaeth, achos Pabyddes ydi hi wedi'r cwbl.'

'Pabyddes?' a glasodd wyneb lliw porffor yr Offeiriad. 'Fu hi ddim wrth yr allor er dydd ei chonffyrmasiwn! Merched y fall, Eilir Thomas, merched y fall. Mae ei hymddygiad hi, a'i hamryw chwiorydd, yn fy nhemtio i ebostio'r Tad Sanctaidd ei hun ac erfyn arno newid ei ddatganiadau parthed atal-cenhedlu.'

O weld ymateb yr Offeiriad, teimlai Eilir na fyddai'n deg arno ei gymell i gymryd rhan mewn oedfa gyda theulu a achosai y fath ofid iddo ac mewn Sacrament nad oedd yn gwbl hapus yn ei chylch. 'Cofiwch rŵan, Jim, 'does dim rhaid i chi fod yn bresennol. Dymuniad Coleen yn unig ydi o. Hoffwn i mo'ch gorfodi chi i 'neud rhywbeth sy'n groes i'ch 'wyllys.'

Siriolodd y Tad Finnigan drwyddo a daeth sbonc i'w lais. 'Peidiwch â phryderu dim, Eilir. Achlysur cymdeithasol fydd y peth i mi, tebyg i dombola, dyweder. Cyfle i gymdeithasu ac i lawenhau.' Ac roedd rhagfarnau'r Tad Finnigan mor niwlog â'i resymeg. 'A phwy a ŵyr na fydd fy mhresenoldeb i yn rhyw gymorth i gadw'r Mulliganiaid rhag rhoi'r lle ar dân.'

'Ond mi ddarllenwch o'r Gair?'

'Â phleser. Ma'r Tad Sanctaidd yn caniatáu inni ddarllen y Beibl mewn mannau sydd heb fod yn gysegredig.'

Cododd Eilir o'i gadair a hwylio i ymadael ond cydiodd yr Offeiriad yn llawes ei gôt, 'Eilir, cyn i chwi ymadael, mae rhaid i chwi glywed hon.' Un arall o wendidau'r Tad Finnigan oedd pedlera jôcs Gwyddelig, weithiau heb nabod y ffin rhwng y derbyniol a'r pornograffig. 'Y Tad O'Reilly – heddwch i'w lwch – wedi colli beic. Bu'n chwilio amdano'n ddyfal ymhobman. Yn union cyn gweinyddu'r Offeren, un bore Sul, apeliodd at ei blwyfolion i'w gynorthwyo. Ond y Sul canlynol roedd yn darllen y Deg Gorchymyn. Daeth at y seithfed, 'Na odineba'. "Frodyr a chwiorydd", ebe'r Tad O'Reilly, "rwyf newydd ddwyn ar gof ym mha le y gadewais fy meic".' A gwenodd y Gweinidog – o garedigrwydd.

Wedi'r bedydd y bu'r anffawd. Nid bod y bore cyfan wedi bod yn un diofidiau o bell ffordd. Gan ei bod hi'n bwrw glaw fel o grwc, cychwynnodd Ceinwen ac Eilir am y

Capel yn fwy na chynnar a rhybuddion ei wraig yn llosgi yn ei glustiau gydol y daith.

'A gofala am ddŵr Jo McLaverty. Mi rydw i wedi rhoi peint ohono fo mewn potal lân. Mi ddyla' hynny fod yn ffyl digon.'

'Wn i, Cein. 'Ti 'di deud deirgwaith o'r blaen. Ac ma'r botal gin i yn saff yng nghist y car.'

'A gofala na fydd Meri Morris ddim yn 'roi o i'r blodau ne' mi wywan cyn diwadd yr oedfa.'

'Plastig ydyn nhw, yr adag yma o'r flwyddyn.'

'Plastig ne' beidio, mi all dŵr McLaverty wywo rhai felly.'

'Mi gymra' i bob gofal, Ceinwen. A dim ond dafn ne' ddau ro' i ar dalcian y babi 'cofn i hwnnw wywo yn 'y mreichiau i.'

Bu raid i'r Gweinidog gario'r dŵr am gryn wyth gan llath, drwy law mawr, o'r fan y llwyddodd i barcio'r car at ddrws y Capel. Fel ym mhob priodas a bedydd yng Nghapel y Cei lle'r oedd y Mulliganiaid â rhan ynddynt, roedd pob llain o dir parcio o fewn cyrraedd i'r Capel wedi'i fachu ymlaen llaw a faniau a lorïau'r cwmni wedi'u parcio ar y palmentydd, i fyny ochr cloddiau a gyferbyn â drysau tai – a hynny mor agos fel na allai trigolion y tai hynny fynd i mewn nac allan o'u cartrefi. Mewn bae rhy fychan wrth ysgwydd y Capel, a'r rhybudd 'Parcio i'r Gweinidog yn Unig' yn gwbl amlwg, roedd yna lorri felen a 'Shamus O'Flaherty Mulligan' ar ei drysau a thar poeth yn ei thrwmbal yn mygu yn y glaw o dan shiten denau o darpolin. Rhai o'r meibion, mae'n debyg, wedi picio i'r oedfa o deyrngarwch teuluol cyn symud ymlaen wedyn i darmacio llain o dir yn rhywle neu'i gilydd.

Ar risiau porth y Capel cyfarfu ag Ifan Jones, yr hen ffarmwr, yn fyr ei wynt a golwg wedi hario'n lân arno. 'Bora da, Ifan Jones. Ydach chi'n weddol?'

'Ydw', ar wahân 'mod i flewyn yn fyr o wynt a fymryn yn benysgafn. Ond unwaith ca' i ista am blwc fydda' i ddim yr un un.'

Ar hynny, daeth John Wyn, yr Ysgrifennydd, i lawr y stepiau ar garlam, yn fynydd llosg ar ffrwydro. Gofynnodd ei gwestiwn arferol, 'Lle ar y ddaear fawr ydach chi wedi bod?'

''Dydi hi ddim yn chwarter wedi naw eto.'

'Mi fydda' run oedd gynnon ni o'ch blaen chi . . .'

'Yr hen Richard Lewis,' promtiodd y Gweinidog, yn gwybod y bregeth air am air o'i chlywed mor gyson.

'Ia, hwnnw.'

'Yma fel roedd hi'n dyddio.'

'Bydda', os nad yn gynt na hynny.'

'Methu cysgu, debyg, am fod rhai o'i flaenoriaid o yn chwythu'u topiau.'

'Bosib iawn. Ond dowch i mewn, bendith tad i chi, cyn i McLavatory roi'r lle ar dân.'

'McLaverty,' a'i gywiro.

'Ia, hwnnw s'gin i mewn meddwl. Mae o a'r Tad Finnigan yng nghefn y Capel yn ffraeo fel dau glagwydd.'

'Pam?'

'Wel, ma' Finnigan 'na wedi dwyn ryw gannwyll oddi arno fo.'

''Dydi o 'rioed yn golau canhwyllau'r tro yma eto?'

'Ydi. Tro dwytha', os cofiwch chi, mi roth Lavatry'i wasgod ei hun ar dân. Dowch i mewn, bendith tad i chi.'

Erbyn i'r Gweinidog gyrraedd cefn y Capel, roedd y Tad Finnigan ac 'Yncl Jo' wedi dod i ddealltwriaeth, a'r

Offeiriad yn gosod y telerau i lawr, '*I won't tell you again, Jo McLaverty, you're not to light any more candles.*'

'*But Father, I always light a candle in the House of God.*'

Hopiodd y Tad Finnigan i frigyn ucha'i gawell, '*Have I not told you before, Jo McLaverty? 'Tis is no house of God. 'Tis a Welsh chapel.*'

'*Is that so, Father?*'

'*It is indeed. Now, give me those matches, and be seated.*'

'*Indeed I will. And bless you, Father.*'

O edrych o'i gwmpas, sylwodd Eilir mai dyma'r gynulleidfa gryfaf a welodd yng Nghapel y Cei ers rhai blynyddoedd, os nad erioed. Roedd teulu Mulligan yn llu mawr iawn, yn tywyllu naill hanner y Capel ac wedi gyrru pawb arall o'u seddau arferol a'u gorfodi i eistedd ar y cyrion.

Yn y gegin, tu cefn i'r Capel ac wrth ochr y festri, roedd Meri Morris yn gosod y blodau plastig mewn cawg.

'Sudach chi, Meri Morris?'

'Lle ma' dŵr y dyn McLavatry 'na gynnoch chi?' oedd ateb Meri. 'I mi ga'l 'i roi o yn y Cwpan Bedydd, a mynd â fo i'r Sêt Fawr, cyn bydd y babi wedi cerddad i mewn.'

'Dyma'r dŵr ichi,' a gosod y botel ar ymylon y sinc. 'A rhowch ddigon 'chydig ohono fo.'

''Chydig?'

'Wel, digon i mi fedyddio hefo fo, dyna'r cwbl.'

'Reit.'

Yn ystod rhan gyntaf y gwasanaeth bedydd roedd yna sŵn byddarol; pob un o'r Mulliganiaid bach yn ffidlan hefo ffôn symudol, yn cyfarch rhai o'u cefndryd a'u cyfnitherod a fethodd â chyrraedd yr oedfa gan roi sylwebaeth ar y pryd ar yr hyn a oedd yn digwydd. Roedd rhai o'r rhai hynaf wedi llwyddo i anfon negeseuon testun i'r plant mwy sifil a eisteddai am y llwybr â hwy, a'r negeseuon hynny yn cynnwys bygythiadau enbyd a sawl her. Ond yr hyn a synnodd Eilir fwyaf oedd y gwahaniaeth yn eu hymddygiad pan gododd y Tad Finnigan i ddarllen y Deg Gorchymyn: diffoddwyd pob ffôn symudol yn syth a dilëwyd pob neges destun yn y fan. Gan mor ddwys oedd y gwrando aeth Eilir i ofni y gallai diwygiad dorri allan yn un ochr i'r Capel.

Nid oedd raid iddo ofni. Erbyn amser derbyn yr offrwm, roedd y sŵn a godai o'r adain honno o'r adeilad mor drystfawr ag erioed. Yn anffodus, un casglwr a oedd wrth y gwaith y bore hwnnw, Hopkins y Banc. Penderfynodd Hopkins, rhag gwneud cam â'r ffyddloniaid, gasglu ochr yr aelodau i ddechrau a symud at ochr y Mulliganiaid wedyn, gan ddechrau o'r blaen a gweithio at yn ôl. Gofid i Eilir oedd gweld wyrion a wyresau Shamus Mulligan yn helpu'u hunain yn agored i'r arian a oedd ar y plât yn hytrach na chyfrannu, ac aelodau hŷn y teulu yn dilyn eu hesiampl. Pan ddaeth Hopkins â'r offrwm at y Gweinidog i offrymu gweddi o ddiolchgarwch, 'doedd yna ddim llwchyn ar y plât iddo fedru diolch amdano.

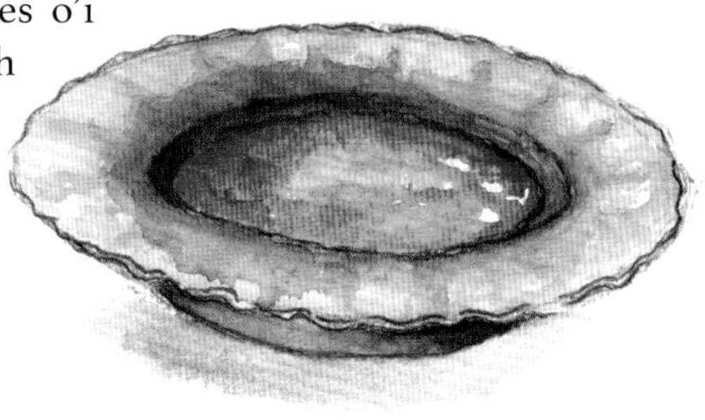

Ond bu'r baban a fedyddid yn ddigon o ryfeddod. Yn gynharach, teimlodd Eilir beth tristwch o weld John James yn cario'r bychan i mewn ar ei fraich a Coleen, ei wraig ifanc, yn rhydio tu cefn iddo. Daeth i feddwl y Gweinidog fod Coleen wedi hen benderfynu 'cael un bach arall' ymhell cyn hysbysu John James o'i bwriad. Ciciodd ei hun am iddo hel y fath feddyliau. Ni ddaeth rheg o enau'r bychan gydol y gwasanaeth. Wrth i'r Gweinidog ofyn i'w rieni roi'u haddewidion daeth gwên hyfryd i'w wyneb, ac wedi i Eilir roi dŵr corsydd Ballinaboy ar ei dalcen gallai daeru iddo'i glywed yn dweud 'diolch'.

Meri Morris oedd y cyntaf i sylwi nad oedd Ifan Jones yn dda ei iechyd. Roedd y ddau'n eistedd oboptu, yn wynebu'i gilydd, yn y ddwy sedd agosaf i adwyon y Sêt Fawr. Sleifiodd Meri allan ac am y gegin i nôl llymaid o ddŵr iddo. Y peth cyntaf a welodd y Gweinidog oedd Meri'n gwyro wrth ben yr hen ŵr ac yn tywallt y dŵr bedydd, '*fatal by mouth*', i lawr ei gorn gwddw ac Ifan yn ei ddrachtio fel oen llywaeth wedi colli sawl ffid. Pan oedd Eilir ar symud i'r cyfeiriad gwelodd Ifan Jones yn llyncu'r dracht olaf, yn sychu'i weflau â'i lawes, a golwg wedi'i adfywio arno. Yn wir, Ifan Jones, fel codwr canu, a drawodd yr hen alaw Gymreig 'Twrgwyn' i gloi'r oedfa a theimlai Eilir fod yr hen ŵr, yr un pryd, yn canu o'i brofiad:

Mae dyfroedd heilltion Mara
 Wrth fy modd,
A'r dyfroedd yn Samaria
 Wrth fy modd;
Mae dŵr yn gymorth cyson
I adfer holl blant dynion,
O! diolch am y moddion
 Wrth ein bodd;
A chanwn fel angylion
 Wrth ein bodd.

Aeth cryn wythnos heibio cyn i'r Gweinidog daro ar Meri Morris wedyn. Fe'i gwelodd, un bore, wrth storws Amaethwyr Arfon yn lluchio'r baich olaf o stanciau cryfion i drwmbal y Daihatsu hynafol ac yn prysuro i gyfeiriad y cab.

'Prysur ydach chi, Meri Morris?'

'Mistyr Thomas, chi sy' 'na? Wel ia, newydd ddarfod yr ail rownd lefrith 'dw i ac ma' Dwalad 'cw ar bigau'r drain isio'r stanciau 'ma iddo fo ga'l dechrau ffensio.'

'Gyda llaw, glywsoch chi sut ma' Ifan Jones erbyn hyn?'

'Fel cyw gŵydd, medda' nhw i mi.'

'Tewch chithau.'

'Ro'dd Moi Tatws yn deud, gynna', pan alwis i yn 'i siop o, bod hôm-help Ifan Jones yn deud 'i fod o flys garw â chwilio am wraig arall.'

'Yn 'i gyflwr iechyd o?'

'Ia. Wel, os medrwch chi roi coel ar be' fydd Moi Tatws yn 'i ddeud.'

'Ma'n dda gin i ma' fel'na ma' hi. Mi ddylwn fod wedi deud wrthach chi, fora Sul, fod y dŵr Ballinaboy yn farwol – o'i yfad.'

'Wel, mi ddylach fod wedi deud wrtha' i'n gynt,' ebe Meri Morris yn ddigon blin. 'Be' 'tasa fo wedi marw dan 'y nwylo i? Heblaw, arnoch chi basa'r bai.'

'Gyda llaw, mi ddaru chi dywallt be' oedd yn sbâr i lawr y sinc, debyg?'

'Bobol, na 'nes i. Dda gin i ddim gwastraffu dim, dim dŵr hyd yn oed.' Roedd hynny'n efengyl wir. 'Na, mi es i â fo adra hefo mi, a'i roi o i'r ieir-dodwy-allan s'gin i. 'Dydyn nhw yn dodwy yn debyg i ddim hefo dŵr tap.'

'Ydyn nhw'n fyw?' holodd y Gweinidog mewn ofn.

'Yn fyw, ddeutsoch chi? Ydyn yn tad. Mi fuon nhw'n dodwy dau wy yr un am dridiau wedyn, nes i'r dŵr bedydd ddarfod.'

'Ydach chi 'rioed yn deud?'

'Ond ma' rhaid bod o'n ddŵr rhyfeddol o gry', fel rydach chi'n awgrymu. Mi fwrion 'u plu dros nos, er 'i bod hi'n gefn gaea'. Wel, well i mi'i throi hi rŵan ne' mi fydd Dwalad 'cw wedi mynd o'i ddillad.'

'Dyna chi.'

Wedi mynd i mewn i'r pic-yp a llwyddo i'w danio, ar yr ail neu'r trydydd tro, gwthiodd Meri y cap gwau, ac yna ei phen, allan drwy ffrâm y ffenest a holi, 'Deudwch i mi, Mistyr Thomas, wyddoch chi ddim lle medra' i ga'l rhagor o'r dŵr McLavatry 'na?'

'Rhagor o'r dŵr?'

'Ia. I'r ieir.'

'Fedrwch chi gadw cyfrinach, Meri Morris?'

'Medra'.'

'A finnau. Bora da i chi rŵan.'

John James

Serch y gadwyn enwau, ffyrm un dyn ydi James James, James John James a'i Fab, Cyfreithwyr. Ei daid sefydlodd y busnes yn 1919. Unwaith, bu gan y cwmni fyddin o glercod. Yr unig gynhorthwy erbyn hyn ydi Miss Hilda Phillips, a gyflogwyd yn hogan ysgol yn nyddiau'i dad, i lenwi potiau inc a rhoi blaen ar bensiliau. Bellach, mae hi wedi hen basio oed pensiwn.

Enw cartref John James ydi Cyfarthfa – tŷ trillawr yn ei libart ei hun ar gwr y dref – a godwyd tua diwedd oes Victoria. Ei brif ffyn bara ydi gwneud gweithredoedd ac ewyllysiau a throsglwyddo tai. Yn wahanol i'w dad, ni fu erioed yn gweithredu mewn llys – ar wahân i'r tro hwnnw yr aeth yno i'w amddiffyn ei hun wedi ei gyhuddo o yrru'n rhy araf.

Tra mae swyddfeydd eraill yn ffeiriau o brysurdeb – sawl cyfreithiwr yn pluo sawl cwsmer yr un pryd – ei arfer ydi pluo un cwsmer, fesul pluen, ond gwneud hynny'n drwyadl.

Y briodas fwyaf annisgwyl a welodd Porth yr Aur yn ei holl hanes, meddir, oedd un Coleen, merch Shamus a Kathleen Mulligan, â John James yn 2003. Cyn bod y mis mêl wedi colli'i sglein bron (ond yn ddiarwybod, megis, i John James) ganed mab iddi. Yng Nghapel y Cei y bedyddiwyd Joseff gyda dafnau o ddŵr sur o gorsydd Connemara ar ei dalcen.

Er Budd Babis Ballybunion

Harri Parri

Y cwyr lloriau a barodd i ddau o Flaenoriaid Capel y Cei, un bore Sul – Meri Morris a John Wyn – gydio ym mreichiau'i gilydd a sglefrio ffigwr wyth perffaith dros lawr festri Capel y Cei, cyn ymwahanu. Aeth Meri allan, ar ei chefn â'i thraed yn gyntaf, drwy ddrws agored y festri ac aeth John Wyn ati i gofleidio cwpwrdd llyfrau ym mhen arall yr ystafell cyn llithro'n araf i'r llawr fel balŵn yn colli'i ffrwt. Yn ffodus, 'doedd yr un o'r ddau fawr gwaeth.

Llwyddodd Cecil Humphreys, aelod o Urdd Sant Ioan, i sboncio'i ffordd dros y llawr llithrig heb golli'i draed a chynnig cymorth cyntaf i'r Ysgrifennydd, 'Mistyr Wyn, cariad, *wakey wakey! Saint John here.*'

Gan dybio iddo gyrraedd byd gwell, agorodd John Wyn un llygad siriol a hanner gwenu; wedi gweld mai Cecil Siswrn, y torrwr gwalltiau merched, oedd yno fe'i caeodd yn chwap. Er eu bod nhw'n gyd-Flaenoriaid, 'doedd yna fawr o Gymraeg rhwng Cecil ac Ysgrifennydd Capel y Cei. Yn un peth, roedd y ddau wedi'u tiwnio'n wahanol: Cecil yn ddwylo i gyd, a chloch ar bob dant, a John Wyn yn ŵr byr o eiriau ond bod y rheini'n pigo at y gwaed. Yn amlach na pheidio, gwisgai John Wyn siwt

dywyll, a choler a thei, a Cecil, wedyn, yn or-drendi, hefo byddin o fodrwyau ac yn drewi o oglau rhyw *Chanel* neu'i gilydd.

Tynnodd Cecil y botel 'codi-rhai-o-farw'n-fyw' o boced ei drowsus, tynnu'i chorcyn a'i sodro'n union o dan drwyn yr Ysgrifennydd, 'Mistyr Wyn, siwgr, *breathe in . . . and don't breathe out.*'

Am iddo anufuddhau, daeth John Wyn ato'i hun yn gynt na'r disgwyl. Gyda help Cecil cododd ar ei draed a holi, fymryn yn ddryslyd, 'Ai y *cha-cha-cha* oedd y ddawns nesa'?'

Ym mhen eiliad neu ddau, ymddangosodd Meri Morris yn nrws y festri a golwg dafad wedi bod drwy ddrain arni. Rhoddodd dro i'w sgert, a oedd tu ôl ymlaen erbyn hyn, a holi'n fileinig a oedd gan un ohonyn nhw ddarn o gortyn iddi 'gael crogi y Shamus Mulligan 'na'. Ond nid ar Shamus ei hun roedd y gwir fai.

Ar fore Sul digon tebyg, fis ynghynt, a'r Blaenoriaid y bore hwnnw yn hel at ei gilydd cyn dechrau'r oedfa, roedd Meri'n rhefru am gyflwr llawr y festri. Jac Black oedd dan yr ordd y bore hwnnw. Jac oedd gofalwr rhan-amser Capel y Cei ond ei fod yn un hynod ddi-ddal ac anwadal. Fe'i penodwyd i'r swydd ar sail ei brofiad yn sgwrio deciau pan oedd ar y môr. Damcaniaeth amryw oedd mai'r môr, ac nid Jac, a olchai'r deciau bryd hynny. O leiaf, 'doedd llawr pren festri Capel y Cei ddim wedi'i sgubo er y dydd y penodwyd Jac i'w swydd, heb sôn am gael sgwrfa.

'Wel drychwch mewn difri,' meddai Meri'n pwyntio at y llawr llychlyd, ''dydi o ddim ffit i neb 'i gerddad o. 'Fydda' i'n lecio gweld llawr y medar rhywun weld 'i lun ynddo fo.'

'A finnau,' arthiodd John Wyn, yn gingronllyd, 'ond bod isio inni i gyd ddechrau gartra, ynte Meri Morris?'

Y gwir oedd fod Meri am weld lloriau glân ymhobman ond ar ei haelwyd ei hun. Yn ffarm Llawr Dyrnu roedd y buarth, gan amlaf, yn un â'r gegin. Digwydd galw yno gyda rhybudd am bwyllgor ddaru John Wyn a chario gwadn o slyri ffres adref hefo fo a'i brintio, wedyn, yn ôl troed perffaith ar y mat cnu oen, claerwyn, oedd o flaen y grât. 'Na, ma' isio pig glân cyn dechrau clochdar,' ychwanegodd ac edrych i gyfeiriad ei sgidiau rhag ofn fod peth o dail Llawr Dyrnu yn dal i lynu wrth y gwadnau.

''Dw i am gytuno hefo Meri Morris,' eiliodd Dwynwen, yr ieuengaf o'r saith Blaenor, yn siarad yn ddoeth fel arfer. 'Fasa hi'n ddrwg yn y byd inni olchi llawr y festri 'ma, ac yna'i ailbolisio fo wedyn, ac ma' 'na gwmnïau, 'ŵan, sy'n gneud gwaith felly – am dâl.'

'Fedrwch chi, y merchaid, ddim golchi'r llawr a'i bolisio fo?' holodd William Howarth, yr Ymgymerwr, yn arferol ddarbodus. 'Mynd yn gostus ma'r cwmnïau preifat 'ma.'

Chwythodd Meri ffiws nes roedd hi'n sitrws, 'Ewch chi ar ych gliniau, William Howarth, hefo cŷn a mwrthwl, i godi'r tjiwin gỳm ma' plant yr ysgol Sul wedi'i sodlu i lawr y festri? Achos 'da' i ddim.'

I geisio cael y cwch yn ôl i dir, cynigiodd y Gweinidog holi hwn ac arall am gwmnïau lleol a fedrai ymgymeryd â'r gwaith a chael amcangyfrifon o'r gost. Os byddai'r bil yn rhesymol pwyswyd arno i fynd ymlaen â'r gontract heb yr ham-byg o alw pwyllgor arall.

Roedd y math yma o siarad 'bydol' yn union cyn yr addoliad yn dân byw ar groen Owen Gillespie, y duwiolaf o'r Blaenoriaid. Gŵr gweddol dal, tenau fel beic, oedd

Gillespie, gyda thalar denau o wallt tywyll, seimlyd rownd y godre. Byth er ei dröedigaeth loyw o dan weinidogaeth Byddin yr Iachawdwriaeth, pan oedd yn saer ifanc yn bwrw'i brentisiaeth yn Bootle, porthi'r enaid oedd yn bwysig yn ei olwg. 'Gyfeillion annwyl,' apeliodd Gillespie, gan ddyrchafu'i lygaid, 'fydda' dim gwell inni i gyd godi'n golygon?'

'Cytuno,' eiliodd Meri Morris, wedi camddarllen y signal ac yn craffu ar y nenfwd. 'Tra byddwn ni wrth y gwaith o lanhau'r lloriau fasa gwyngalchu dipyn ar do'r festri yn gneud dim drwg.'

Wedi apêl o du Owen Gillespie i newid cywair, daliodd Eilir ar y cyfle i arwain mewn gweddi. Gofynnodd am i'r Hollalluog, yn ystod yr oedfa a oedd i ddilyn, eu codi o fyd y pethau mân i sŵn y pethau mwy. Dyna'r foment y penderfynodd Ifan Jones, yr hen ffarmwr, danio'i gymorth clyw a'i diwnio'n barod ar gyfer yr oedfa. Cododd gwich fel hoelen ar sinc a mygu'r weddi yn y fan a'r lle. Wrth i Ifan chwarae hefo'r olwyn distawodd y wich. Ond wrth iddo ffidlan ymhellach tiwniodd i mewn i sesiwn bingo a oedd wedi'i chynnal yn y 'cwt chwain' y noson flaenorol: '*Yap-yap! Turn off the tap. I am ready if you are steady, and shall we go? All the six, clickety-click. Two little ducks, twenty two. Unlucky for some, thirteen. One fat lady, number eight. Two and one, key to the door. Six and five . . .*'

Wedi rhagor o ffidlan, llwyddodd yr hen ffarmwr i dracio'r llwybr cywir a mygu'r sylwebaeth. Y peth nesaf a glywodd y Gweinidog, a'r drws i'r Capel wedi'i agor, oedd Cecil yn holi'n finiog, '*Farmer Jones*, cariad, *how could you?*' Dyna oedd penbleth y Gweinidog, yn ogystal. Ifan Jones oedd yr unig un gyda chymorth clyw a allai, nid yn unig godi gorsafoedd radio o wledydd tramor, ac adfer lleisiau o'r gorffennol, ond gyrru'r cyfan, wedyn, drwy systemau chwyddo lleisiau pob adeilad o fewn tri chwarter milltir – yn cynnwys Capel y Cei.

Er holi hwn ac arall, 'a holi John dwy geiniog', chwilio'r we, cerdded y strydoedd ac e-bostio sawl ffyrm o lanhawyr diwydiannol, taro'i ben yn erbyn y pared fu hanes y Gweinidog. Naill ai roedd y gwaith o gaboli llawr festri yn rhy ddisylw iddynt roi pris arno neu roedd yr amcangyfrif am wneud y gwaith ymhell tu hwnt i gyrraedd eglwys dlawd.

Gan ei bod hi'n fore Sadwrn o Fehefin braf – a bod Brandi, yr ast ddefaid, yn fyw i hynny – penderfynodd Eilir fynd allan i gerdded â'r ci i'w ganlyn. Wrth ddisgyn i lawr y Grisiau Mawr sylwodd fod y cynhaeaf fisitors, erbyn hyn, yn ei breim. Roedd strydoedd culion Porth yr Aur yn dew o ymwelwyr – teuluoedd yn bennaf – a byrddau bach, simsan yr olwg, y tu allan i'r Tebot Pinc a'r Afr Aur. Yr Harbwr, wedyn, hefo fflyd o gychod hwyliau yn bobian yn benfeddw yn y mymryn llanw a'r stemar, *Mary Anne*, yn barod i fynd â llwyth arall o longwyr tir sych i rowndio Ynys Pennog.

Ar ochr y Morfa Mawr roedd yna reng hir o geir a'r haul tanbaid yn rhoi eu ffenestri ar dân. Cofiodd fod yna arwerthiant cist car ar y Morfa bob bore Sadwrn yn ystod misoedd yr haf a phenderfynodd fynd draw i gael cip ar bethau. O fynd yn ei flaen, wedyn, gydag ysgwydd y mynydd gallai rowndio'n ôl i ben arall y dref a cherdded adref ar hyd ffordd gefn.

Y bore hwnnw roedd yno fwy nag arfer o geir â'u cistiau'n gegagored i arddangos bargeinion.

Codai hyrdi-gyrdi o gerddoriaeth o'r setiau radio ail-law a oedd ar werth. Roedd rhai wedi gosod eu nwyddau ar fyrddau trestl ac eraill wedi dod â chadeiriau plygu i'w canlyn ac am wneud picnic ohoni.

Dros y cyfan clywodd Eilir lais a chystrawen a oedd yn fwy na chyfarwydd iddo, 'Chwilio am *old sermons* 'ti, Bos?'

Trodd ei ben i weld Shamus Mulligan yn llewys ei grys, het felfaréd, a honno'n dar byw, yn ôl ar ei gorun a'i wyneb lliw haul yn wên i gyd, 'Sudach chi, Shamus?'

'Shamus yn iawn, cofia. Ond bod Musus fo'n giami.'

'Musus Mulligan?' a chafodd y Gweinidog beth braw. 'Be' sy'?'

'*Varicose veins* fo, Bos bach. Fath â grêps, ia? Ond ma' fo am ga'l mynd i hosbitol i' stripio nhw. Musus chdi'n iawn?'

'M . . . ydi. Ydi, mae hi'n dda iawn, diolch.'

O edrych o'i gwmpas sylwodd y Gweinidog mai ceir o wahanol fathau oedd gan bawb arall – rheol y Cyngor Tref, yn ôl pob sôn – ond roedd gan Mulligan fan seis lorri a'r geiriau 'Shamus O'Flaherty Mulligan a'i Feibion' mewn du trwm ar ei hochrau.

''Dw i ddim wedi'ch gweld chi yn fa'ma o'r blaen, Shamus?'

'Trio helpu, ia?'

'Helpu?'

''Ti'n cofio Yncl Jo McLaverty fi?'

'O Ballinaboy? Ydw,' ac ymatal rhag ychwanegu mai anghofio oedd yn anodd. Hwnnw oedd y boi a lwyddodd i droi priodas yn syrcas a bedydd yn burdan. 'Mae o'n dal yn fyw?'

'Ydi, cofia.'

'O!'

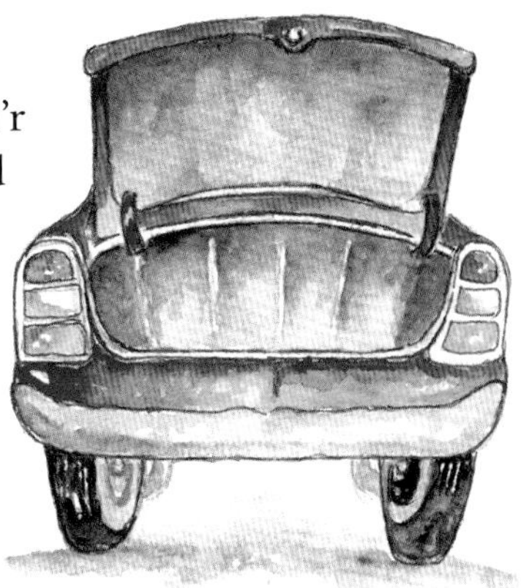

'Ond bod fo *out o' cash*.'

'Y mawn hwnnw ddim yn gwerthu,' meddai'r Gweinidog, yn cofio i Shamus awgrymu, rywdro, fod y farchnad mawn ar gyfer gerddi yn prysur orlenwi.

'Na, ma' Connemara Peat fo'n gwerthu fath â *hot buns*. Gwaeth na hynny, Bos bach.'

'O?'

'Ma' hogan o Ballybunion yn deud ma' fo ydi tad 'i babis bach hi.'

'Bobol!'

'Ac ma' Yncl Jo'n gorfod talu *parental*.'

'Ond roedd o'n cnocio pedwar ugain pan ddois i ar 'i draws o gynta.'

''Ti'n iawn, Bos. Ond ma' Shamus am helpu o *all the same*.'

Hwyrach mai genynnau Jo McLaverty, wedi llithro i lawr dros dair, os nad pedair cenhedlaeth, a oedd yn gyfrifol am epilgarwch rhyfeddol y Mulliganiaid. Ond roedd y dyddiau pan gyrhaeddodd taid Shamus i Borth yr Aur o gorsydd gwlybion Connemara, i hwrjio pegiau a thrwsio ambaréls, yn edrych ymhell iawn i ffwrdd. Cysgu'r nos o dan shiten denau o darpolin oedd yr arfer bryd hynny. Bellach, roedd ganddyn nhw bentref o garafanau lliwgar a thai unnos ar ben y Morfa Mawr a'r ffyrm yn tarmacio ar hyd a lled y Gogledd. Meibion Shamus a wnâi'r gwaith erbyn hyn ond eu mam, Kathleen Mulligan, a wisgai'r trowsus serch hynny.

Ond un peth na newidiodd oedd y math o Gymraeg a siaradai'r llwyth. Serch treigl y blynyddoedd, ni chollodd yr acen Wyddelig dew ddim o'i sglein. Roedd cenedl enwau yn dal yn gymaint o ddirgelwch ag erioed a chamdreiglo yn rheol i'w dysgu i'r plant ac i blant y plant.

Penderfynodd y Gweinidog nad oedd am wastraffu rhagor o'i fore yn gwrando ar Shamus yn sôn am gampau rhywiol y cyfanwerthwr mawn o Connemara a hwyliodd i ymadael, ''Dw i am ei throi hi rŵan, Shamus.'

'Dal dy dŵr, Bos bach. Gin Shamus rwbath i capal chdi.'

'Sut?'

Crafangodd Mulligan i mewn i drwmbal y fan, dros boteli lawer o *McLaverty's Home Brew* a *Ballinaboy Pure Spring Water*, a dychwelyd yn fuddugoliaethus gyda thun crwn o gŵyr lloriau a'i fetel yn sgleinio yn haul y bore. ''Ti 'di dŵad yn y *puddin' time*, Bos.'

'O?'

'Shamus clywad bo' chdi'n mynd i rhoi polish ar llawr y *rest room* yn capal chdi.'

'Wel, ma' 'na ryw sôn wedi bod am lanhau llawr y festri, oes,' a cheisio swnio'n ddidaro.

Gwthiodd Shamus y tun i hafflau'r Gweinidog ac ychwanegu, 'Ma' fo'n *real McCoy*, cofia. Gnei di dim dyfaru prynu fo.'

Darllenodd Eilir yr enw ar y caead, '*The McLaverty Skidshine Floor Sealer*', a'r broliant oddi tano, '*Hygienic. Kills all unknown germs, dead*. Be', ydi Yncl Jo wedi mynd i werthu polish?'

'Jyst seidlein, ia. I' ca'l o allan o trwbwl. Fasa dynas llefrith chdi,' a chyfeirio at Meri Morris, 'a dyn blin,' a chyfeirio at John Wyn, 'yn *hundred per cent satisfied* hefo hwn.'

'Ella bod y stwff yn un da ond ma' angan stripio'r llawr i ddechrau, cyn meddwl am ddim arall.'

'Gneith 'ogiau Shamus, Liam a Dermot, gneud y job 'na i chdi, *dirt cheap*.'

'Be'? Y gwaith i gyd?'

'Gnân' nhw'i hwfro fo, ia? A sandio fo, a rhoi dwy côt o McLaverty's a bydd o'n sgleinio fath â tin babi iti.'

'Ia, ond faint fydd y gost?'

Daeth y tincer i benderfyniad annisgwyl o sydyn,'Yli yma, Bos. Wrth bo' chdi 'di crisno babi bach Coleen ni ar *never-never* gneith hogia' Shamus gneud y job iti am canpunt . . . ond i ti peidio sôn wrth boi *vat*.'

'Ond be' am bris y polish?' yn amau y byddai hwnnw fel aur os oedd Yncl Jo yn gorfod 'talu *parental*' yn Ballybunion, chwedl Shamus.

'Gneith Shamus lluchio hwnnw i mewn iti yn pris y job.'

'Wela' i.'

O dybio bod y Gweinidog yn cloffi rhwng dau feddwl meddyliodd y tincer am anogaeth ychwanegol, 'Gwranda, Bos. Fath â disgownt, gneith Shamus roi *tenner each way* yn enw chdi ar Dance Kid yn Haydock. Ceffyl da, ia?'

'Na, na. Mi dderbynia' i'r cynnig fel ag y mae o. Ond pa mor fuan y medrwch chi ddechrau ar y gwaith?'

''Sgin ti *mass* bora fory?'

'Oes . . . y . . . nac oes. Ond ma' acw ddwy oedfa.'

'Gneith 'ogiau Shamus dechrau dy' Llun, ia?'

Wedi i Mulligan boeri ar ei law ei hun ac ysgwyd llaw'r Gweinidog wedyn i glensio'r ddêl, cychwynnodd Eilir ymaith a Brandi wrth ei sawdl – wedi hen laru o fod ar ei chwrcwd gyhyd ac yn falch o gael ailgychwyn.

Clywodd Shamus yn gweiddi ar ei ôl, 'Gwranda, Bos.'

'Ia, Shamus?'

''Ti dim isio prynu trap llygod Yncl Jo?'

'Y?'

'Ma' fo'n *double spring*, cofia. Gneith o dal dau llgodan i ti hefo un slap.'

'Dim diolch.'

Pan gyrhaeddodd Eilir yn ôl i'r tŷ, yn llawn o'r fargen roedd newydd ei tharo, fe'i galwyd i gyfri yn y fan a'r lle, 'Wyt ti ddim yn deud wrtha' i, Eilir, dy fod ti wedi rhoi'r gwaith o bolisio llawr y festri i Shamus Mulligan? O bawb!'

'Do. Ond yr hogiau, Dermot a Liam, fydd yn gneud y job. Nid Shamus.'

'A chdithau wedi llosgi dy fysadd gymaint o weithiau o'r blaen?' Yn hynny o beth, roedd ei wraig yn dweud calon y gwir. 'Ma' isio chwilio dy ben di, Eilir Thomas, oes taswn i'n llwgu.'

'Ond, Ceinwen, fedrwn i ga'l neb arall i neud y gwaith. 'Ti'n gwbod hynny.'

'I adal o heb 'i 'neud baswn i, cyn baswn i'n gofyn i'r Mulliganiaid 'na.' Ac aeth Ceinwen ati i godi hen grachod. 'Faint sy' er pan darmaciwyd rownd y capal? Oes yna bum mlynadd?'

'Nes i wyth, 'swn i'n deud.'

'A 'dydi'r tarmac hwnnw ddim wedi sychu eto! Ma' 'na un esgid i Meri Morris Llawr Dyrnu yn dal ar goll.'

''Dydi hynny ddim yn wir, Ceinwen.'

'Ond 'doedd Meri yno'n palu Sul dwytha', hefo rhaw glan môr, yn chwilio am 'i hesgid.'

'Na, na. Deud ydw i nag ydi ddim yn wir i ddeud bod y tarmac heb sychu.'

'O?'

'I fod yn deg, ma'r peth sy'n ffrynt y capal yn reit galad, erbyn hyn. Y tarmac yn y cefn sy'n dal fymryn bach yn feddal.'

'Fymryn bach yn feddal? Ar ôl wyth mlynadd?'

'Ond ma' hwnnw'n gletach nag y buo fo.'

Dros y blynyddoedd, bu naïfrwydd ei gŵr yn achos loes i Ceinwen lawer tro. Fe ddeudai Eilir 'air o blaid pechaduriaid mwya'r lle', a gadael iddyn nhw gerdded drosto fore trannoeth. Hi, wedyn, fyddai'n cael y gwaith o achub ei gam ac fe wnâi hynny gyda greddf llewes yn amddiffyn ei rhai bach.

Mentrodd Ceinwen ar dac arall i geisio'i argyhoeddi. 'Eilir, 'nei di ista i lawr am eiliad?'

'Reit.'

'Dyna hogyn da.'

Daeth Brandi o'r cefn – yn synhwyro bod ei meistr yn cael ei roi mewn congl – pwysodd ei phen ar ei glun a syllu i'w wyneb a'i dau lygad meddal yn llawn addoliad.

'Tria ymlacio rŵan, a galw i go'.'

'Ia?'

'Wyt ti, Eilir, yn cofio inni ddwy flynadd yn ôl, neu hwyrach bod yna dair, fynd ati i roi staen ar seti'r capal erbyn Sul y Maer?'

''Gin i frith go' am y peth,' er bod y digwyddiad anffodus hwnnw'n dal i roi hunllefau iddo, yn wythnosol bron.

'Wyt ti'n cofio o ble daeth y farnis?'

'Ond cwyr lloriau ydi hwn, Cein.'

'Wn i.' A dechreuodd Ceinwen, fel bargyfreithwraig ddihyfforddiant, ateb ei chwestiynau'i hun. 'Mi ddeuda' i wrthat ti. O'r Ballinaboy hwnnw, yn Connemara. A 'ti'n cofio pwy gwerthodd o?'

'Wel . . . y . . .'

'Mi ddeuda' i wrthat ti, unwaith eto. Y McLavatory meddw 'na.'

'McLaverty.'

'Sut?'

'McLaverty ydi enw'r dyn . . . Nid McLavatory.'

'Ia, hwnnw. Gofi di be' ddigwyddodd, y bora Sul canlynol?'

'Y . . . ddim yn union.'

'Gad i mi dy atgoffa di 'ta. Erbyn diwadd yr oedfa, hannar y gynulleidfa fedrodd godi i ganu. Roedd y gweddill wedi glynu wrth y seti. Ac mi fu raid i Ifan Jones, yr hen dlawd, gyhoeddi ar 'i ista.' Dechreuodd Ceinwen fagu stêm, 'Ac yli, ma' gin i ffrog yn y wardrob 'na, ddim pìn gwaeth na newydd, ond na fedra' i mo'i gwisgo hi. A wyddost ti pam? Wrth nad oes 'na ddim pen-ôl iddi. Ma' hwnnw'n dal yn y capal!'

Gwyddai Eilir ei fod yn rhwyfo yn erbyn y llanw ond penderfynodd ddal i rwyfo serch hynny, 'Gwranda Cein,' a chodi ar ei draed, 'hefo'r math yma o waith y math o stwff sy'n cael ei ddefnyddio sy'n bwysig.'

'O?'

'Nid pwy sy'n gneud y gwaith. Ma' farnisio seti capal yn fatar gwahanol.'

'Ydi o?'

'Ac ma'r *McLaverty Skidshine* yn fath o beth y medri di ddawnsio arno fo, unwaith y bydd o ar y llawr. Mae o'n deud cymaint â hynny ar y tun. Ac mae o'n lladd jyrms.'

'Bobol!'

'Wel, o leia' y rheini y gwyddon ni amdanyn nhw.'

Cychwynnodd Ceinwen i gyfeiriad y gegin yn gwybod iddi fod yn canu crwth i fyddar, fel ganwaith o'r blaen. Unwaith roedd ei gŵr wedi rhoi'i air, 'doedd yna ddim torri ar hwnnw wedyn. Fe lynai at ei bethau i'r stanc serch pob twll yn ei ddadleuon. 'O wel, mi rydw i am fynd i 'neud tamad o ginio.'

Ymhen ychydig roedd hi'n ôl. Gwthiodd ei phen rownd

ffrâm drws y gegin a holi'n fwyn, 'Deud i mi, Eilir?'

'Ia?' yn ddigon cwta, yn gwybod yn ei galon mai ei wraig oedd yn iawn.

'Ddoist ti â thuniad o'r *McLaverty Skidshine* adra hefo chdi?'

'M . . . naddo.'

'Biti.'

'Pam?'

'Wrth 'i fod o'n stwff mor ardderchog, meddwl baswn i'n 'i roi o ar dy frechdan di.' Torrodd y ddau allan i chwerthin. 'Tyd, Eil, ma' 'na banad boeth yn y tebot.'

'A sut mae Musus Thomas gynnoch chi, gan fy mod i mor hy â gofyn?'

'Mae hi'n dda iawn, diolch.'

'Wel cofiwch fi ati'n gynnas ryfeddol. Yn gynnas ryfeddol.' (I John James, ffyrm James James, James John James a'i Fab, Cyfreithwyr, roedd popeth yn 'rhyfeddol' – ac yn arbennig felly'r biliau a anfonai allan!)

Yn sydyn, daeth i feddwl Eilir i Ceinwen ddweud wrtho iddi daro ar John James yn Garej Glanwern yn gynharach ar y bore, 'Ond, ddaru chi'ch dau ddim gweld ych gilydd, bora 'ma, wrth y pympiau petrol?'

'Cofiwch fi ati'r un modd,' oedd unig ateb y Cyfreithiwr. 'Ac os maddeuwch i mi am ddeud, Mistyr Thomas, mae hi'n cadw'i siâp gynnoch chi'n rhyfeddol.'

Gwingodd y Gweinidog o feddwl fod y Cyfreithiwr wedi bod yn mesur a phwyso'i wraig wrth y pympiau petrol, ben bore, a mwmiodd ateb sychlyd, 'Ydi hi?'

'Yn rhyfeddol felly . . . Wel, a chysidro'i hoed.'

Serch ei briodas anghymharus, a chwbl annisgwyl, ddwy flynedd ynghynt â Coleen, merch Kathleen a

Shamus Mulligan, a hithau'n draean ei oed, 'doedd diddordeb John James yng ngwragedd dynion eraill yn pylu dim.

'A sut ma' Coleen?' holodd y Gweinidog yn awyddus i newid trac.

Am foment, daeth dirgelwch i wyneb gwelw John James, yn union fel petai Eilir wedi holi am rywun o'r Trydydd Byd. Yna, daeth llun gwan i'r sgrin, 'O! Holi am Musus James rydach chi?' Yn union fel petai honno'n wraig i rywun arall. 'Mae hi'n rhyfeddol o dda. Wel, a chysidro'i chyflwr. Ac yn byta, Mistyr Thomas bach, digon i ddau. Yn enwedig bananas.'

'Wel, mewn ffordd ma' 'na ddau i'w bwydo,' awgrymodd y Gweinidog. 'Pryd ma'r un bach yn diw?'

'Wyddoch chi, Mistyr Thomas, ro'n i'n gofyn yr un cwestiwn yn union i mi fy hun, neithiwr ddwytha', wrth i mi llnau 'nannadd.' Cydiodd y Cyfreithiwr yn y tamaid lleiaf o bapur a oedd ar y ddesg a dechrau sgwennu, 'Well i mi 'neud nodyn o'r peth tra rydw i'n cofio. Mi ofynna' i Miss Phillips deipio'r ymholiad imi yn nes ymlaen.'

Wedi mymryn mwy o wag siarad – dyna oedd arfer John James, siarad ar hyd ac ar led am ychydig funudau, i oelio'r cwsmer, a dechrau pluo'n fuan wedyn – agorodd ddrôr y ddesg. Tynnodd allan glamp o beth berwi wy a'i sodro ar gongl y ddesg. 'Hwn fydda' i'n ddefnyddio rŵan, Mistyr Thomas, i amseru pethau.'

'Peth berwi wyau 'di o?' holodd y Gweinidog mewn anghrediniaeth wrth weld ei seis.

'Ia. Ond un i ferwi wyau gwyddau, yn benodol,' a chafodd y Gweinidog drafferth i guddio'i wên. 'Fel y cofiwch chi, stopwatsh fydda' gin i ond roedd honno wedi

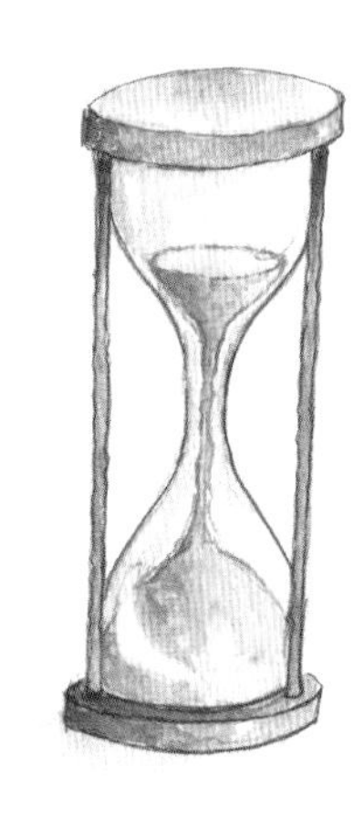

mynd i slofi mymryn. Mae hwn, diolch am hynny, yn cadw amsar yn rhyfeddol.'

Pan oedd Now Cabaitsh ar ei rownd bysgod y cafodd Eilir y wŷs i alw yn swyddfa'r Cyfreithiwr. Ar gost petrol pobl eraill, neu ar draed, y byddai John James yn cysylltu â'i Weinidog. Roedd hynny'n arbed cost y stamp. Gan fod Ceinwen yn digwydd bod oddi cartref, penderfynodd alw yno'r pnawn hwnnw wrth fynd heibio'r swyddfa ar un o'i rowndiau bugeiliol. Cyn gynted ag y camodd i mewn i'r cyntedd a chanu'r gloch drom, gwyddai fod pethau wedi llithro'n ôl i'r hen drefn. Roedd y disinffectant yn ôl i'w hen gryfder a thusw o flodau o gapel y Bedyddwyr ar y cownter yn darfod gwywo wedi sirioldeb tri Sul.

Ar gongl y cownter roedd yna nodyn i ddweud mai fel 'Miss Phillips' y dylid cyfeirio at Hilda, bellach, ac nid fel 'Musus William Hughes'. Cofiodd Eilir mai llafn o'r un haul a fu ar fodrwyau priodas y ddau bâr – Coleen a John James, a briodwyd yng Nghapel y Cei, a Hilda Phillips a William Hughes, a briodwyd ym Methabara (B). Damcaniaeth teulu'r glep ar y pryd oedd y byddai'n syndod petai priodas y Twrnai a Coleen Mulligan yn para mis ond y byddai uniad Hilda a William Hughes yn debyg o bara oes. Ond cwta dri mis a fu hyd y briodas honno. Aeth Hilda yn ôl i'w hen gartref, 2 Trem y Machlud, a mynd â hanner gwerth Bethabara View, cartref William Hughes, i'w chanlyn – diolch i gyfarwyddyd John James – ond roedd y briodas arall o leiaf yn dal wrth ei gilydd.

Wedi ysgwyd y gloch am yr eildro, clywodd Eilir sŵn traed blinedig Miss Phillips yn llusgo i'r cyfeiriad ar hyd y lloriau pren. Gwyddai, i sicrwydd, oddi wrth yr henc yn y cerdded bod y bynion a naddwyd cyn y briodas wedi ailddechrau tyfu.

'Fedar Mistyr John James, ffyrm James James, James John James a'i Fab, Cyfreithwyr, fod o unrhyw wasanaeth i chi?' holodd Hilda, yn y tremolo arferol.

'Wedi anfon nodyn mae o, hefo'r fan bysgod, yn gofyn am ga'l fy ngweld i.'

'Prysur ryfeddol ydi o, Mistyr Thomas. Ond mi a' i i ofyn iddo fo.' Cydiodd Hilda Phillips mewn pad sgwennu a ffownten-pen, a dechrau ysgrifennu'n feichus, 'Annwyl Mistyr James. Y mae'r Parchedig Eilir Thomas, Gweinidog Capel y Cei, wedi galw heibio ac am eich gweled. Os yw hynny'n gyfleus i chwi. Ydwyf, yn gywir, Hilda S. Phillips.' 'Mi a' i â fo iddo fo rŵan, Mistyr Thomas, cyn gynted ag y medar fy nhraed blinedig fy nghario i.'

Aeth cryn ddeng munud heibio cyn i'r sgyrsion ddychwelyd, 'Os dowch chi ar fy ôl i, Mistyr Thomas.'

'Diolch i chi.'

'Ond prysur ryfeddol ydi o.'

Cerddodd Hilda ar hyd y coridorau tywyll, yn gam fel stwffwl ac yn arbed un droed. Daeth i feddwl Eilir y byddai John James yn llawer llai prysur petai'n diweddaru ychydig ar ei swyddfa a thalu am bâr arall o draed i drampio'r lloriau.

'Y Parchedig Eilir Thomas i'ch gweld chi, Mistyr John James.'

'Diolch Musus . . . y . . . Miss Phillips.'

'Diolch, Mistyr James.' A chychwynnodd Hilda ar siwrnai hir arall yn ôl i gyfeiriad y cyntedd.

Serch y gadwyn enwau, ffyrm un dyn oedd James James, James John James a'i Fab, Cyfreithwyr, ac roedd y John James a eisteddai yn y gadair ledr tu ôl i'r ddesg fahogani yn ŵyr i'r 'James' cyntaf – y gŵr a sefydlodd y busnes. Yn nyddiau ei dad roedd y ffyrm yn un brysur, yn cyflogi amryw o glercod a theipyddion. Bellach, Hilda oedd yr unig waddol a oedd yn weddill o'r cyfnod prysur hwnnw. Roedd hi'n hŷn na John James ac wedi bod yno'n hwy nag o. Prif ffyn bara John James, hyd yn ddiweddar, oedd trosglwyddo tai, llunio gweithredoedd ac ysgrifennu ambell ewyllys. Bellach, wedi i draed bach ddod i gerdded lloriau Cyfarthfa – yr honglad o dŷ mawr, tywyll, ym Mhenrallt – a'r sôn bod yna un bach arall ar wthio'i ben allan, roedd yn rhaid iddo chwilio am ragor o gwsmeriaid i'w blingo.

Wedi rhoi fflic hefo'i fys i'r berwr wyau gwyddau, plygodd y Cyfreithiwr ymlaen dros y ddesg, cwpanu'i ddwylo a siarad i fyw llygaid ei gwsmer. 'Mi rydw i wedi'ch galw chi yma, Mistyr Thomas, parthed deddfau iechyd a diogelwch.'

'Sut?'

Cododd y Twrnai law rybuddiol, 'Cofiwch, mae rhyddid i chi ymateb, ond fe allai'r ymateb hwnnw, yn nes ymlaen, fod yn dystiolaeth yn eich erbyn chi.'

'Am fy ngyrru i garchar ydach chi?' ffromodd y Gweinidog, yn dal her.

Daeth braw i wyneb gwelw John James, 'I'r gwrthwyneb, Mistyr Thomas bach. Ein gwaith ni, gyfreithwyr – fel chithau o ran hynny – ydi gwneud ein gorau i gadw rhai allan o le felly. Rŵan, i gadarnhau'r ffeithiau,' a thaflodd John James gip sydyn ar y nodiadau a oedd o'i flaen. 'Ddaru chi, Mistyr Thomas, ar y pymthegfed o'r mis hwn, ddod i gytundeb â chwmni Shamus O'Flaherty Mulligan a'i Feibion i adfer llawr y festri?'

'Do . . . a naddo. Y capal oedd yn trefnu.'

'Ydi capal yn medru ysgwyd llaw?' holodd y Cyfreithiwr yn goeglyd. 'Yn anffodus, Mistyr Thomas, mae'r llawr wedi'i bolisio yn y fath fodd fel ei fod, nid yn unig yn berygl i'r cyhoedd ond yn groes i ddeddf gwlad.'

'Ond 'does neb wedi syrthio,' mentrodd y Gweinidog. 'Dim ond John Wyn wedi sglefrio mymryn . . .'

Torrodd y Twrnai ar ei draws, 'A Musus Meri Morris! Dowch inni beidio â'i hanghofio hi. Gyda llaw,' a dechreuodd John James dyrchu i mewn i fasged ar ei ddesg ac ynddi bentwr o bapurau, 'mae Musus Morris wedi cyflwyno bil inni.'

'Bil? Bil am be'?'

'Dyma ni,' a thynnodd y Twrnai dudalen o bapur tenau o ganol y bwndel, yn frith o ôl bysedd a mymryn o jam ar ganol sychu ar un gongl iddo. 'Bil ydi o am un sgert.'

'Sgert?'

'Roedd pen-ôl yr un wreiddiol, yn anffodus, wedi gwisgo allan hefo'r godwm.'

'Wela' i.'

'Ond, oherwydd ei mawr gariad at yr Achos, a'i pharch i chithau, mae Musus Meri Morris, yn garedig ryfeddol, wedi osgoi mynd i'r Lingerie Womenswear a phrynu dilledyn o ansawdd ac wedi ca'l un yn ail-law yn Oxfam. Mi neith iddi, medda' hi, i addoli ac i odro,' a lluchiodd John James y bil i gyfeiriad ei Weinidog. 'Un bach ydi o, Mistyr Thomas, fel y gwelwch chi. Mi fydd un bregath, oddi cartra, yn ddigon i chi fedru'i gyfarfod o.'

Wedi'i yrru i gongl, ceisiodd y Gweinidog chwilio am ddrws ymwared. 'Ond y math o bolish oedd y drwg, y *McLaverty Skidshine* felltith.'

'Mistyr Thomas,' a chododd y Cyfreithiwr law rybuddiol unwaith yn rhagor, 'dowch inni geisio cadw gwefus bur.'

'Ond hwnnw nath y damej.'

'Mae'r polish hwnnw, Mistyr Thomas, eisoes wedi ei anfon am brofion fforensig. Ond bod y canlyniadau heb ddod i law, hyd yn hyn. A pheth arall, achos yn erbyn Mistyr Joseph McLavatory fydd hwnnw, pan ddaw o.'

Dechreuodd y Gweinidog ymddatod. Cododd ei lais. 'Mi a' i â'r Mulligan 'na i lys barn, os bydd raid i mi. Y fo ddyla' dalu.'

Taflodd y Twrnai gip i gyfeiriad bwndel o filiau ar gongl y ddesg, wedi'u styffylu i'w gilydd ac araf felynu wedi haul sawl haf. 'Er bod Mr Shamus Mulligan, yn anffodus, yn dad yng nghyfraith i mi,' a gollyngodd John James ochenaid dawel, 'mae gin i ofn mai taro'ch pen yn erbyn wal frics y byddwch o ddilyn y llwybr yna.' Yna newidiodd ei feddwl, a daeth y mymryn lleiaf o sbonc i'r llais fflat, 'Cofiwch, os byddwch chi am fynd i'r cyfeiriad yna, mae yna gyfreithiwr ifanc newydd ddechrau yn hen ffyrm Derlwyn Hughes – Washington Davies, wrth ei enw. Maen nhw'n dweud i mi ei fod yn ŵr ifanc addawol ryfeddol, addawol ryfeddol. Dipyn yn ddrud, hwyrach. Ond addawol ryfeddol.'

O weld y berwr wyau gwyddau'n mynd â'i din am ben am y milfed tro, a'r tywod yn llifo allan, penderfynodd y Gweinidog ymatal a dweud dim.

Cododd John James ar ei draed, yn arwydd y dylai'r cwsmer wneud yr un peth. 'Na, Mistyr Thomas, talu am adfer y llawr i'w gyflwr gwreiddiol fyddai fy nghyngor i chi, ac mae'r rhan fwyaf o'r Blaenoriaid, wedi i mi gysylltu â nhw, o'r un farn.' Pwysodd fotwm ar y ddesg a dechrau siarad drwy intercom wedi cael annwyd, 'Mae'r Parchedig Eilir Thomas yn barod i ymadael, os byddwch chi mor garedig â dod i'w gyrchu o, Miss Phillips.'

'Â phleser, Mistyr James.'
'Diolch, Miss Phillips.'
'Diolch, Mistyr James.'
'A, Miss Phillips?'
'Ia, Mistyr James?'
'Mi fedrwch anfon bil Mistyr Thomas, fel yn arferol, hefo fan bysgod Mistyr Owen C. Rowlands.' A dyna'r tro cyntaf i Eilir glywed neb yn rhoi'i enw llawn i'r gwerthwr pysgod.
'Diolch, Mistyr James.'
'Diolch, Miss Phillips.'

Yn ddiweddarach y pnawn hwnnw, ac yntau'n sleifio'n dinfain heibio i'r Tebot Pinc, clywodd yr hyn a ofnai – llais digamsyniol Cecil, 'Mistyr Thomas, cariad!'
Trodd ei ben, fel amryw eraill o'r rhai a gerddai'r stryd, i weld Cecil yn nrws ei barlwr tatŵio, Fy Heulwen I, yn ei ffedog blastig wen a honno'n debotiau bach pinc i gyd.
'O! Cecil. Chi sy' 'na?' A cheisio swnio fel petai newydd daro ar ddyn o'r lleuad.
'Peidiwch â phasio, *sweetie pie*,' a cherddodd Cecil Siswrn yn fân ac yn fuan tuag ato. ''Dw i am ga'l gair bach hefo chi, *if you don't mind*.'
'Wel, ar fy ffordd adra rydw i, Cecil, ac ar dipyn o frys.'
'*I won't keep you long*, siwgr,' a chydio yn llaw ei Weinidog. 'Awn i mewn ffor' yma, ylwch. Wn i'ch bod chi'n *broad-minded*.'
Sawl gwaith dros y blynyddoedd roedd y Gweinidog wedi cael ei herwgipio fel hyn oddi ar y stryd, gefn dydd golau. Yna, ei arwain gan Cecil, gerfydd ei law ac yn groes i'w ewyllys, naill ai i'r Tebot Pinc neu i'r Siswrn *Cecil's Scissors* i wrando arno'n berwi'n ferchetaidd mewn rhyw

fwngrel o Gymraeg am fân lwch y cloriannau. Er iddo landio ym Mhorth yr Aur, fel o unman – mor dlawd â llygoden eglwys yn ôl pob sôn – roedd Cecil Humphreys erbyn hyn yn ŵr busnes llewyrchus a newydd agor parlwr tatŵio a brownio cyrff am y pared â'i ddau fusnes arall. Os bu maferig erioed, Cecil Siswrn oedd hwnnw. Un o gasbethau Eilir oedd Cecil yn cydio yn ei law ac yn ei alw wrth enwau anwes ond gwyddai, hefyd, y gallai ddibynnu arno am gefnogaeth ar law a hindda. O dan y ceffyl syrcas roedd yna enaid hynod o driw.

Oedodd Cecil yn nrws y parlwr tatŵio a sibrwd yn uchel, '*We'll go straight through*. 'Dydi pawb ddim yn *fully dressed*.'

Cerddodd Eilir yn igam-ogam rhwng y gwlâu, lle'r oedd nifer o wragedd Porth yr Aur yn araf rostio yn yr haul cogio, gan edrych yn union o'i flaen. Wrth frysio heibio i'r gornel tatŵio, gyda chil ei lygad, gwelodd fynydd o wraig yn lled-orwedd ar wely a fawr ddim amdani.

'*Afternoon, Father*,' meddai honno. '*It's nice to see you. 'Tis indeed*.'

Troes ei ben, yn reddfol ond yn anfwriadol, i weld Kathleen Mulligan, gwraig Shamus, a thatŵ ar ei chrwper yn hanner sychu.

Cyn iddo gael cyfle i ateb fe'i tynnwyd ymlaen gan Cecil. ''Dw i ar ganol rhoi *leprechaun* ar 'i *backside* hi, Mistyr Thomas, ond ma' gin i ofn 'mod i'n rhedag allan o inc gwyrdd.'

Wedi rhoi'r Gweinidog i eistedd wrth fwrdd yn y Tebot Pinc, eisteddodd Cecil yn y gadair gyferbyn a gweiddi ar y ferch tu ôl i'r cownter, 'Lally, *my dear, cappuccino* mawr i 'Ngwnidog annwyl i, ac un *chocolate eclair*.'

'Ond, Cecil, mi rydw i newydd ga'l panad.'

'Ac mi fedrwch 'neud hefo un arall. *Ye're as thin as a dipstick, if you don't mind me saying so.*' Plygodd Cecil ymlaen a rhoi'i law ar law ei Weinidog, 'Ma' rhaid i chi fyta, cariad, i chi ga'l mynd yn hogyn mawr.'

'Neis gweld chdi, Bos,' meddai'r ferch lygatddu wrth roi'r cwpan a'r plât ar y bwrdd o'i flaen. 'Musus chdi'n iawn?'

'M . . . ydi. Ydi, yn iawn, diolch.'

''Sti isio *top-up*, 'mond i chdi rhoi showt, ia?' a chilio ymaith.

'Un o'r Mulligans, Mistyr Thomas,' eglurodd Cecil.

'Felly ro'n i'n tybio.'

'*And not in the family way . . . just at the moment.* Ma' nhw fath â *rabbits*, Mistyr Thomas bach.'

Wedi i Lally ddychwelyd i du ôl y cownter, er bod digon o glustiau parod yn dal o fewn clyw, aeth Cecil ati i drafod y mater a oedd ganddo o dan sylw. 'Rŵan, cariad, mi wn i ych bod chi *under the weather.*'

'Wel, mi rydw i wedi gweld gwell tywydd, ma'n rhaid cyfadda,' a rhythu'n wag i'r ffroth a oedd ar ben y *cappuccino*.

'Wn i. Ond ma'ch problemau chi i gyd drosodd, cariad.'

'Sut?'

Plygodd Cecil fwy byth ymlaen i wynt ei Weinidog, nes roedd tarth y *Chanel* yn mynd i'w wddw, 'Ma' gin i *good news* i chi, siwgr.'

Aeth y torrwr gwalltiau ati i egluro fel roedd wedi trefnu i ryw '*gentleman*', chwedl yntau, a adwaenai'n dda – ac roedd gan Cecil bob math o gysylltiadau busnes – sgwrio'r *McLaverty Skidshine* oddi ar lawr festri Capel y Cei a'i adfer i'w gyflwr llychlyd arferol. 'So, dyna chi, cariad – *Bob's your uncle*.'

'Ond, Cecil,' plediodd y Gweinidog, yn dal i gerddded y palmant tywyll, 'mi fydd hyn yn gost ychwanegol eto.'

'*Watch this space!*' Neidiodd Cecil ar ei draed, 'Rhaid i mi fynd rŵan, siwgr. Ne' mi fydd *leprechaun* Musus Mulligan wedi dechrau rhedag.' Wedi cyrraedd y drws o reffynnau gwellt a wahanai'r ddau fusnes trodd yn ei ôl a gweiddi, 'Lally, *dear*, geith Mistyr Thomas setlo'r bil *on his way out*.'

O chwerw brofiad, penderfynodd Eilir a Ceinwen gerdded i'r cyngerdd yn hytrach na mynd yno hefo car. Gan fod a wnelo'r Mulliganiaid â'r noson byddai pob hances boced o le parcio wedi'i fachu'n barod; faniau a lorïau tarmacio ar y palmentydd ac i fyny ochr y cloddiau, gyferbyn â drysau tai, ar linellau dwbl ac yn tagu pob trafnidiaeth arall.

Cath mewn cwd oedd y noson, serch yr holl hysbysebu gwallgof a fu arni. Ofn pennaf Eilir, o nabod rhai o'r artistiaid, oedd i bethau fynd yn ddi-chwaeth. Ond chwarae teg i Cecil am fod yn fwy na'i air a threfnu noson o adloniant ysgafn a'i helw er budd llawr y festri a digolledu'r Gweinidog.

Wrth ddisgyn i lawr y Grisiau Mawr i gyfeiriad y dre sylwodd y ddau fod yna dyrfa gref yn prysuro i gyfeiriad y Capel – pobl mewn oed yn bennaf, amryw wrth eu ffyn ac un neu ddau mewn cadair olwyn.

'Mi dalith y noson ar 'i chanfed, Cein. Wedyn, mi fedrwn ni ddeud 'amen' wrth yr holl beth.'

''Ti'n meddwl hynny?'

Roedd dawn y 'Siswrn' i dynnu cynulleidfa yn un ryfeddol. Yr un reddf, mae'n debyg, a'i sbardunai i lwyddo mewn busnes. Y syndod mawr oedd o ble y câi'r amser i drefnu'r holl waith dyngarol a gyflawnai ac yntau â chymaint o heyrn yn y tân.

Pan gamodd y Gweinidog a'i wraig i mewn i'r festri, roedd y lle'n rêl bedlam ac yn llawn fel wy. Dwy sedd yn y cefn, ar y pared, wrth y drws, oedd yr unig ddwy a oedd ar ôl ac roedd seddau felly yn siwtio'r ddau i'r dim. I'r dde i'r llwybr a wahanai'r festri'n ddwy roedd tylwyth y Mulliganiaid yn dyrfa fawr, swnllyd, a'u plant naill ai'n tynnu migmas ar blant y Capel neu'n byddaru pawb â'u ffonau symudol. Roedd ambell un yn codi llaw ar 'Taid Shamus' yn y cefn a oedd yn gyfrifol am y 'lectrics'.

Wedi i'r llenni agor, ac i 'Taid Shamus' lwyddo i gael y lampau i ddeffro, ac i Cecil groesawu pawb a chyfeirio, yn anffodus i Eilir, at ei Weinidog fel '*my only sunshine*', dechreuodd yr eitemau lifo. Tlysion Tralee, pwy bynnag a fathodd yr enw, oedd y cantorion: tair o ferched Shamus a Kathleen Mulligan – Nuala, Brady a Lala – a'u brodyr, Patrick a Gavin, yn cyfeilio – y naill hefo ffidil a'r llall hefo tambwrîn.

'Ma' nhw'n canu'n ddigon tlws, Cein,' sibrydodd ei gŵr.

'Ond yn edrach yn dlysach fyth.' Roedd y tair yn gwisgo sgerti lliw carreg Connemara, blowsys gwynion, a'u crwyn lliw coffi hufen yn sgleinio yn llewyrch y lampau. Jigiau Gwyddelig adnabyddus oedd y deunydd, yn bennaf, a rhai o ffefrynnau'r Dubliners wedi'u hailbobi a'u pwytho i mewn i'r rhaglen.

Bob hyn a hyn – er mwyn rhoi hoe i'r cantorion – cerddai Liam, mab hynaf Shamus, i'r llwyfan a gweithredu fel consuriwr. Roedd y triciau gyda chardiau yn ddigon derbyniol. Tynnodd Liam bac o gardiau o boced ei drowsus, yna ei gymysgu, ei dorri'n ddau a dangos i bawb gerdyn ac arno saith calon. Yna, cymysgu a thorri drachefn a dangos fel roedd y saith calon wedi diflannu. Cerddodd wedyn at Ifan Jones a'i orfodi i wagio un o'i bocedi a'r hen ŵr yn tynnu allan bob rhyw geriach – darn o linyn, un taffi triog ar hanner ei gnoi, hances boced yn stiff o garthion hen annwyd, tabledi chwalu gwynt ac, er syndod i bawb, y saith calon.

'Roedd hwnna'n glyfar, Ceinwen.'

'Ifan Jones, druan.'Di peth fel'na ddim yn deg.'

Yn ystod ei ail slot, gwthiodd Liam arch ar olwynion i'r llwyfan ac agor ei chaead. Cerddodd Kathleen Mulligan ar y byrddau, mewn leotard pinc a phob bryn a phant yn bowld o amlwg a'r tylwyth teg Gwyddelig wedi hen sychu a rhinclo. Gydag ymdrech, dringodd Kathleen i mewn i'r arch isel a chaeodd Liam y caead arni. A miwsig cynhyrfus yn cyrraedd cresendo, cydiodd mewn llif, ei ddangos, a dechrau llifio'i fam yn ei hanner. Roedd plant y Mulliganiaid fel y bedd, yn poeni wrth weld pen a thraed 'Nain Shamus' yn debyg o adael ei gilydd. Nid felly y bu. Serch llifio'r arch yn ddwy ymddangosodd Kathleen Mulligan o du ôl i lenni cefn y llwyfan heb arni friw na chraith.

Yn ystod rhan olaf y cyngerdd, mentrodd Tlysion Tralee ganu hen ffefrynnau Cymraeg fel 'Ar y Bryn mae Pren' a 'Lawr ar Lan y Môr'. Gyda'r acen Wyddelig a chyfeiliant sionc y ffidil a'r tambwrîn roedd y canu'n cydio a'r gynulleidfa'n cymeradwyo drwy glapio ac ymuno yn yr hwyl.

Gyda chyfraniad olaf Liam y dechreuodd pethau chwalu. Cerddodd i'r llwyfan gyda ffagl â than arni.

Cerddodd amgylch-ogylch y llwyfan gyda golwg fygythiol arno, yn gwthio'r fflamau tân rhwng ei goesau a than ei geseiliau, a'r gerddoriaeth yn cynyddu bob eiliad. Yna, tagwyd y gerddoriaeth yn stond. Er mawr ddychryn i'r plant, daliodd Liam y ffagl ymhell oddi wrtho, yna, gwthio'r fflamau tân i lawr ei gorn gwddw. Pan dynnodd y ffagl allan roedd honno'n dal i losgi. Yn ystod yr ail lyncu yr aeth pethau'n flêr. Pan dynnodd Liam y ffagl o'i geg am yr eildro roedd y tân wedi diffodd. Ond dechreuodd cyrlen o fwg du lifo allan o'i ben-ôl a hwnnw'n cael ei ddilyn gan wreichion yn tasgu'n beryglus i bob cyfeiriad.

'Cein, ma'r dyn ar dân!'

'Ac ma'r tân yn mynd am y llenni!'

Dyna'r foment y camodd Meri Morris i'r llwyfan yn cario pwced odro. Heb feddwl ddwywaith, lluchiodd bwcedaid o ddŵr dros y sefyllfa, hanner boddi Liam a diffodd pob perygl. A chafodd Meri gymeradwyaeth fwya'r noson.

Cerddodd y ddau i fyny'r Grisiau Mawr, fraich ym mraich, a holl gynnwrf y noson ym mhob asgwrn.

'Cein, pam na fedra' *i* gychwyn tân yng Nghapal y Cei?'

''Ti 'di gneud, do?'

'Pryd?'

'Wel, y chdi, mewn ffordd, gychwynnodd hwn heno. Deddf achos ac effaith, yli!'

Safodd Eilir am eiliad i geisio deall y rhesymeg.

'Tyd, Eil. 'Dw i'n 'i theimlo hi'n dechrau oeri.'

Ifan Jones

Amaethwr yn ardal Horeb y Mynydd fu Ifan Jones cyn trosglwyddo'r ffarm i'w unig fab, Gwyndaf, ac ymddeol i Borth yr Aur.

Collodd ei briod yn fuan wedi cyrraedd. Barn pobl y tir uchel oedd na fyddai'n gwreiddio ond cymerodd Ifan at y bywyd trefol fel hwyaden at ddŵr. Eto, try trwyn sawl sgwrs yn ôl at y 'Capel bach'.

Yn gynt na'r disgwyl, fe'i hetholwyd yn Flaenor yng Nghapel y Cei, ar bwys ei anwyldeb mawr. Deil yn wledig ei ffordd a'i idiomau, yn aml, yn ddiarth a beiddgar i glustiau pobl tref. Er enghraifft, myn gyfeirio at Meri Morris fel 'y Blaenor fanw s'gynnon ni'.

Trafod ei gymorth clyw ydi un o'i anawsterau. Ymddangosodd yr hanes amdano'n tiwnio i mewn i sesiwn bingo yn y 'Cwt Chwain' yn ystod cyfarfod gweddi ar dudalen flaen y *Porth yr Aur Advertiser*, â'r geiriau '*I am ready if you are steady, and shall we go*' yn boddi'r fendith apostolaidd.

Yn 2012, fe'i hanrhydeddwyd â Medal Gee am oes o ffyddlondeb i'r ysgol Sul a chynhaliwyd y cyfarfod yn Horeb y Mynydd.

Bu peth pryder pan ymserchodd yn y ddiweddar Dwynwen Lightfoot, yn ystod arhosiad y ddau yn y Porfeydd Gwelltog, ond bu hi farw cyn iddo arwyddo'i ewyllys. Ffyddlondeb, hwyrach, ydi'r pennaf o'i rinweddau. Y farn ydi, petai ei Weinidog yn penderfynu prynu rhaff i'w grogi'i hun, y byddai Ifan yn gofyn am ddarn ohoni, iddo gael ei ddynwared.

Y Baptismal
Harri Parri

'Wel, y cwbl fedra' i 'neud, Jac, ydi rhoi'r matar gerbron y Cyfarfod Blaenoriaid a nhw, hyd y gwela' i, fydd yn penderfynu'r cam nesa'.'

'Wel deudwch 'mod i'n dymuno Nadolig llawan i bob un ohonyn nhw.'

'I bwy?'

'Diawl, i'r Blaenoriaid 'te! 'Gin i feddwl mawr ohonyn nhw i gyd, 'does?' Ac roedd hynny'n glamp o gelwydd.

'Ond mis Gorffennaf ydi hi rŵan, Jac. Nid mis Rhagfyr.'

'Wn i. Ond mi fydda' i'n lecio bod o flaen amsar, os medra' i.' Ddau Sul ynghynt roedd hi'n ddeng munud wedi ar Jac yn agor drysau Capel y Cei ar gyfer oedfa oedd i fod i ddechrau am ddeg.

'Ond dipyn o strygl fydd hi, ma' gin i ofn,' pwysleisiodd y Gweinidog, rhag ofn i Jac gyfri cywion cyn iddyn nhw gael eu deor. 'Mae o'n gais reit anarferol, mae'n rhaid deud.'

'Bosib.'

'A chithau heb fod yn addoli hefo ni ers tro byd.'

Synhwyrodd Jac Black fod y drws yn fwy cyfyng nag y tybiodd a dechreuodd gyfiawnhau'i hun, 'Cofiwch, mi rydw i wedi mynd i yfad llawar llai nag y bûm i.'

'Dda gin i glywad hynny.'

'Dim ond cwrw ar gyfar plant fydda' i'n yfad rŵan,'

ac arwain llygaid y Gweinidog at gan o *Alcopops* oedd ar fwrdd y gegin wrth ochr y *Racing Times*. 'Ac mi rydw i wedi rhoi'r sein "Dim Rhegi" hwnnw'n ôl yn y ffenast gefn.'

Roedd Eilir wedi sylwi ar hwnnw wrth iddo fesur ei ffordd o'r ddôr a arweiniai o'r stryd i'r drws cefn ac wedi sylwi, hefyd, fel roedd haul sawl haf wedi gwanio'r llythrennau hyd at fod bron yn annarllenadwy. Unwaith, bu gan Jac fersiwn Saesneg estynedig yn y ffenest ffrynt, '*No Swearing or Spitting*', hyd nes i blant tlawd ardal yr Harbwr ddechrau'r arfer budr o boeri at y ffenest wrth fynd heibio ac i honno fynd yn llysnafedd i gyd.

Wedi ychydig eiliadau o dawelwch aeth Jac ati i ddirwyn ychydig o atgofion. 'Mi gafodd Mam, 'rhen dlawd, fedydd trochiad, yn ogystal.'

'Musus Gwen Black, felly.'

'Miss!' pwysleisiodd Jac. 'Yn anffodus ddaru Mam roi'r drol o flaen y ceffyl. Yn hyn o beth, roedd hi fymryn o flaen yr oes, 'swn i'n ddeud.'

'Yn y Capal Batus y cafodd hi'i bedyddio?' holodd y Gweinidog, yn methu â meddwl am fan cyfleus arall ym Mhorth yr Aur i gynnal sacrament o fedydd.

'Yn y môr.'

'Yn y môr, ddeutsoch chi?'

'Ia'n tad. Gin ryw brygethwr o'r Sowth fydda'n arfar â phregethu yn yr Harbwr ar dywydd braf. Roedd hwnnw'n 'u diplo nhw yn y môr yn syth ar ddiwadd oedfa.'

'Ond mi gafodd eich mam ddillad pwrpasol, debyg, ar gyfar y gwaith?' holodd y Gweinidog yn ofni'r gwaethaf.

''Dydw i newydd ddeud wrthach chi iddi ga'l 'i throchi yn y fan a'r lle! Na, mi gafodd Mam, druan, 'i bedyddio yn 'i blwmar.'

Gwridodd Eilir o glywed am y fath anffurfioldeb

beiddgar ac yna beio'i hun am lithro i ddychmygu'r fath olygfa ddi-chwaeth.

Sylwodd Jac ar annifyrrwch y Gweinidog a mynd ati i'w anesmwytho ymhellach, 'Dew, peidiwch â styrbio'ch hun gam ymhellach. Dyna oedd 'i arfar o, ylwch,' a daeth gwên ddrygionus i lygaid yr hen longwr. 'Cofiwch, roedd o'n rhoi'r part ucha o'r golwg yn y dŵr cyn gyntad â phosib . . .'

'Wel oedd, gobeithio.'

'Yna, pan fydda' fo'n 'u codi nhw i'r wynab, wedyn, roedd o'n trio gofalu bod 'u pen-olau nhw at y traeth a'u ffrynt nhw'n wynebu Sir Fôn.'

Ffyrnigodd ysbryd y Gweinidog o glywed Jac Black yn trafod mater mor gysegredig gyda'r fath hyfdra a phenderfynodd geisio oeri ychydig ar ei frwdfrydedd, 'Fel deudis i, matar i'w ystyried ydi'r peth ar hyn o bryd. Be' wn i be ydi'ch cymhellion chi?'

'Be' ydi be'?'

'Be' ydi'ch rhesymau chi dros ofyn imi'ch bedyddio chi?'

'O! Wel, ma'r manylion gin Miss Tingle, ar gefn enfilop.'

'Miss Pringle.'

'Sut?'

'Pringle. Miss Pringle sy'n byw drws nesa' ichi. Nid Miss Tingle!'

'Diawl, dyna ddeudis i 'te,' arthiodd Jac a'r dyn newydd a oedd ynddo'n heneiddio'n gyflym iawn. 'Dew, dynas dda, Miss Tingle. Dynas agos i'w lle. Hi, ylwch, sy' wedi 'nghymall i ofyn am imi ga'l fy medyddio.'

Er pan ddaeth y nodyn Saesneg iddo hefo fan bysgod Owen C. Rowlands – Now Cabaitsh i bawb yn y dre –

roedd Eilir wedi amau bod gan Bettina, cymdoges Jac, fys yn y brywes: '*John Black, me next door neighbour, wishes to be baptised. In water.*' Fel 'tasa hi'n arfer i fedyddio pobl mewn Coca-Cola neu sudd oren.

Aeth blynyddoedd heibio er y dydd y glaniodd Bettina Pringle ym Mhorth yr Aur a hynny fel o unman. Gwraig yn ei phedwardegau cynnar oedd hi bryd hynny, ond yn edrych yn llawer hŷn na'i hoed, hefo gwallt wedi gwynnu'n gynnar yn gynffon merlen i lawr i hanner ei chefn a bob amser mewn gwlân. Wedi treiglo o le i le am gyfnod, mudodd i fyw am y pared â Jac yn 3 Llanw'r Môr. Yna, wedi cael ei chefn ati fel petai, agorodd nyth dryw o siop yn gwerthu bwyd iach ym mhen draw'r Harbwr. O ran pryd a gwedd hysbyseb wael iawn i'r busnes oedd Bettina ei hun, yn llwyd fel uwd ac yn denau fel weiren ffiws. Y sôn oedd ei bod hi'n byw ar gaws gafr ond bod hwnnw'n mynd drwyddi fel dŵr drwy beipen.

Roedd perthynas Jac Black a Bettina Pringle hithau'n ddirgelwch llwyr i'r Gweinidog, fel i bawb arall yn y dre. O ran ei fuchedd, torrai Jac bob rheol y glynai Bettina wrthi ond fe'i canmolai i'r entrychion, hyd yn oed yn ei ddiod, a hynny hyd at syrffed. Ar ei chymhelliad hi âi Jac i eithafion ffydd, yn cynnwys tröedigaeth danbaid, ond un a oerodd dros nos, a dioddef yr hunllef boenus o Cecil yn tatŵio darn o adnod – un a gamsillafwyd, mae'n wir – i groen tyner ei frest. Bellach, fel roedd hi'n amlwg, roedd o am fynnu bedydd trochiad.

Wedi cael ei faen i'r wal, fel y tybiai, roedd Jac yn awyddus i gael cefn y Gweinidog, 'Wel peidiwch â gadael i mi'ch cadw chi ymhellach,' hintiodd, yn hanner codi o'i gadair, 'er cymaint 'dw i'n mwynhau'ch cwmni chi. Dew, 'does dim byd gwell gin i na chael sgwrs hefo gweinidog'

– a dyna beth oedd rhagrithio. 'Ond yn anffodus, a fy nghollad i fydd o, 'dw i isio picio i'r Fleece.'

'I'r Fleece?' holodd y Gweinidog wrth godi o'i gadair yntau. 'Ond 'dydach chi newydd ddeud wrtha' i eich bod chi'n ddyn newydd.'

'Diawl, dyna pam 'dw i'n mynd yno!'

'O?'

'Mynd yno i genhadu 'dw i 'te.'

'O! Wela' i,' ond ddim yn llyncu'r stori.

'Fel ma' Miss Tingle yn deud, yn fan'no mae fy maes cenhadol i rŵan. Mi wyddoch am Oli Paent?'

'Gwn.'

'Ac mi wyddoch am wendid yr hen Oli? Ond hwyrach na wyddoch chi ddim, chwaith. Wel, sut y deuda' i wrthach chi? 'Dydi oglau can cwrw gwag yn ddigon i yrru Oli'n chwil bitsh. A mynd yno ydw i, ylwch, i' gadw fo rhag syrthio. Wel yn llythrennol felly, amball dro.'

'Dyna fo 'ta, 'na' innau ddim "sefyll yn ffordd pechaduriaid".'

Ond roedd yr idiom Beiblaidd yn un diarth i Jac, 'Dew, mi fydd yna gythral o le yn y Fleece heno 'ma, pan ddeuda' i wrth yr hogiau 'mod i'n mynd i ga'l fy anrhydeddu gin y Capal. Dyna ni 'ta,' yn prysuro'r Gweinidog ar ei daith, 'mi'ch gwela' i chi eto, ylwch, pan fyddwch chi'n fy ngwllwng i i'r dŵr.'

Ond cyn ymadael ceisiodd Eilir feddwl am un rhwystr arall y gellid ei luchio ar lwybr Jac rhag ofn iddo ddychmygu bod ystyriaeth yn gyfystyr â chaniatâd. Cydiodd mewn gwelltyn, 'Ond hwyrach eich bod chi wedi ca'l eich bedyddio'n barod, Jac? Yn blentyn.'

'Naddo'n tad. Er, mi 'nath Mam aplicesion i'r hen Richard Lewis, y peth hwnnw oedd gynnon ni o'ch blaen chi, wedi iddi fod tu ôl i'r Cwt Band, ond troi'r cais i lawr 'nath o. Mwya'r piti.'

Pan oedd y Gweinidog ar gamu allan i'r iard gefn rhuthrodd Jac Black yn ôl i'r hances poced o bantri a oedd ganddo. 'Daliwch arni am eiliad!'

Dychwelodd yn wên i gyd ac yn ei hafflau ddwy facrell, dwy a fu o'r môr ers sawl llanw, yn gorwedd ar dudalen wleb o'r *Porth yr Aur Advertiser* ac yn llygaid i gyd. O glywed y fath ddrewdod hyfryd, agorodd Cringoch, y cwrcath strae, un llygad melynwyrdd a dechrau mewian am damaid o facrell. O weld blaen welington Jac yn bygwth mynd at yn ôl cododd o'i hirgwsg a cherdded yn llewpard i gyd am yr iard gefn i ddal ei gysgod.

'Rwbath bach ichi, ylwch, yn dâl am eich caredigrwydd mawr tuag ata' i. Ro'n i wedi meddwl dŵad â nhw draw ddiwadd yr wsnos. Ond mi 'nân swpar i Musus a chithau. Dim ond ichi fynd ati i' ffrio nhw yn go handi. Neu mi fyddan wedi ffendio'u ffordd yn ôl i'r môr.'

''Does dim rhaid i chi, Jac,' ebe'r Gweinidog gan gydio'n ych-a-fi yn y dudalen oeliog, ei lapio am y ddwy facrell a gwthio'r parsel yn ofalus i boced ei gôt law. ''Dydw i wedi addo dim ichi eto, dim ond addo gneud 'y ngorau.'

''Dydi gair gweinidog yn ddigon i mi,' ebe Jac yn rhagrithiol. 'Hwyl ichi rŵan.'

Wedi camu dros y darnau moto-beic oedd ar hyd a lled yr iard gefn, stryglo drwy'r ddôr gyfyng unwaith yn rhagor a chychwyn cerdded i gyfeiriad y dre, teimlai Eilir fel y 'Gŵr â'r Fantell Fraith' – ond nad llygod a'i dilynai. O'r cwteri ac o'r cefnau dylifai cathod ar gathod, yn swnian a mewian, yn crefu ac erfyn, yn ymliw a gofyn am damaid o facrell:

Rhai gwynion, rhai gwinau,
Rhai tewion, rhai tenau,
Yn rhuthro i'r golau o'r siopau a'r tai . . .

Musus Derlwyn Hughes oedd yr unig un a oedodd ddigon i daro sgwrs hefo'r Gweinidog. Ond un hynod o fer a fu honno. Fel Cringoch yn gynharach, ffroenodd hithau'r awyr, 'Wedi bod yn pysgota ydach chi, Mistyr Thomas?'

'Ia . . . nagi.'

'O? Rhaid bod siwrej y dre 'ma wedi blocio eto,' a chwilio yn ei handbag am fymryn o hances boced. 'Pw! Gwdbei, Mistyr Thomas, cariad.'

'Y? Pnawn da, Musus Derlwyn Hughes.'

Mae hi'n dipyn o gerdded ar i fyny o'r Harbwr at Dŷ'r Gweinidog, ar hyd stribyn o'r Stryd Fawr, heibio i rai siopau, troi i'r chwith wrth y Lingerie Womenswear ac yna i fyny'r Grisiau Mawr at y tai sydd uwchben y bae. Yn raddol, ciliodd y cathod yn ôl am eu cynefinoedd; tir heb ei farcio allan oedd tu hwnt i'r Grisiau Mawr a chathod eraill a drigai yn y wlad honno. Wedi cyrraedd at y tŷ aeth Eilir ar ei union i'r ardd gefn, agor drws y cwt allan, cydio mewn rhaw a mynd ati'n syth i gladdu'r ddwy facrell cyn i'r oglau ddechrau ypsetio'i gymdogion. Y drwg oedd bod yr hyn a oedd yn ddrewdod pur i'r hil ddynol fel *Chanel* i Brandi, yr ast ddefaid, ac yn ei gyrru'n benwan. Unwaith roedd y Gweinidog wedi claddu'r pysgod roedd Brandi yn mynnu'u hatgyfodi. Ond, wedi cryn fygwth, llwyddodd i roi haenen o bridd dros y gweddillion a gosod clamp o garreg ar y bedd i atal atgyfodiad pellach. Wedi cadw'r rhaw yn y cwt aeth i'r tŷ i dynnu'i gôt law a golchi'i ddwylo.

Fe aeth hi'n hanner awr arall neu well

cyn i Ceinwen gyrraedd, yn drymlwythog o negesau ac wedi hen flino.

'Gymi di banad, Cein, 'taswn i'n cynnig gneud un i ti?'

'Diolch.'

Â'r ddau yn eistedd i lawr i'r baned dechreuodd Ceinwen, fel Cringoch, Daisy Derlwyn Hughes a Brandi'n gynharach, ffroeni'r awyr, ''Ti ddim wedi sathru ar ddarn o bysgodyn na dim, Eilir?'

'Fi?' a cheisio swnio'n ddidaro. 'Naddo.'

'Wn i,' a chael gweledigaeth. ''Ti 'di bod lawr yn y dre 'na?'

'Do.'

'Ac mi gest ti bàs adra yn fan bysgod Now Cabaitsh, ac ma'r oglau'n dal . . .'

'Naddo. Ei cherdded hi 'nes i, i lawr ac i fyny.'

'Codi o'r Harbwr mae o felly.'

'Be'?'

'Yr oglau drwg 'ma.'

Bu eiliad o saib yn y sgwrsio a'r ddau'n yfed eu te.

'Welist ti rywun o bwys pan oeddat ti ar dy drafals?' holodd Ceinwen.

'Dim ond Jac.'

'Jac Black?'

'Ia.'

'Rhywun o bwys ddeudis i!'

'Roedd o wedi gofyn imi alw hefo fo 'tasa gin i funud neu ddau i' sbario.'

'Be' oedd yn poeni hwnnw 'ta? Os 'di hi'n iawn imi holi.'

Penderfynodd Eilir mai gollwng y gath o'r cwd fesul darn a fyddai orau iddo a pheidio â manylu gormod. Go brin y byddai Ceinwen, a faged yn Fedyddwraig ac oedd yn dal felly o ran argyhoeddiad, o blaid trochi Jac Black. 'Wel yn un peth, mi roddodd o ddwy facrell yn bresant inni.'

Newidiodd Ceinwen ei thiwn yn y fan a'r lle, 'Wel chwarae teg i'w galon o. Y feri peth. Mi 'nân yn iawn inni i swpar,' a chodi o'i chadair. 'Mi a' i ati i' llnau nhw'r funud 'ma, tra bydd y te 'ma'n oeri.'

'Ceinwen, dal dy ddŵr am funud, fel bydd Shamus Mulligan yn deud. 'Doedd y mecryll ges i gin Jac Black ddim ffit i'w taflu'n ôl i'r môr heb sôn am 'u ffrio nhw. 'Doeddan nhw'n gynrhon byw. 'Dw i wedi'u claddu nhw, yn barchus, yn yr ardd gefn. Dyna, hwyrach ydi'r oglau 'ti'n glywad.'

'Wel, y cena iddo fo!' a newid yn ôl i'w thiwn arferol. 'Mi ddylwn wbod yn well.'

'Cofia, 'dydi'r hen Jac, mwy na neb arall ohonon ni, ddim yn ddrwg i gyd.'

'Be' 'ti'n feddwl?'

'Wel, ar hyn o bryd mae o'n chwarae hefo'r syniad . . . ond dim ond chwarae hefo'r syniad, cofia, o 'neud cais am ga'l bedydd trochiad.'

'Bedydd cred?' ac aeth llygaid Ceinwen yn soseri ehedog. 'Jac Black? Y sacrament gysegredig honno!'

'Gwranda, Cein bach, dim ond cais cychwynnol ydi o ar hyn o bryd. Rwbath i'r Blaenoriaid i'w drafod, gan bwyll. A 'ro' i 'mhen i' dorri ma' gwrthod y cais 'nân nhw.'

Ond arfer gwraig y Gweinidog oedd crogi'n gyntaf a holi am y dystiolaeth yn nes ymlaen. 'Ga' i ofyn cwestiwn iti, Eilir?'

'Cei.'

'Pam na fedri di fod yr un fath â phawb arall?'

'Be' 'ti'n feddwl?'

'Yn dysgu yn ysgol profiad. Sawl gwaith ma'r Jac Black 'na wedi dy 'neud ti'n bric pwdin?'

'Ond perthyn i'r gorffennol ma' pethau felly, Ceinwen. 'Dydi o wedi ca'l tröedigaeth, 'tydi? Mae o'n ddyn newydd,' ond yn amau hynny'i hun.

'Tröedigaeth ddeudist ti?'

'Ia . . . o fath.'

'Dyn newydd! Mae o 'di ca'l cymaint o dro, Eilir bach, nes 'i fod yn dal i wynebu'r un cyfeiriad ag o'r blaen.'

'Ond Cein, fydd rhaid i mi 'i holi o am 'i gred cyn medra' i 'i roi o dros 'i ben mewn unrhyw ddŵr.'

'Wel Eilir, os bedyddiwch chi Jac Black mi fydda' i'n symud fy stondin at William Hughes a'r Bedyddwyr ym Methabara.'

'Dy ddewis di fydd hynny, Cein.'

'Dewis anorfod fydd o, 'te.'

Wedi ymresymu, arfer Ceinwen oedd gadael i bethau stiwio am ychydig. Yn eigion ei galon fe wyddai Eilir, yntau, mai Ceinwen oedd yn iawn naw gwaith o bob deg, os nad yn amlach na hynny. Hi oedd wedi'i gwisgo â mantell doethineb. Ei wendid yntau, fel y gwyddai'n dda, oedd gwisgo'i galon ar ei lawes ac addo popeth i bawb heb gyfri'r gost ymlaen llaw. Ar y llaw arall, os byddai wedi rhoi'i air i rywun 'doedd yna ddim newid llwybr wedyn, costied a gostio. Ond chwarae teg i Ceinwen, fyddai'r haul chwaith byth yn machludo'n hir ar ei natur dda hithau.

Plygodd Ceinwen ei phen rownd cilbost y drws, 'Eil?'

'Ia?'

'Be' gymi di i dy swpar? Ffish-ffingyrs 'ta *mackerel pâté*? 'Tasa 'na ddewis?'

Er nad oedd Eilir na Ceinwen wedi yngan gair wrth undyn byw am gais Jac Black am fedydd trochiad, roedd y stori ar dafodau'r dre ymhell cyn i'r Cyfarfod Blaenoriaid feddwl am ymgynnull. Tre felly oedd Porth yr Aur. Ond yn yr achos yma Jac Black, wrth far y Fleece, rhwng sobrwydd a meddwdod, oedd wedi sôn am y bwriad wrth Oli Paent ac Oli wedi plastro'r stori wrth baentio a phapuro o dŷ i dŷ.

O wybod beth a fyddai'r pwnc trafod roedd y naw Blaenor yn bresennol; saith o'r hen fyddin a'r ddau flaenor newydd: Owen C. Rowlands a Bettina Pringle. Wedi iddi landio yn y dre, rai blynyddoedd yn ôl bellach, ymunodd Bettina â'r ddiadell fechan a gyfarfyddai yn y 'Capel Susnag' ym mhen draw'r Harbwr ond rhoddai'i theyrngarwch i sect efengylaidd â'i phencadlys yn America – The Fish Fellowship. Dysgodd Gymraeg, i berffeithrwydd bron, a throsglwyddo'i theyrngarwch i Gapel y Cei a chynnau mymryn o dân yn y fan honno. O gael neges at ei dant, porthai'r addoliad gydag ambell i 'amen' gynnes a dyrchafu'i breichiau i entrych nef. Pan ledid tôn fwy jasaidd na'i gilydd siglai i rythmau'r dôn honno ac ysgwyd tambwrîn. Gydag amser, fe'i hetholwyd i fod yn flaenor yng Nghapel y Cei.

Cyn bod y Gweinidog wedi codi'r mater, bron, fe aeth hi'n drafodaeth frwd. Meri Morris oedd y gyntaf i ymateb; iaith ffarm oedd yr agosaf at law i Meri ar bob achlysur. 'Cynnig ein bod ni yn 'i ddipio fo cyn gynted â phosib', fel petasai hi'n sôn am fyharen wedi cynrhoni. 'Mi fasa'i roi o dros 'i ben mewn dŵr yn gneud mawr les iddo fo. Faswn i'n gneud y job fy hun 'tasa rywun yn rhoi caniatâd imi. Y nefoedd a ŵyr pa mor ddu ydi o 'tasa rhywun yn digwydd tynnu amdano a hithau'n olau.'

'Just imagine,' mwmiodd Cecil, perchennog caffi'r Tebot Pinc a'r Siswrn *Cecil's Scissors* yn Stryd Samson.

'Gyda llaw, Mistyr Thomas,' ychwanegodd Meri, 'pan fyddwn ni'n gneud y job fydd yna hawl i roi dipyn o gostig soda yn y dŵr?'

'Fydd yna ddim peryg i'w groen o blicio os rhowch chi beth felly yn y dŵr?' holodd Dwynwen, yr ieuengaf o'r Blaenoriaid, mewn peth braw.

'Risgio peth felly fydda' orau,' arthiodd John Wyn, yr Ysgrifennydd, yn ddideimlad fel arfer. 'Doedd Jac ac yntau fawr o lawiach. ''Tasach chi'n digwydd sgaldio dipyn arno fo, pa wahaniaeth fasa fo? Mi geith groen glanach yn 'i le fo mewn dim o amsar. Cynnig ein bod ni'n 'i roi o dros 'i ben mewn dŵr y cyfla cynta' posib.'

'Hannar munud rŵan,' apeliodd y Gweinidog, yn teimlo fod yr awenau wedi hen fynd o'i ddwylo a'r drafodaeth yn carlamu i gyfeiriadau cwbl annheilwng. 'Sacrament ydi'r achlysur. Y bwriad ydi i Jac gael bedydd trochiad fel arwydd o'r bywyd newydd a ddaeth i'w ran o a datgan hynny'n gyhoeddus. Hwyrach y bydd y ddefod yn garrag filltir yn 'i hanas o ac yn ein hanas ninnau fel eglwys o ran hynny.'

'Diolch iddo,' pynciodd Bettina yn ddefosiynol. *'And praise be!'*

'Ond mae yna un peth sy'n peri pryder imi,' ychwanegodd y Gweinidog, yn cadw'r addewid a roes i Ceinwen yn gynharach ar y noson. 'Fe hoffwn i ga'l gwybod, mewn mwy o fanylder, be' ydi cymhellion Jac dros ofyn am fedydd trochiad.' Taflodd gip awgrymog i gyfeiriad Bettina a eisteddai mewn lle pur gyfyng, rhwng Ifan Jones a Howarth, yn wlân Cymreig i gyd ac yn chwys laddar, ''Dwn i ddim oes yna rywun ohonoch chi a all fy ng'leuo i?'

Mewn contralto cyfoethog eglurodd Bettina fel roedd 'John' a hithau wedi trafod y mater yn weddigar a bod 'John', bellach, yn llwyr gytuno â Chredo Nicea.

O glywed am y fath ddyfnder cred agorodd gweddill y Blaenoriaid eu cegau mewn rhyfeddod. Ond fe wyddai'r Gweinidog mai eithaf darllen Jac Black oedd y *Sun* sbâr a fyddai ar far y Fleece a'r tabl trai a llanw ar wal y Cei.

Penderfynodd chwarae mig, 'Deudwch chi Miss Tingle . . . y . . . Pringle,' ac roedd y Gweinidog, fel Jac, yn dechrau cymysgu'r enw, 'at ba fersiwn o Gredo Nicea 'dach chi'n cyfeirio?'

Aeth yn big ar Bettina, 'Wel . . . m . . .'

'Er enghraifft, ydi Jac, John i chi, felly, yn derbyn y fersiwn sy'n cynnwys y *Deum de Deo*?'

Aeth Miss Pringle fwy fyth i'r wal a'r Blaenoriaid yn fwy na chegrwth.

''Dydi 'nghariad i'n *bright*?' sibrydodd Cecil, ond yn glywadwy i bawb, yn rhyfeddu at wybodaeth denau'i Weinidog.

'Ond peidiwch â phryderu, Miss Pringle,' ychwanegodd Eilir, yn trugarhau ac yn gollwng Bettina o'i gwewyr, 'mi ga' i gyfla i holi Jac ar bwynt o athrawiaeth yn nes ymlaen.'

Owen Gillespie, y duwiolaf o ddigon o blith Blaenoriaid Capel y Cei, a gynigiodd fod yr eglwys yn caniatáu bedydd trochiad i Jac, a Meri Morris wedyn yn ei eilio gyda brwdfrydedd. Ond yn cefnogi'r cynnig ar dir glanweithdra yn fwy nag ar sail unrhyw gredo eglwysig. John Wyn oedd yr unig un i atal ei bleidlais ond roedd y gweddill o blaid. Wedi i'r fantol droi tynnodd Meri damaid o bapur a phwt o bensel ddi-fin o'i bag llaw a stryglo i sgwennu'r geiriau 'costig soda' – rhag ofn iddi anghofio'r peth pwysicaf.

Roedd y Blaenoriaid ar hel eu paciau pan atgoffodd y Gweinidog hwy fod rhaid penderfynu ar le. Y lle oedd y broblem. ‘Fel y gwyddoch chi i gyd, ’does yna ddim cyfleusterau yma, yng Nghapel y Cei, i fedyddio drwy drochiad.’

‘Fedrwn ni ddim defnyddio Bethabara’r Capal Batus?’ holodd William Howarth, yr Ymgymerwr. ‘Hefo angladdau, mi fydda’ i’n gweld fan’no yn lle bach hwylus ddigon i barcio.’

Aeth Cecil Siswrn i gynrhoni yn ei sedd, ‘Mistyr Howarth, cariad, *don’t be a silly-billy. It’s about dipping not parking*.’ Yna, trodd at ei Weinidiog, yn sent i gyd, ‘Ewch ymlaen, *sweetie pie*, ne’ mi fydd fy *faggots* i, *poor things*, wedi’u crimetio.’

Neidiodd y Gweinidog at awgrym Howarth, ‘’Dw i’n siŵr y bydda’ Bethabara yn fwy na pharod i . . .’

‘Os ca’ i ddeud gair yn y fan yma,’ ymyrrodd Owen C. Rowlands, ond yn orfoneddigaidd fel arfer. A dyn cau drysau o’i ôl ar bob achlysur oedd Now Cabaitsh. ‘Ma’ gin i ofn – a maddeuwch imi am ddeud hyn – na fedrwn ni ddim manteisio ar y caredigrwydd hwnnw ar hyn o bryd.’

Daeth syndod i wyneb amryw, ‘Pam lai?’ . . . ‘Ma’ ’na le bedyddio yno, ’does?’ . . . ‘Fasa’n gneud i’r dim.’

‘Deddf Iechyd a Diogelwch, ma’ gin i ofn,’ eglurodd Now. ‘Mi aeth yr ola’ fedyddiodd William Thomas, ddeng mlynedd yn ôl, dynas go drom, ar ’i thin . . . ar ’i phen-ôl felly yn y ffynnon felly, ac mi fethodd William â’i physgota hi allan heb ga’l help hogiau’r ambiwlans. ’Does yna ddim teils nyn-slip yno, ylwch. M . . . William Thomas oedd yn deud pan es i â dau benog i Bethabara View. William Thomas yn ffond iawn o bennog. Wel, a chath fôr o ran hynny.’

Wedi cael Owen C. Rowlands yn ôl o'r môr bu cryn dorri cnau gweigion. Ifan Jones yn holi oedd hi ddim yn bosibl bedyddio Jac yn sych, 'yn lle bod ni'n wastio dŵr a ninnau wedi mynd ar y mityr?' Yna Meri Morris, yn gymwynasgarwch i gyd, yn cynnig benthyg hen septic tanc a ddefnyddiai Dwalad, ei gŵr, i ddyfrio'r bustych, 'Ac mi fasa'n bosibl sgwrio peth felly hefo'r un costig soda. Dim ond gofalu cadw digon yn sbâr i sgwrio'r Jac Black 'na'n nes ymlaen.' Ac Owen C. Rowlands, mewn cryn fraw, yn taflu siâp ceg i gyfeiriad y Gweinidog, 'Iechyd a Diogelwch!'

Yna, fel tawch ar wres, egrodd diddordeb y Blaenoriaid yn y drafodaeth. Wedi'r cwbl, roedd hi'n tynnu at ddeg. A dyma nhw'n dechrau codi o'u seddau, fesul un ac un, a llifo i gyferiad y drws allan tan ffarwelio â'r Gweinidog wrth fynd.

''Dw i'n siŵr y ceith Mistyr Thomas afa'l ar rwbath inni.'

'Ca'l bydd o bob amsar.'

'Mynd yn hwyr ma' hi.'

'Noswaith dda, Mistyr Thomas'

'Nos da ichi.'

'A phob bendith hefo'r gwaith.'

Yn gynnar fore trannoeth, bore Sadwrn, aeth Eilir am dro ar hyd y Morfa Mawr i gyfeiriad y Clwb Golff a Brandi, yr ast ddefaid, i'w ganlyn. Lle da i wahanu'r us oddi wrth y gwenith ac i osod pethau yn eu cyd-destunau priodol oedd ysgwydd y Mynydd Mawr yn y bore bach. Serch bod y darn tir yn union uwchben y môr yn un frech o garafanau lliwgar, lle trigai Shamus Mulligan a'i dylwyth, 'doedd dim siw na miw o'r fan honno ben bore

fel hyn. Llithrai Brandi, hithau, o docyn brwyn i lwyn eithin ac o lwyn eithin i docyn brwyn yn hela cwningod dychmygol ac yn marcio allan ei thiriogaeth. Rhywfodd, roedd gwrando ar y môr yn y pellter yn griddfan ar ei wely yn dwyn tawelwch meddwl i Eilir bob amser. Do, fe ystwythwyd sawl pregeth stiff a chael goleuni ar aml i broblem ddyrys wrth grwydro llethrau'r Morfa Mawr.

Erbyn rowndio'r Clwb Golff a cherdded yn ôl yn hamddenol i gyfeiriad yr Harbwr roedd yr haul wedi codi o'i wely a Phorth yr Aur yn dechrau deffro ar gyfer diwrnod braf arall. Yna, clywodd chwibaniad yn agor yr awyr. Trodd ei ben, i weld Shamus Mulligan yn llithro i lawr y bryn i'w gyfeiriad, sbenglas wrth strap rownd ei wddw, y gôt darmacio felen yn barasiwt o'i ôl a'r ddau alsesian, Sonny a Fraser, yn tuthio'n ddisgybledig wrth ei sodlau. Cythrodd Eilir i goler Brandi a'i rhoi wrth dennyn rhag ofn iddi fynd yn gwffast.

Daeth Shamus i stop o fewn troedfedd neu ddwy i'r Gweinidog a'r ddau gi yn union tu ôl iddo. 'Neis gweld chdi, Bos. 'Nath Shamus gweld chdi'n dŵad, trwy binocilars, ia?'

'Sudach chi, Shamus?'

'Dim bad, ia? Musus chdi'n iawn?' a'r un oedd agoriad ymgom Shamus hefo'r Gweinidog ar bob achlysur.

'Yn dda iawn, diolch.' Gwyddai y byddai rhaid iddo yntau ofyn yr un cwestiwn i Shamus i dderbyn yr un ateb stoc arferol, 'A sut ma' Musus Mulligan?'

'Coesau fo'n giami, cofia,' ac roedd y Gweinidog wedi clywed am gyflwr coesau Kathleen Mulligan am chwarter canrif bron. 'Faricos feins o, Bos bach. Fath â grêps, ia?'

'Ddrwg gin i glywad hynny, Shamus,' ond yn synnu dim at y cyflwr blin a hithau wedi geni cynifer o blant ac yn cario'r fath bwysau llethol.

'Ond ma' nhw am mynd â'i coesau fo i hosbitol, cofia,' fel petai hi'n bosibl i goesau gwraig Shamus fynd i le felly heb eu perchennog.

'Wela' i,' ond yn methu â gweld sut oedd y fath beth yn bosibl. Eto, ym myd meddygaeth, roedd yna wyrthiau newydd yn digwydd bob dydd.

Sylwodd Mulligan ar y benbleth yn wyneb y Gweinidog ac ategu, 'Ond bydd o'n mynd yno hefo'i coesau, ia?' A chafodd syniad, 'Ti isio ca'l stag arnyn nhw, Bos?'

'Ar be'?'

'Ar 'i coesau fo.'

'Oes. M ... nagoes. Fedra' i ddim, ar y funud. 'Dw i isio paratoi at fory, ylwch.'

'Be'? 'Sgin ti *Mass*, ia?' Er iddo gael ei fagu ym Mhorth yr Aur gyda'i epidemig o gapeli ac eglwysi 'doedd gan Shamus Mulligan ddim syniad am y gwahaniaethau rhwng Catholigiaeth a Phrotestaniaeth. 'Cei di dŵad i gweld 'i coesau fo rywbryd eto, ia, pan fydda' nhw 'di dŵad 'nôl o hosbitol.'

Cododd Sonny o'i gwrcwd a ffroeni i gyfeiriad Brandi; chwilio am wraig o bosibl. Taflodd Shamus un llygad i'w gyfeiriad a disgynnodd hwnnw yn ôl i'w gwrcwd ac ysgwyd ei gynffon ar ei feistr.

''Dw i am 'i throi hi rŵan, Shamus.'

'Dal dy dŵr am funud, Bos bach. Ma' gin Shamus isio helpu chdi hyfo petha' Capal.'

'O?' Roedd hynny'n newydd annisgwyl iawn.

'Dallt bo' chdi am roi Jac Black yn dŵr.'

'Wel, ma' 'na ryw sôn am y posiblrwydd o'i fedyddio fo, rywbryd,' a cheisio swnio mor annelwig â phosibl.

'Oli Paent oedd yn deud yn Fleece. Pan oedd o'n *sloshed*,

ia?' ac roedd clywed hynny'n dân ar groen y Gweinidog. 'A bo' chdi hyfo dim byd i dal dy dŵr. Granda, Bos, gin Shamus y feri *thing* iti.'

'Felly,' yn sychlyd.

Gwthiodd y tincer law fudr i boced cesail y gôt tarmacio a thynnu pamffled crychlyd allan. 'Cym stag ar hwn, Bos. *Real McCoy*, cofia.'

Craffodd y Gweinidog ar lun math o gwpwrdd plastig, tua wyth troedfedd o uchder a phump o led, gydag ysgol alwminiwm, simsan yr olwg, i ddringo i mewn iddo ac i ddod allan ohono. Trodd y pamffled drosodd i gael darllen y broliant. Gydag ymdrech darllenodd y geiriau '*Baptismal Washtub, thermostatically controlled, for total immersion*.' 'Nefoedd ar y ddaear, be' ydi hwn, Shamus?'

'Ma' fo'n *easy*, Bos. Bydd dim ond isio i dynas llefrith,' a Meri Morris oedd gan Shamus mewn golwg, 'hannar llenwi fo hyfo dŵr, ia? A troi olw'n ffor' iawn a bydd o'n cynnas braf i Jac. 'Ti'n cofio Yncl Jo McLaverty Shamus?'

'Ydw,' ochneidio a cheisio anghofio.

'Ma fo'n 'u heirio nhw allan, cofia, i *chapels* yn Connemara.' A 'doedd gan Eilir, serch sawl ymweliad â'r fro honno, ddim cof iddo weld llawer o gapeli erioed yn y Connemara – os gwelodd o rai o gwbl.

Ar waelod y dudalen gefn roedd y geiriau, '*Imported from Taiwan, without licence*'.

''Dw i ddim yn meddwl, Shamus, ond diolch ichi am feddwl am y peth.'

Aeth Shamus fymryn yn ddagreuol, 'Basa Jac yn torri 'i calon fo, cofia, 'tasat ti dim yn rhoi fo yn dŵr. Gnei di dim difaru, Bos. Gneith hogia Shamus – 'ogia da, cofia – gnân' nhw danfon o i Capal chdi. Cei di benthyg o'n *dirt cheap* gin Yncl Jo.'

Craffodd Eilir eilwaith ar y llun. 'Ond Shamus, fedra' i ddim trochi Jac mewn lle mor gyfyng â hyn. Lle i un sy' yn y cwt ar y gorau.'

''Ti 'di ca'l mis-ciw, Bos bach. 'Sdim isio i chdi gneud dim byd ond sefyll tu allan.'

'Sefyll tu allan? Ond tu mewn bydd y dŵr.'

'Grynda, Bos. 'Ti dim yn gweld switsh 'na?' a phwyntio. ''Ti dim ond pwyso hwnna, ia, a daw dŵr dros pen Jac i gyd heb i ti glychu pen dy bys. Craffti, ia?'

Gwthiodd y Gweinidog y pamffled yn ôl i ddwylo budron Shamus a pharatoi i ailgychwyn ar ei daith. 'Fel deudis i, 'dydw i ddim yn meddwl y gneith o'r tro. Ond os gwna' i ailfeddwl mi ddo' i heibio i ordro'r peth.'

''Ti'n boi call, Bos. Ac yli, cei di gweld 'i coesau fo tro hwnnw, ia?' a chyfeirio unwaith eto at Kathleen ei wraig.

Gyda'r addewid annymunol honno ffarweliodd Eilir â'r tincer a chychwyn ar ei daith drwy'r dre ac am ei gartref. Wrth gwrs, o fethu â tharo ar syniad arall, roedd y cynllun yn un posibl: bedyddio Jac yn y cwt plastig yn y gegin a gweddill y gynulleidfa yn ymuno yn yr addoliad yn y Capel. Ond byddai'n rhaid trafod y cynllun hefo Ceinwen a'i drafod fesul tamaid a fyddai orau.

Roedd Eilir, y noson braf honno yn niwedd Awst, ddeuddydd cyn Sul y Bedydd, yn chwynnu a thraws-blannu yn yr ardd gefn â'i ddwylo'n bridd i gyd pan ddaeth Ceinwen allan o'r tŷ ar hast, 'Ffôn iti. Ma'r un symudol ar goll, fel arfar.'

'Ydi o'n bwysig?' a chamu allan o'r rhesi.

'Nag'di.'

'O!' a bygwth camu'n ôl.

'Yr ymgeisydd am Fedydd sy' 'na.'

‘Jac Black?’

‘Ia, yn anffodus, ac mae o’n swnio fel ’tasa fo’n ffonio o dwnnel Penmaenmawr.’

‘Yn nhŷ Miss Pringle mae o felly,’ a phrysuro am y tŷ i dynnu’i sgidiau. A ffôn felly oedd gan Bettina, yn rhad ar ôl chwech ond gydag eco ar ddiwedd pob brawddeg fel petai hi’n byw mewn ogof.

Yn nhraed ei sanau cydiodd Eilir yn y teclyn hefo bys a bawd, ‘Jac, chi sy’ ’na?’

‘Lle ddiawl ’dach chi ’di bod . . . dy . . . dy . . . dy?’

‘John, langwej . . . jy . . . jy . . . jy!’ rhybuddiodd Bettina.

‘Fedra’ i fod o gymorth ichi, Jac?’

‘Fedrwch chi ddeud wrtha’ i be’ ydw i fod i wisgo . . . go . . . go . . . go . . .?’

‘Pan fyddwch chi’n ca’l eich bedyddio ’dach chi’n feddwl? Wel, ro’n i am ga’l gair hefo William Thomas, Bethabara View. Ma’ gin y Bedyddwyr goban ar gyfer y gwaith.’

‘Da i gythral o ddim byd . . . dy . . . dy . . . dy,’ ebe Jac yn flin.

‘Wel, pam hynny?’

‘Diawl, fydd yna ddim balog mewn peth felly . . . lly . . . lly . . . lly!’

‘John . . . ny . . . ny . . . ny!’ a chafodd rybudd pendant arall parthed ansawdd ei iaith.

‘Deudwch i mi, ’sa hi’n iawn i mi ddŵad yn fy nhrôns . . . ôns . . . ôns . . . ôns?’ holodd Jac.

Roedd yr eco’n mynd ar nerfau’r Gweinidog a byddai’n gwbl fodlon i Jac gynnig dŵad yno mewn cimono. ‘Ardderchog. Ond newid i’ch trôns wedi cyrraedd yno, ’te?’ rhag ofn i Jac gyrraedd yno yn y niwd.

Arfer Jac Black oedd torri pen pob sgwrs unwaith

roedd o wedi cael ei faen i'r wal. 'Dyna ni 'ta. Mi ro' i 'nhrôns am 'y nhin fel bydda' i'n codi . . . di . . . di . . . di?'

Serch yr eco i gyd, penderfynodd y Gweinidog beidio â gollwng Jac yn gwbl groeniach chwaith. 'Un cwestiwn bach ichi, Jac. Sut ma' Credo Nicea yn dŵad ymlaen?'

'Y. . . y . . . y . . . y?' yn amlwg yn y niwl.

'*Deum de Deo*?'

'A'r un fath i chitha . . . tha . . . tha . . . tha', mwmiodd Jac a sodro teclyn ffôn Bettina Pringle yn ôl ar ei golyn gyda chlec.

Pan gyrhaeddodd y Gweinidog fore Sul, wedi gorfod cerdded peth o'r ffordd oherwydd prinder lle i barcio, roedd John Wyn, yr Ysgrifennydd, yn pawennu'i ffordd yn ôl a blaen ar y ramp a arweiniai i fyny at ddrysau Capel y Cei yn un llewpard blin. (Roedd Ceinwen, ar sail argyhoeddiad, wedi troi'n soldiwr ac aros gartref o'r oedfa.)

'Dowch, da chi, ma' hi fel 'tasa hi'n ddiwygiad yma, ond nag ydi hi ddim. Mwy lawar o'r Fleece yn bresennol nag sy' 'na o'r aelodau, 'swn i'n ddeud.'

'Dda ein bod ni'n medru ennill tir, John Wyn, a denu rhai o oddi allan.'

'Ennill tir, ddeutsoch chi? Colli tir faswn i'n ddeud a cholli'n henw da'r un pryd. 'Dydi'r Black 'na'n paredio hyd y lle 'ma yn 'i drôns.'

'Bobol mawr!' a phrysuro rownd yr adeilad ac am y gegin. Roedd hi fel diwrnod lladd mochyn yn yr hen amser yn fan honno: Meri Morris wedi torchi'i llewys ac yn chwys laddar yn cario pwcedeidiau o ddŵr oer i'r Baptismal, Cecil yn bustachu gwthio'r plwg trydan i dderbyniad a oedd yn debyg o fod yn fyw a Jac yn hofran yn ôl a blaen yn droednoeth ac yn ei drôns. Bob hyn a hyn cerddai'n ofalus at y drws a wahanai'r gegin oddi wrth y Capel i gael cyfri faint mwy o hogiau'r Fleece oedd wedi landio. Bob tro'r ymddangosai Jac yn y drws codai bonllef o'r gynulleidfa yn union fel petai rhywun newydd sgorio trei mewn gêm rygbi.

Sylwodd y Gweinidog ar baced dau gilo, neu well, o soda costig ar lintel y ffenest ac ofni'r gwaethaf. Tynnodd sylw Meri at y paced ond y cwbl a wnaeth honno, o ganol ei holl brysurdeb, oedd rhoi winc ddireidus arno; winc a awgrymai 'dim ond aros fy nghyfla ydw i'.

Roedd y Gweinidog wedi ceisio llunio oedfa a fyddai'n dderbyniol o dan yr amgylchiadau. Y broblem fwyaf o safbwynt gweld oedd bod y trochi i ddigwydd yn y gegin, o olwg y gynulleidfa – gan mai yn y fan honno roedd y cyflenwad dŵr – a'r addoliad cyffredinol i ddigwydd yn y Capel. Penllanw'r oedfa fyddai'r foment y byddai Jac yn camu allan o'r Baptismal, wedi'i Fedydd, a'r gynulleidfa'r un foment i dorri allan i ganu pennill o emyn o dan arweiniad Ifan Jones, yr hen ffarmwr.

Gwirfoddolodd Cecil i fod yn fath o reolwr llwyfan i gysylltu rhwng y gegin a'r Capel ac i roi arwydd i Ifan Jones, tra byddar, pryd i daro'r dôn 'Cymod'. Daeth yno yn barod i fyw'r part mewn siwmper fflamgoch â'r hysbyseb Siswrn *Cecil's Scissors* ar ei ddwyfron, llodrau claerwynion a stopwatsh yn ei law. Y cydamseru a fyddai'n anodd.

Y cydamseru a aeth ohoni. Wedi arwain defosiwn byr ac egluro bwriad yr oedfa a'i phatrwm, cerddodd y Gweinidog o'r Capel ac am y gegin. Yn y gegin, safai Jac ar ris uchaf yr ysgol alwminiwm ansad a'r dŵr yn y Baptismal yn ffrothio ac yn mygu. Taerai ar ei beth mawr fod y dŵr yn 'rhy boeth o beth cythral' a Meri'n chwarae'n ffrwcslyd hefo cloc y thermostat i geisio newid tymheredd y dŵr hwnnw. Mewn camgymeriad, a gobeithio hynny, roedd Meri wedi troi'r olwyn hyd at y gair *boiling* yn hytrach na hanner ffordd. Bu'n ofynnol i wagio'r dŵr ac ail-lenwi.

Yn y cyfamser, aeth y Gweinidog i egluro i Cecil er mwyn i hwnnw, wedyn, atal Ifan Jones rhag taro'r dôn cyn pryd. Ond camddeallodd yr hen Ifan yr arwyddion a tharo'r dôn 'Cymod' yn y fan a'r lle gyda'i dremolo arferol:

> Mae'r ffynnon yn agored,
>   Ydi'n wir,
> I olchi yn ddiarbed,
>   Ia'n wir . . .

Aeth y rheolwr llwyfan yn dipiau. Chwifiodd ei freichiau i gyfeiriad y gynulleidfa a mynd yn syth at dwll clust yr hen Ifan. Gwaeddodd drwy'r blew i gyd, a'r meic oedd yn y sêt fawr yn chwyddo'r cyfan i'r gynulleidfa, '*Farmer Jones,* cariad, *how could you*?'

Pan ddychwelodd y Gweinidog i'r gegin, wedi ceisio egluro'r amgylchiadau i'r gynulleidfa ac ymddiheuro am yr oedi, roedd Jac yn dal ar ben yr ysgol, ond yn crynu fel deilen bellach, ac yn cwyno'r tro hwn fod y dŵr 'yn rhy oer o beth cythral!' Yna, yn ddamweiniol, wrth geisio troi olwyn y thermostat at i fyny pwysodd Meri yn erbyn y switsh bedyddio a chafodd Jac gawod o ddŵr rhewllyd ar ei gefn noeth. Bu'n rhaid i Eilir ymadael a mynd am y festri am ychydig amser rhag gorfod gwrando ar Jac yn galw ar y duwiau.

Roedd hi'n tynnu at hanner awr wedi un ar ddeg ar y gwir fedyddio'n dechrau. Erbyn hyn roedd Meri wedi cael y dŵr i wres rhesymol, Jac yn fwynach ei ysbryd a'r Gweinidog yn barod i'r gwaith. Rhoddodd arwydd i Cecil er mwyn i hwnnw roi arwydd i Ifan Jones ac i'r gynulleidfa. Cerddodd Cecil i'r drws a gweiddi dros y Capel i gyd, '*Ladies and gentlemen, stand by for Take Two*!'

Y foment honno, roedd y Gweinidog newydd bwyso'r switsh, Jac ar frig yr ysgol gydag un goes yn y dŵr a'r dŵr bedyddio'n araf ddiferu. Yna, yn anffodus, plygodd Jac ymlaen i gael arwyddo 'iechyd da' ar ei fêts tua'r Capel a dyna'r foment y collodd ei falans a mynd i mewn i'r tanc hanner llawn â'i ben yn gyntaf.

Yn y Capel, roedd Ifan Jones yn ei morio hi gorau posibl:

Mae'r ffynnon yn agored,
 Ydi'n wir,
I olchi yn ddiarbed,
 Ia'n wir;
Y dŵr sy'n awr yn llifo
A'r amser yn prysuro,
I ni ddynesu ato,
 Ia'n wir,
A gweled ei fedyddio,
 Ia'n wir.

Aeth Meri ati hi, gyda help y Gweinidog, i bysgota Jac allan o'r tanc a rhegfeydd hwnnw'n ffrothio i'r wyneb. Wedi cael ei godi o'r dŵr disgynnodd Jac Black i lawr grisiau'r ysgol alwminiwm yn un dyfrgi gwlyb. Yna, heb ddeud gair wrth neb, cipiodd y tywel roedd Meri'n ei ddal ar ei gyfer a mynd allan drwy ddrws cefn y gegin ac am y stryd fawr yn ei drôns ac Ifan newydd ei haildaro hi:

Y dŵr sy'n awr yn llifo
A'r amser yn prysuro,
I ni ddynesu ato,
Ia'n wir,
A gweled ei fedyddio,
Ia'n wir.

Erbyn hyn roedd hi'n ddechrau Medi a'r Gweinidog a'i wraig ar fin nos yn eistedd o flaen tân oer diwedd haf; Eilir â'i ben mewn llyfr a Ceinwen yn pori drwy dudalennau'r papur lleol, y *Porth yr Aur Advertiser*, oedd newydd landio ar fat y drws ffrynt.

'Eilir?'

'Ia?'

'Choeli di byth, ond ma' llun y Jac Black 'na ar dudalen flaen yr *Advertiser*.'

'Ydi o?' a cheisio swnio'n ddidaro.

Erbyn hyn, roedd y tyndra a fu rhwng y ddau wedi helynt y bedyddio'n dechrau llacio a'r mater wedi hanner ei gladdu. Dechreuodd Ceinwen ddarllen yr hyn oedd wedi'i sgwennu o dan y darlun, '"Y Sul diwethaf, 17 Awst, yng Nghapel y Cei, Porth yr Aur, yng ngŵydd cynulleidfa anarferol o luosog, bedyddiwyd Mr. J. Black, unig fab y ddiweddar Miss Gwen Black, 2 Llanw'r Môr. Gweinyddwyd y seremoni gan y Parchedig Eilir Thomas, Gweinidog Mr Black. Treuliodd Mr J. Black weddill y diwrnod yn y Fleece yn dathlu'r digwyddiad gyda rhai o'i gyfeillion, ym mha le y tynnwyd y llun hwn".'

'Ma'r peth yn darllan fel 'tasa Jac newydd briodi'n hytrach na cha'l hannar 'i fedyddio.'

'Gwranda, ma' 'na fwy iddi na hynny', ac ailddechrau darllen unwaith yn rhagor, '"Yn union cyn argraffu'r *Advertiser*, dywedodd llefarydd ar ran ffyrm James, James, James John James a'i Fab, Cyfreithwyr, i Mr. Black, drwy esgeulustod y sawl a'i bedyddiodd, syrthio dros ei ben i'r fedyddfaen. O'r herwydd, bwriedir agor trafodaeth gydag awdurdodau Capel y Cei, o dan Ddeddf Iechyd a Diogelwch 2005, parthed iawndal".'

'Ond Cein, 'nes i mo'i fedyddio fo.'

'Wel do. Dyna ma'r papur 'ma'n 'i ddeud.'

'Ia. Ond bedyddio'i hun ddaru Jac, 'te?'

'Be' 'ti'n feddwl?'

'Yn ffodus i mi, mi syrthiodd â'i din am 'i ben i'r tanc cyn i mi fedru hyd yn oed cydio yn 'i drôns o.'

Bu saib yn y sgwrsio am eiliad neu ddau. Ceinwen oedd y cyntaf i dorri gair, 'A 'nest ti, felly, ddim bedyddio Jac Black wedi'r cwbl?'

'Naddo.'

Daeth gwên i wyneb ei wraig, ''Ti'n gwbod be', Eil? 'Dw i'n meddwl ma' aros hefo chi yng Nghapal y Cei 'na' i wedi'r cwbl.'

'Mi fasa'n chwith garw imi ar dy ôl di, cofia.'

'Dim ond i ti addo un peth imi.'

'A be' ydi hwnnw?'

''Na 'nei di byth eto brynu dim byd arall gin y Shamus MullIgan 'na.'

'Wel, chwedl Howarth, anodd deud.'